D1067273

Le Schisme des Mages

Tome III

Le fils déchu

De la même auteure

Déjà parus

- *Le pacte des elfes-sphinx*
  tome I : Mélénor de Gohtes
  tome II : L'héritière des silences
  tome III : La déesse de cristal

- *Le Schisme des Mages*
  tome I : Frères de sang
  tome II : Les âmes sœurs

Louise Gauthier

Le Schisme des Mages

Tome III

Le fils déchu

ÉDITIONS DE MORTAGNE

Catalogage avant publication de Bibliothèque et Archives nationales du Québec et Bibliothèque et Archives Canada

Gauthier, Louise, 1957-

Le Schisme des Mages

Sommaire : t. 1. Frères de sang - t. 2. Âmes sœurs - t. 3. Le fils déchu.

ISBN 978-2-89074-755-5 (v. 3)

I. Titre. II. Titre : Frères de sang. III. Titre : Âmes sœurs. IV. Titre : Le fils déchu.

PS8613.A965S35 2009 C843'.6 C2009-940888-0
PS9613.A965S35 2009

Édition
Les Éditions de Mortagne
Case postale 116
Boucherville (Québec)
J4B 5E6

Distribution
Tél. : 450 641-2387
Téléc. : 450 655-6092
Courriel : info@editionsdemortagne.com

Dépôt légal
Bibliothèque et Archives Canada
Bibliothèque et Archives nationales du Québec
Bibliothèque Nationale de France
3e trimestre 2011

ISBN : 978-2-89074-755-5

1 2 3 4 5 – 11 – 15 14 13 12 11

Imprimé au Canada

Nous reconnaissons l'aide financière du gouvernement du Canada par l'entremise du Fonds du livre du Canada (FLC) et celle du gouvernement du Québec par l'entremise de la Société de développement des entreprises culturelles (SODEC) pour nos activités d'édition. Gouvernement du Québec – Programme de crédit d'impôt pour l'édition de livres – Gestion SODEC.

Membre de l'Association nationale des éditeurs de livres (ANEL)

Alain, Chantal, Ginette et Gaétan.

Notre amour fraternel est notre véritable foyer, celui qui transcende les spectres de l'espace et du temps.

Des remerciements chaleureux à ceux qui donnent un sens à mon existence.

- Gilbert et Héloïse. Je vous aime.
- Lise, ma mère. Alain, Chantal, Ginette et Gaétan, complices de mon enfance.
- Alta, Annik, Diane, Mireille, Monique, Julie, Karina, Louise, Suzanne et Suzy, mes amies si précieuses.

Je souhaite également exprimer ma gratitude à certains collaborateurs et lecteurs. Vous êtes pour moi de véritables ambassadeurs.

- Merci à Céline V. et son fils William pour leur créativité et leur temps.
- Merci à Karl M., mon irremplaçable collègue. Ton talent me fascine autant que ta joie communicative et ta générosité.
- Merci à Chantal T., Denis D., Benoît M. pour leurs commentaires inspirants.
- Merci enfin à tous ceux qui viennent me saluer dans les salons du livre et qui se passionnent pour les aventures de mes personnages. Vos paroles sincères me servent de phares dans les moments de doute.

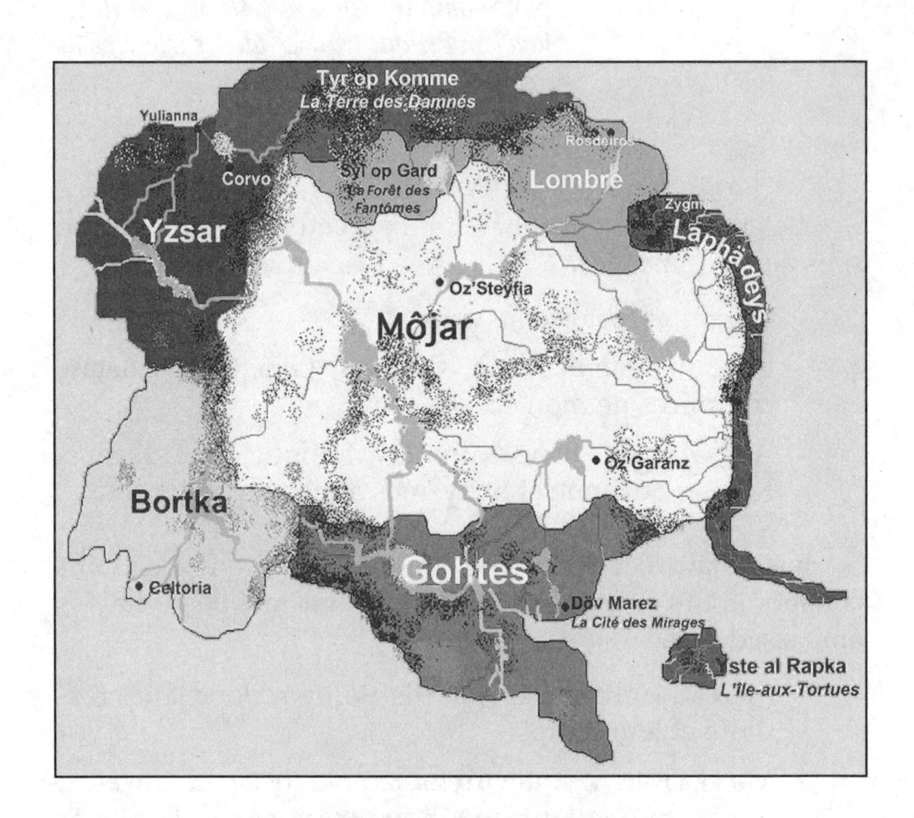

Continent d'Anastavar

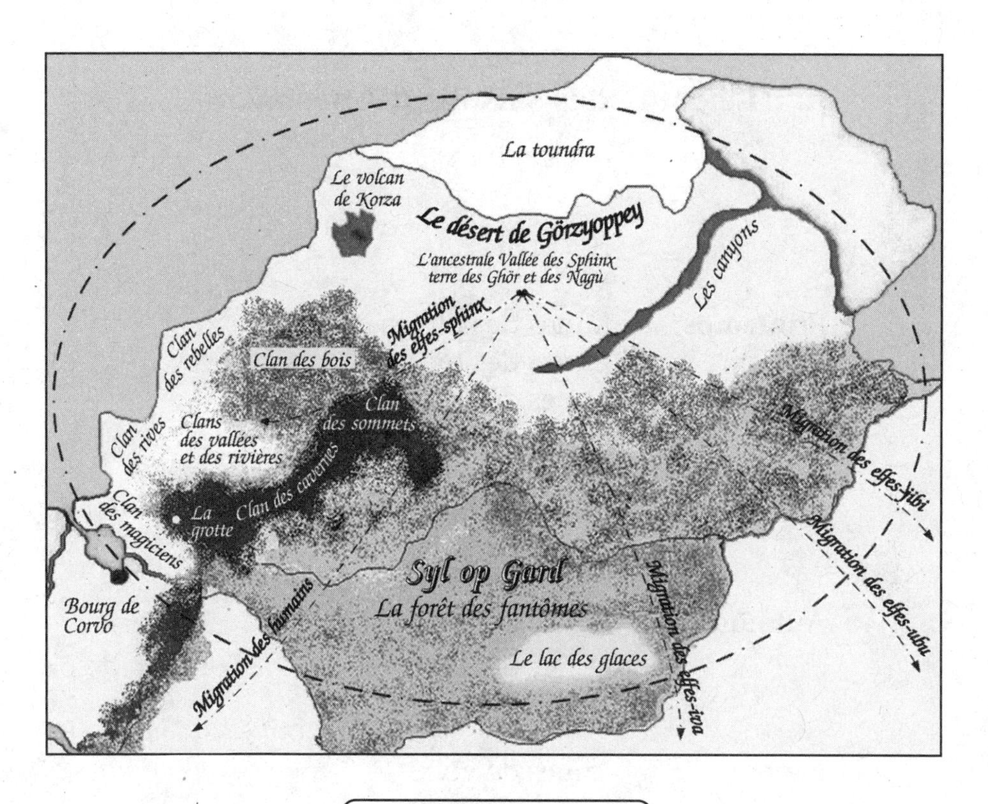

Tyr op Ejbälas

Le cours des saisons d'Anastavar

Printemps	Lunes des pluies Lunes des torrents Lunes des fleurs
Été	Lunes douces Lunes torrides Lunes étoilées
Automne	Lunes des moissons Lunes des couleurs Lunes des vents
Hiver	Lunes de givre Lunes de neige Lunes de blizzard

Prologue

Les âmes sœurs se sont attendues longtemps ; cinq siècles au cours desquels Hµrtö, dit Le Gris, a espéré que sa compagne s'incarne dans l'univers des mortels. Pour faire taire son impatience, le Loxillion s'est consacré à de longues études. Cette formation, il l'a entreprise avec Artos, le sorcier. Mais Hµrtö ne soupçonne pas la fourberie de son frère de sang. Comment pourrait-il deviner que celui-ci mène une double vie, nourrissant de funestes desseins contre lui et son âme sœur ?

Par un caprice du destin, Mauhna naît au moment où les deux aspirants sont reçus dans l'ordre des grands maîtres de magie.

✧

À l'âge de seize ans, Mauhna est devenue une resplendissante jeune fille. En raison de sa chevelure immaculée, ses proches l'appellent Blanche. Dotée de capacités hors du commun, la protectrice des trois lunes fréquente le collège de magie.

Un jour, la maladresse d'un élève précipite la communauté des Longs-Doigts en plein drame : Pholan a bêtement ouvert la porte des Dédales. Venu par cette brèche, un dragon-guivre a enlevé les sœurs jumelles de Mauhna, Lily et Poly.

Rompus aux expéditions périlleuses, Hμrtö et Artos se portent à la rescousse des fillettes. Tandis qu'ils suivent la trace du prédateur, Pholan bascule dans l'antre des monstres, entraînant avec lui six étudiants, dont Mauhna et ses meilleures amies, Adria et Rhéa.

Après avoir affronté plusieurs dangers, Hμrtö retrouve les petites captives. La mésaventure des Dédales s'avère toutefois lourde de conséquences : Lily et Poly ont été mutilées et empoisonnées. De plus, un étudiant a été abandonné aux mains des kaloriphages. Certains n'hésitent pas à blâmer Artos pour ce malheur.

Peu de temps après ces événements, Hodmar demande à son disciple rebelle de se vouer à l'apprentissage du langage du monde minéral.

– Cette connaissance est essentielle si tu veux devenir chasseur de mal, soutient le vieux mage.

Le sorcier ne pouvait pas espérer meilleur moyen de se préparer pour sa véritable quête. Derrière son masque d'honorable Longs-Doigts, celui qui a été désigné comme l'élu des ténèbres rêve de libérer le mal contenu dans le corps de la déesse de cristal.

Quand il se transporte dans le monde des hommes pour livrer des elfes-sphinx à l'esclavage, Artos se présente comme le seigneur du temple des Ejba'Lians ; là-bas, il est Le Cobra. Au mépris du danger qu'il peut encourir, Quatre-Mains espionne les faits et gestes de l'imposteur.

Décidé à affranchir les victimes du sorcier, Lom'lin entreprend un périple au cours duquel il rencontre Shinon de Beyrez, une femme qui, comme lui, appartient à la lignée des Dezmoghör. En raison des ailes diaphanes qu'elle replie sous son manteau, les étrangers la surnomment La Bossue. Mais, pour ses amis et son protégé, le jeune Nabi, cette dame à l'allure insolite mérite le nom de Fée.

Entre Shinon et Quatre-Mains se tisse bientôt une tendre complicité.

✧

Chez les elfes-sphinx comme chez les hommes, les siècles passent. Pendant ce temps, Mauhna s'instruit avec une fébrilité proche de l'obsession. Déterminée à devenir une devineresse infaillible, elle brigue le titre de grand maître et refuse de s'abandonner aux inclinations de son cœur. Quand Hµrtö lui demande de l'épouser, elle atermoie.

– Je t'aime comme un frère, déclare-t-elle en espérant s'en persuader elle-même.

Blanche n'est pas la seule à nier ses sentiments. Quel élan inavouable Artos refoule-t-il en sa présence ? Convaincu de n'avoir aimé qu'Orise, ne reculant devant aucun obstacle pour la ramener à la vie, le sorcier compte sur son charme pour soutirer du sang à la protectrice des lunes. En effet, Le Cobra a découvert qu'en temps opportun, l'essence de ce précieux liquide conférera à la ressuscitée la beauté et l'immortalité. Mais tant que Blanche résiste aux tentatives de séduction d'Artos, la renaissance d'Orise doit attendre.

Quand approche le moment d'aller négocier avec les seigneurs de la Contrée des Mégalithes, Artos propose à Hµrtö et à Mauhna de participer à sa mission. Au terme de nombreuses péripéties, la Bande des Trois échoue dans sa quête. Pire, par la faute d'Artos, les souverains du monde des pierres ont maudit la race des elfes-sphinx, jetant sur elle une terrible malédiction. Défait, Le Cobra se réfugie dans sa tanière du monde des hommes. Plus que jamais, il désire faire renaître Orise.

Les épreuves du périple ont ouvert les yeux de Mauhna sur l'amour véritable qu'elle porte à Hμrtö. Souhaitant prévenir Artos de son mariage prochain, elle se rend dans le temple des Ejba'Lians. Là-bas, Lom'lin et Shinon sollicitent l'aide de la guérisseuse : plusieurs elfes-sphinx capturés par le sorcier sont à l'agonie, victimes du grand mal. Par la même occasion, les Dezmoghör lèvent le voile sur l'abominable mystification d'Artos.

Ignorant qu'il est démasqué, le sorcier ramène Orise à la vie.

– Quelle perfection ! s'exclame Artos devant son chef-d'œuvre.

Mais la belle ressuscitée refuse l'existence dénaturée des vampires. Décidée à retrouver la paix de la vallée des trépassés, elle s'enfonce un pieu dans le cœur. Cette ultime déception force Artos à reconnaître qu'il est amoureux de Mauhna. Comptant sur la bienveillance de la protectrice des lunes, il se jette à ses pieds et lui jure de renoncer au mal si elle se donne à lui. Déroutée, la magicienne le repousse.

– J'aime Hμrtö, déclare-t-elle. Nous sommes fiancés et, que ça te plaise ou non, nous allons nous marier !

Fou de rage, Artos l'assaille. Avant de perdre conscience, utilisant sa faculté de communiquer par la pensée, Blanche parvient à appeler Hμrtö à son secours. Ce dernier arrive juste à temps pour pétrifier son frère de sang et sauver du viol sa bien-aimée. Les crimes d'Artos sont si graves, les preuves si accablantes que, la mort dans l'âme, son maître, Hodmar, doit se résigner à le bannir.

✧

Isolé, le sorcier ne vit bientôt plus que pour assouvir sa vengeance et libérer le mal contenu dans Korza. Il décide d'utiliser à ses fins les pouvoirs d'Idris, une agate pensante ramenée de la Contrée des Mégalithes. Après un certain temps, il parvient à en faire un puissant miroir magique qui projette son esprit dans des lieux qu'il peut observer sans être vu.

Épiant obsessionnellement ses ennemis, Artos assiste au mariage d'Hµrtö et de Mauhna. À la fin de la cérémonie, les Anciens honorent les Loxillion en leur remettant les clés d'or et de platine. Le Cobra jure qu'un jour il mettra la main sur ces médaillons et qu'il possédera la femme de son frère de sang.

Peu après qu'il a formulé ces terribles menaces, la fièvre du grand mal le terrasse. Désemparé, le sorcier se rend dans la Forêt des Fantômes où l'esprit des ténèbres accepte de le guérir.

✧

C'est ainsi qu'Artos séjourne une seconde fois dans l'antre du mal. Parfois, il sort hanter les bois de la forêt ancestrale. Là, il empoisonne les arbres.

« Quand j'aurai abattu leur rempart enchanté, les elfes-sphinx seront à ma merci », présage le proscrit.

Dans sa soif de vengeance, le sorcier expédie vers l'ouest des orages porteurs de pluies malsaines. Au nom du passé, il conjugue le verbe « châtier » au présent et au futur.

✧

Cinq années se sont écoulées depuis le mariage de Mauhna et d'Hµrtö. Au cours de cette période, des averses ont sporadiquement dévasté les territoires des Longs-Doigts. Ces eaux putrides semblent charrier des venins qui sèment la mort. Dès que ces funestes tempêtes obscurcissent le ciel, les moribonds s'éteignent, certains enfants succombent à des maux mystérieux et les femmes accouchent avant terme de bébés mort-nés. Lentement, la population s'étiole.

Quatre fois déjà, Blanche a perdu l'enfant qu'elle portait. Mettant à profit ses talents de guérisseuse, elle fabrique des potions pour aider ses consœurs à surmonter cette vague d'infertilité. En vain.

Depuis cinq ans, sentant peser sur lui la menace d'un avenir terrifiant, Le Gris scrute l'horizon comme si ses yeux pouvaient défier l'espace et percevoir la source de ses tourments. Invariablement, sa bouche crache un nom : « Artos ! »

Hµrtö pressent le pire. Il devine que son frère de sang a fait le serment de le frapper dans ce qu'il a de plus précieux, dans la chair de sa chair.

– I –

Leurs adieux furent aussi dépourvus d'effusion que l'avait été leur association au cours des cinq dernières années : cinq années qui, dans la vie d'Artos, avaient compté pour un demi-siècle. Suspendu dans l'espace enchanté de la caverne, l'esprit dardait son regard sur son disciple, lui rappelant la mission qui lui était dévolue.

– Maintenant, tu es imprégné de mon essence maléfique. Retrouve la Cité des sphinx et puise à cette source les enseignements ultimes de la magie noire, conclut le seigneur des ténèbres.

– Ne serait-il pas plus simple que vous m'instruisiez jusqu'au bout ? questionna sèchement le rebelle. Je vais perdre...

Son maître l'interrompit dans un grondement impatient.

– Je t'ai maintes fois répété qu'il te faut acquérir seul le raffinement suprême de la sorcellerie. Personne ne doit influencer l'élu dans son apprentissage, pas même moi. Aucune autre volonté que la tienne ne doit guider ta main dans l'accomplissement de ton œuvre.

Le Cobra opina, résigné.

– Et qu'adviendra-t-il quand la magie noire n'aura plus de secret pour moi ? demanda-t-il.

– Tu régneras sur ce monde, comme je règne sur le mien, répondit l'esprit tandis que son visage surnaturel devenait évanescent. Unique dans ton univers, plus redoutable que la somme de tous les mortels, tu deviendras leur souverain. Tu domineras les races elfique et humaine. Tu seras *leur* seigneur des ténèbres.

Sur ces paroles, les particules lumineuses se dispersèrent. Dans cet éclatement coloré, les traits de l'hôte parurent fondre comme un masque de cire. Bientôt, une nuée de fausses lucioles s'éleva vers la voûte et quitta la grotte. À sa suite, Artos emprunta l'escalier de pierres grossières.

Il émergea de la gueule de roc pour découvrir que le jour se levait sur la Forêt des Fantômes. Les lueurs blafardes de l'aube hivernale traçaient des sillons obliques sur la neige tombée durant la nuit. Revêtus de leur manteau de givre, les arbres semblaient veiller sur le sommeil paisible de la nature.

Tout autre que Le Cobra aurait été ému par cette beauté lénifiante. Indifférent, il grimpa jusqu'au sommet d'une butte. Arrivé là-haut, il s'accorda néanmoins le plaisir de respirer la fraîcheur de la brise.

« Je n'en pouvais plus de croupir sous terre comme une taupe », constata-t-il en savourant la caresse du froid sur sa peau.

Après un moment, un éclair bleuté scintilla sur sa poitrine et le sorcier se transforma en vautour. En quelques battements d'ailes, il prit son envol, boudant la facilité d'un voyage-éclair pour jouir de sa liberté retrouvée.

Au cours de son séjour dans l'antre du mal, son maître ne lui avait accordé que quelques sorties. Artos avait profité de chacune d'elles pour se rendre dans la forêt ancestrale et y saccager les arbres. Ainsi, il avait ouvert plusieurs brèches dans le bouclier qui protégeait les territoires des elfes-sphinx contre les ondes malsaines de leurs voisins humains.

« J'y mettrai le temps qu'il faudra, mais je détruirai ce rempart », se promit le sorcier en planant sur un courant plus tiède.

Le rapace se posa au cœur d'un massif de vénérables séquoias. Reprenant sa forme elfique, il corrompit une centaine de conifères : une fois racorni, leur tronc se couvrait de verrues et leur âme, pervertie par la souffrance, s'emplissait de haine.

– Sous peu, cette forêt sera si sombre que même les fantômes n'oseront plus la hanter, présagea le sorcier.

Quand il fut las de torturer les arbres, il se transporta, par voyage-éclair, au faîte d'une colline qui dominait Corvo. Le Cobra n'était pas revenu dans cette cité depuis le jour où il avait châtié ses disciples mutinés. Depuis son promontoire, il observait l'endroit où s'élevait autrefois le temple des Ejba'Lians.

Quelques murs incendiés tenaient encore debout, donnant au lieu des allures sinistres. Les intempéries des cinq dernières années n'avaient pas réussi à effacer les traces de suie laissées par les flammes. Artos sourit.

« L'endroit me fera un refuge idéal, songea-t-il en sortant de sa poche une pierre noire, lustrée et plate. Mais voyons d'abord ce que fabriquent mes ennemis. »

Au contact de la paume d'Artos, l'onyx s'activa.

– *Idris, montre-moi le collège !* ordonna le rebelle dans le langage des pierres.

L'agate réveilla ses pouvoirs pour projeter l'esprit de son maître dans l'enceinte de l'école de magie. Tel un spectre, Artos épia le décor de son existence passée. Il finit par dénicher Hµrtö dans une classe de l'aile nord. Huit élèves assistaient au cours de sortilèges.

Grâce à son miroir, la vision était si réaliste que le Jynabör avait l'impression de se tenir à deux pas du Loxillion. Sa haine était devenue si virulente qu'il avait du mal à se souvenir de son ancienne amitié pour son frère de sang.

Inconscient de cette surveillance hostile, Hµrtö s'animait en expliquant à ses élèves l'importance de bien moduler l'incantation à l'étude ce jour-là.

– Si vous accentuez la finale plutôt que l'amorce, lança-t-il avec enthousiasme, l'eau deviendra si chaude qu'elle s'évaporera d'un seul coup. À vous maintenant !

Il leva le bras pour convier les étudiants à retourner à leur chaudron. Ce faisant, le tranchant de sa main parut pourfendre la poitrine d'Artos. L'illusion était si parfaite que le voyeur suffoqua, convaincu que son ennemi allait lui arracher le cœur. L'espace de quelques secondes, Le Gris resta figé, en proie à un malaise indicible.

– Maître, qu'avez-vous ? s'inquiéta une apprentie en le voyant blêmir.

Abandonnant sa posture rigide, le professeur ramena son bras et frotta ses doigts pour les réchauffer.

– Je... Rien... Allez, mademoiselle, fit-il en désignant la casserole de l'élève. *Goin dertabulut formilad...* Et attention aux intonations.

Quand la jeune fille eut obtempéré, Hµrtö pointa l'index vers l'âtre où rougeoyaient quelques bûches magiques.

– Cette pièce est aussi humide qu'un tombeau, maugréa-t-il en attisant les flammes.

Ébranlé, Artos commanda à Idris de quitter le collège. Chaque fois que, tourmenté par sa curiosité, il réveillait la magie de l'onyx, le Jynabör espérait surprendre son rival dans un moment de faiblesse ou de désespoir. Un tel spectacle l'aurait ravi.

– Que la gale le dévore ! pesta Le Cobra, contrarié par l'immuable contentement du Loxillion.

Pendant quelques instants, le miroir ne montra qu'un voile gris barbouillé de volutes plus sombres.

– *Elle, maintenant*, exigea le sorcier.

L'agate obéit. Bientôt, sur sa surface polie, des contours se dessinèrent, des coloris apparurent. Une maison de pierre était plantée au milieu de vastes espaces enneigés. Quatre cheminées fumaient doucement tandis que les fenêtres laissaient s'échapper le reflet chatoyant des âtres.

L'esprit du rebelle entra et longea les couloirs. La plus extraordinaire des pièces de la demeure était aménagée au fond de l'habitation : semblable à une gigantesque serre, elle était délimitée par trois murs de verre donnant sur les jardins. Mauhna y avait installé son laboratoire, le garnissant de l'attirail nécessaire à la préparation des élixirs et des mets cuisinés.

Pour l'infatigable magicienne, la vie domestique et le travail formaient un tout indissociable : à n'importe quelle heure du jour ou de la nuit, on pouvait venir chez elle pour quérir une pommade, des soins, des conseils ou un repas.

En avançant au cœur de cet antre, Artos observait le contenu des chaudrons. D'un côté, plusieurs potions mijotaient en laissant s'échapper des vapeurs multicolores. Dans certaines casseroles, des bâtons de bois de rose, de saule ou de chêne remuaient magiquement les mixtures. De l'autre côté de cet univers rempli d'effluves imperceptibles pour lui, le sorcier découvrit un ragoût de lièvre, un potage aux champignons, de la confiture de pêches et un court-bouillon. Dans un grand four cuisaient du pain et des gâteaux.

La reine de ce royaume trônait derrière une table chargée de grimoires. La joue appuyée sur sa paume, Blanche lisait. Parfois, elle interrompait sa lecture pour pointer l'index vers une marmite ou pour démouler une miche odorante. Des ingrédients de toutes sortes flottaient dans les airs, offrant au visiteur le spectacle d'une contredanse d'herbes et d'ustensiles.

Tout à coup, Mauhna pencha la tête. Dans cette attitude méditative, elle se leva et se massa les reins. Son ventre tendait la soie de sa tunique. Les yeux rivés sur l'onyx, Artos cessa de respirer.

Si quelqu'un l'avait surpris, statufié au sommet de la colline de Corvo, il aurait été terrorisé par son apparence : ses prunelles jetaient sur l'agate noire des lueurs démentes tandis que son visage s'empourprait. Obnubilé par sa vision, oubliant qu'il se trouvait à des lieues de la maison de ses ennemis, il tenait Idris d'une main et caressait Malam de l'autre. Cette dague maléfique, il l'avait forgée pour qu'elle devienne l'instrument de toutes ses guerres, de toutes ses vengeances.

– Salope ! éructa-t-il, écorché par la beauté inaltérable de la guérisseuse.

Les chagrins répétés de ses grossesses avortées n'avaient pas terni l'éclat des yeux de Mauhna, ni la fraîcheur de son teint. Une maturité empreinte de sagesse émanait d'elle, lui conférant une imposante majesté.

Les doigts du rebelle se resserrèrent sur le manche de son arme. Les dents découvertes par un rictus sauvage, il rêvait d'enfoncer sa lame dans le ventre trop rond. Le Cobra imaginait le sang sur la soie claire tandis que l'acier démembrait l'enfant de ses ennemis. Le fruit de leur amour semblait le narguer.

– Putain ! lança-t-il dans un grincement.

À cet instant, Blanche releva la tête, plongeant involontairement son regard dans celui du sorcier. L'index tendu vers lui, elle murmura :

– *Salanatat pirdû !*

Aussitôt, une tasse de bouillon traversa l'estomac de l'espion invisible et vola vers la magicienne. Réchauffant ses mains sur le gobelet, elle se rassit et reprit le fil de sa lecture, inconsciente du trouble meurtrier qu'elle inspirait à L'Autre.

Haletant, Artos ordonna à Idris de rompre le contact. Sur la colline, il s'éveilla soudain à la morsure du froid. Fouettés par des tourbillons de vent hivernal, les pans de son manteau claquaient autour de son corps engourdi.

Secouant enfin son inertie, le rebelle desserra sa paume crispée sur Malam, empocha Idris et puisa des trombes d'eau glauque dans les égouts de Corvo. Une litanie d'imprécations jaillit ensuite de ses lèvres, porteuse des terribles pouvoirs du parler noir, langage maudit des sorciers. Sa voix, rendue grave et rocailleuse, tonna dans la tourmente jusqu'à ce que les gouttes se transforment en nuage putride. Puis, dans un dernier commandement, il poussa la masse vers l'ouest. Les bras levés vers le ciel, Le Cobra prédit :

– Cette nuit encore, mes ennemis ne dormiront pas.

– 2 –

Des coups insistants ébranlèrent la porte et résonnèrent à travers les pièces de la maison. Mauhna rêvait et, dans son abominable songe, le tapage provenait du battement d'un maillet : un bourreau lui enfonçait un pieu dans le ventre.

– Pitié ! implora-t-elle en s'agitant.

Dans son sommeil, la magicienne crut entendre murmurer une voix enfantine.

« Ma petite ! » s'attrista Blanche avant de se réveiller brusquement.

Elle sut aussitôt que la réalité s'annonçait pire que son cauchemar.

– Hurtö ! appela-t-elle en tâtant la place vide à ses côtés.

Les couvertures avaient été jetées pêle-mêle au pied du lit. Les martèlements se poursuivaient, étouffant les pas empressés du Loxillion. Celui-ci courait vers le hall, le cœur palpitant, la peau glacée par une sueur qui témoignait de son angoisse. Le Gris devinait trop bien ce qui l'attendait, ce qui attendait tous les Longs-Doigts. Il tourna nerveusement la poignée et ouvrit, arrachant le heurtoir à celui qui n'avait pas cessé de frapper.

– Ça recommence ! annonça Teyho, le jeune chef du Clan des vallées.

Derrière lui, s'attroupaient des citoyens venus des villages extérieurs à La Grotte. Certains avaient encore de la neige sur leur pelisse. D'autres brandissaient des flambeaux qui éclairaient leur visage. La nuit sentait le malheur.

– Entrez vite ! les invita Hµrtö en agrandissant magiquement le boudoir attenant au vestibule.

Il sema, ici et là, des sièges et des couchettes pour les affligés.

– Je dois...

Un cri déchirant le fit tressaillir.

– Mauhna !

Le Gris se rua vers la chambre du fond. Déjà transi par l'air froid qui s'engouffrait dans la demeure, il sentit son sang se glacer. Dès qu'il surgit dans la pièce, il projeta sa lumière astrale.

– Ça recommence, sanglota Blanche, répétant sans le savoir les paroles de Teyho.

Sa chemise de nuit et les draps étaient maculés de sang. Le magicien s'agenouilla sur la couche, cherchant désespérément le moyen d'arrêter le flux mortel.

– Que dois-je faire ? s'affola-t-il, horrifié par la mare rouge qui s'élargissait sur le lin. Explique-moi ce que...

– Non ! rétorqua la guérisseuse. Tu n'y peux rien.

Une vive contraction la rejeta sur ses coussins. Le Gris lui saisit la main et la serra contre son cœur.

– Je vais veiller sur toi, lui promit-il d'une voix tremblante.

– Ton devoir n'est pas de rester auprès de moi, le contredit Mauhna en grimaçant. Il faut détruire ce fléau... Toi seul le peux... Argh !

Le Loxillion secoua la tête.

– Comment peux-tu exiger que je te quitte alors que ?...

Il fut interrompu par une voix grave qui s'éleva derrière lui.

– Je suis d'accord avec Mauhna. Il faut encore essayer d'anéantir les nuages, affirma Hodmar.

Il se tenait sur le seuil, embarrassé d'empiéter sur l'espace intime de ses disciples. Avec le temps, sa silhouette s'était un peu voûtée. Toutefois, dans ses yeux, une flamme vive continuait de briller.

– Et puis, Blanche ne restera pas seule, annonça une autre voix dans le dos du vieux mage.

Moins timide que le doyen, Adria se faufila pour s'approcher de ses amis.

– Je veillerai sur Mauhna, promit-elle à Hurtö.

Sitôt dit, elle s'activa, chacun de ses gestes témoignant de l'efficacité d'une femme aguerrie aux difficultés de l'enfantement.

Tiraillé entre son devoir et les désirs de son cœur, Le Gris hésitait encore.

– Va ! l'encouragea Blanche. Tu tiens entre tes mains la vie de plusieurs des nôtres.

Puis, s'adressant à Adria, elle réclama un élixir qu'elle avait concocté l'automne précédent.

– Cours me chercher ce flacon.

En attendant la potion, Mauhna s'adossa et pressa ses doigts sur son abdomen contracté.

– Pourras-tu sauver le bébé ? osa espérer Le Gris.

– Sa vie s'est déjà retirée, hélas, s'attrista Mauhna en caressant son ventre avec une tendresse déchirante. J'ai dit adieu à notre enfant. Fais de même, mon amour.

La tête basse, Hµrtö étreignait toujours les doigts de Blanche.

– L'âme de notre petite fille n'est pas morte, révéla-t-elle à son époux. Avant de m'éveiller, j'ai rêvé d'elle. Elle m'a assuré qu'elle reviendrait.

Hµrtö baisa le front de son aimée.

– N'abuse pas de tes forces, lui recommanda-t-il, la gorge serrée.

Puis, avec le courage de ceux qui acceptent leur destin, il quitta la chambre et rejoignit Hodmar.

– À l'est du village du Clan des sommets... Les hauts plateaux d'Argoliath, proposa-t-il comme point de départ de leur mission.

Le vieux maître opina et ils disparurent.

Là où ils aboutirent, les vents cinglaient si violemment la cime des massifs que la neige ne s'y attachait pas. Agressés par l'air glacial, les magiciens observèrent l'environnement battu par la tempête. Des flocons drus et sales virevoltaient sauvagement. En cette nuit tourmentée, le tonnerre retentissait. Les falaises de granit tremblaient, faisant parfois entendre d'inquiétants craquements.

Soudain, des éclairs déchirèrent le firmament, illuminant brièvement le paysage. Ébloui par leur éclat argenté, Hµrtö ferma à demi les paupières et scruta le ciel. La lumière intense soulignait les innombrables bourrelets du ventre des nuages.

– Il faut détruire cette saleté avant qu'elle franchisse la frontière des montagnes et atteigne les vallées, cria Le Gris pour dominer le tumulte.

Il orienta ses paumes vers la masse sombre, fit jaillir la lumière de ses soleils et lança :

– *Terloip sadit brezat !*

– *Terloip sadit brezat !* répéta Hodmar.

Après avoir infligé quelques blessures dérisoires aux nuages, la vérité s'imposa au Loxillion.

– En trouant les nuages, nous détachons des lambeaux qui poursuivent leur chemin vers le cœur de nos territoires.

– Nous ne faisons que fractionner cette saleté, admit Hodmar, sans toutefois relâcher son attaque.

– Notre tactique n'a pas réussi la fois précédente. Et aujourd'hui, la situation m'apparaît encore pire, déplora Le Gris.

À cet instant, un terrifiant grondement se fit entendre. Un peu plus bas, une avalanche entraînait tout un pan de la montagne. Le fragile plateau de pierre sur lequel les Longs-Doigts se tenaient fut miraculeusement épargné. Toutefois, surplombant maintenant un abîme, le balcon vibrait dangereusement.

– Attention ! hurla Hµrtö en sentant l'air se charger d'une odeur soufrée.

Perdus parmi les aiguilles de roc, les magiciens paraissaient attirer les griffes crochues de la foudre. Quand un éclair frappa l'ancrage de leur plate-forme, la roche craqua et se détacha du flanc.

Le Loxillion bondit dans les airs, où il parvint à léviter. Moins rapide que son disciple, Hodmar rata son saut et chuta. Des pierres s'abattaient autour de lui, risquant de l'écraser.

– *Blaüter grudist falam*, commanda Le Gris en tendant l'index.

Il dut lutter contre les forces combinées du vent et du vide pour ramener le vieux maître jusqu'à lui. Le pauvre Hodmar avait une bosse sur la tempe et du sang coulait sur sa joue. Faisant fi de la douleur et des étourdissements, il concentra ses pouvoirs et vola sans l'aide de son compagnon.

– *Terloip sadit brezat !* tonna-t-il en pointant du doigt les nuages, indiquant ainsi, qu'à défaut de trouver mieux, il entendait poursuivre cette stratégie.

Hµrtö l'imita, considérant néanmoins le défi insurmontable.

– Poussons-les vers le désert de Görzyoppey, suggéra-t-il soudain. Presque rien ne vit là-bas.

– Presque rien n'est pas rien, objecta scrupuleusement Hodmar.

– Pouvons-nous nous payer le luxe d'une pareille droiture ? argumenta le disciple.

Le vieux maître se sentait tiraillé. Voyant qu'il ne se résignait pas, Le Gris insista.

– Il nous faut choisir entre la survie de nos gens et celle de quelques races reptiliennes, soutint-il sans ménagement.

– Je comprends. Pourtant..., hésita le doyen.

Il nota alors que les nuages se fendaient autour des pics montagneux. Ils allaient bientôt échapper à leur emprise.

– Personne ne maîtrise mieux que toi les éléments. Je suivrai ton exemple, céda-t-il enfin.

Le Gris leva un vent furieux contre le mouvement de l'orage. Au début, le choc des rafales provoqua des cyclones menaçants. D'autres avalanches furent déclenchées. Malgré tout, habilement secondé par son maître, Hµrtö persista. Au bout d'un moment, le fléau recula, abandonnant quelques fragments qui s'échappèrent vers les vallées.

– Laisse-les, conseilla Hodmar quand il vit que le Loxillion cherchait à les rattraper. Le plus gros du péril est contenu. Nous ne pouvons pas faire mieux cette fois-ci.

✧

Quatre jours plus tard, la nuée atteignit le cœur du désert septentrional. Quand, au terme d'un combat acharné, Le Gris arrêta les vents qu'il avait déchaînés, la masse se figea, projetant son ombre sur une zone particulièrement dépouillée de l'immensité sablonneuse. Alors, narguant les feux de la tempête, le Loxillion darda les nuages de sa propre foudre.

Cet assaut libéra d'abord des grêlons qui criblèrent les dunes. Puis, ayant épuisé son arsenal de glace, le fléau vomit des averses couleur de rouille. Ce déluge traça des sillons larges et profonds. Au creux de ces ravins, la pluie viciée se chargea de sable, formant une vase qui s'écoulait comme du sang dans les veines d'un géant.

L'air fut ensuite saturé d'effluves ferreux. Pour éviter de suffoquer dans ces miasmes, les deux maîtres de magie lévitèrent au-dessus de la masse. Pas un instant cependant, ils ne cessèrent de la foudroyer. Leurs efforts furent récompensés quand elle fondit enfin sous leur charge belliqueuse.

Bientôt, il ne resta plus, dans le ciel, que d'inoffensifs filaments grisâtres. Hµrtö soupira d'aise, baissa l'index et massa son bras fourbu.

– Il était temps, avoua-t-il à son compagnon. Mes pouvoirs commençaient à décliner.

– Les miens aussi. Quelle fureur ! constata Hodmar en atterrissant au bord d'un des fossés.

Telle une lame ébréchée, le déluge avait balafré la face du désert d'estafilades rougeâtres.

– Rentrons, lança Hµrtö, tellement pressé de retrouver son épouse qu'il n'avait pas remarqué les tremblements du doyen.

– Accorde-moi quelques instants pour récupérer, implora celui-ci. Tu sais, je ne suis plus de la première jeunesse...

Honteux de son manque de prévenance, Le Gris acquiesça. Après un moment de silence, il désigna les sillons bourbeux.

– Vous savez ce que j'en pense, siffla-t-il, affichant une moue dégoûtée.

– Tu ne dois pas laisser le souvenir d'Artos obséder ton esprit, lui conseilla son aîné.

– C'est lui ! accusa le Loxillion avec véhémence. J'en suis certain !

Épuisé, il s'affala sur le sable. Le soir tombait. L'air fraîchissait dans l'immensité désertique. Hodmar plia son grand corps osseux et vint s'installer auprès de son ami.

– Je t'accorde que ces tempêtes n'ont rien de naturel, concéda-t-il.

– Elles sont l'œuvre de L'Autre, s'obstina Hµrtö en sondant le ciel qui s'assombrissait.

– C'est probable, mais pas certain, rétorqua le porteur de la clé d'argent.

Le Gris tiqua.

– Alors, si ce n'est pas *lui*, qui est-ce ? s'enquit-il sans chercher à dissimuler sa perplexité.

Le vieux mage secoua machinalement la poussière accrochée à sa tunique.

– Il existe de nombreux mondes parallèles. Parfois, ils subissent des perturbations qui débordent sur le nôtre. Ces manifestations peuvent cesser aussi subitement qu'elles ont commencé.

– Elles peuvent aussi se poursuivre, voire empirer, objecta Hµrtö.

Hodmar acquiesça en refermant frileusement les bras sur sa poitrine.

– Il existe un moyen d'en avoir le cœur net. Soumis à des sortilèges très complexes, certains cristaux permettent de déceler les empreintes, même infimes, que laissent les incantations maléfiques. Ces pierres sont rares, mais j'arriverai bien à en dénicher quelques-unes. Ensuite, j'aurai besoin de tes pouvoirs et de ceux de Mauhna pour procéder à leur enchantement.

L'évocation de son épouse ramena le Loxillion à ses soucis personnels. Comment Mauhna se remettait-elle de la perte de leur enfant, de cette fillette entendue en rêve ? Malgré leurs efforts, des lambeaux viciés avaient franchi la cime des montagnes. Quels dommages avaient-ils causés dans le monde des Longs-Doigts ?

– Notre victoire a des arrière-goûts de défaite, déclara-t-il sans complaisance.

Une bourrasque sablonneuse cingla le visage des magiciens.

– Dommage pour le désert et ses reptiles, s'affligea Hodmar en resserrant le col de son manteau sur son cou décharné. Si un autre fléau nous menace, nous ne pourrons pas leur épargner cette souillure.

Le Gris opina, consterné.

– Ne restons pas ici, recommanda le vieux mage. L'air est irrespirable.

✧

Leur voyage-éclair les ramena devant la maison d'Hµrtö. Tout semblait calme et singulièrement féerique tandis que de gros flocons tombaient mollement sur le décor.

Anxieux, Le Gris se précipita à l'intérieur. Le boudoir avait été réduit à ses proportions habituelles. Seulement deux couchettes vides occupaient encore le lieu qu'il avait transformé en salle de soins avant son départ. Mauhna se tenait là, aux aguets. Dès qu'elle aperçut son époux, elle bondit vers lui et se réfugia entre ses bras.

– Te voilà enfin !

Elle serra son mari contre son cœur, puis glissa ses mains sur ses flancs, sa poitrine et son dos.

– Je suis indemne, l'assura Le Gris, amusé de ce réflexe de guérisseuse.

Celle-ci saisit entre ses paumes les joues rugueuses de son mari.

– Comprends-moi ! Sans nouvelles de toi, je devenais folle d'inquiétude, lâcha-t-elle, à la fois soulagée et irritée.

– Hodmar et moi avons poussé les nuages jusque dans le désert de Görzyoppey. La tâche était harassante... Pardonne-moi ! J'aurais dû te prévenir par la pensée.

Pour ne pas troubler ces retrouvailles, le vieux mage était resté en retrait.

– Et vous, maître ? vérifia Blanche en allant vers lui. Oh ! s'exclama-t-elle lorsqu'elle découvrit du sang séché mêlé à sa barbe. Laissez-moi soigner votre blessure.

Le doyen refusa d'un ton courtois mais ferme. En cet instant, il n'avait qu'un seul souci.

– Comment nos gens se portent-ils ? s'informa-t-il d'une voix inquiète tandis qu'il scrutait l'endroit étrangement désert. Le fléau les a-t-il tous...

À ces mots, Blanche détourna les yeux. Inconsciemment, elle posa la main sur son ventre, puis la referma sur l'étoffe de sa tunique devenue trop grande.

– Venez ! invita-t-elle les deux hommes en se dirigeant vers le fond du boudoir.

Quand elle glissa l'index contre le mur, celui-ci se désagrégea, ouvrant un passage sur une pièce très froide. On y avait étendu les dépouilles dans l'attente des rites funéraires. D'un côté, sous leur linceul, Hodmar compta cinq corps. Mauhna nomma chacun des vieillards qui avaient succombé. En face d'eux, en nombre égal, gisaient les enfants tués par le fléau.

– Dix victimes, s'affligea Blanche. Sans compter les..., hoqueta-t-elle, en désignant douze petits paquets.

Les bébés morts dans le sein de leur mère avaient été emmaillotés dans des langes de soie. Parmi eux, se trouvait la fille des maîtres de magie. Impuissant à atténuer le chagrin de ses disciples, Hodmar les embrassa et disparut.

– Une malédiction semble s'acharner sur notre descendance, lança Mauhna dans un sursaut de révolte.

En silence, les époux prolongèrent leur veille recueillie auprès du corps de leur petite. Puis, découvrant que Blanche pleurait, Hµrtö la prit dans ses bras et enfouit son visage dans sa chevelure immaculée. Il ne voulait pas qu'elle aperçoive sa mâchoire contractée et la rage qui incendiait ses pupilles. Malgré les objections d'Hodmar, le Loxillion était convaincu de connaître leur persécuteur.

Dans l'esprit tourmenté d'Hµrtö, le spectre de L'Autre le provoquait en exhibant une langue fourchue.

– Quand cesseras-tu de faire souffrir la femme que j'aime ? aurait voulu hurler Le Gris à la face de son ennemi. Quand auras-tu assez torturé celle que *tu* aimais ?

– 3 –

Loin de La Grotte, au sud-est du continent d'Anastavar, la neige s'accumulait sur les montagnes surplombant le comté de Beyrez. Indifférent au froid qui régnait dans la tour, le maître des lieux grimpait allégrement l'escalier en colimaçon.

Rendu sous les combles, il s'arrêta pour reprendre son souffle, notant qu'une buée dense s'échappait de ses lèvres. La construction de la tourelle était récente, comme celle de plusieurs bâtiments dispersés sur le domaine.

Nabi se rendit sur le balcon pour apprécier le paysage hivernal qui s'étalait en contrebas. Sis au pied des monts, le manoir rénové paraissait plus modeste qu'au temps de Shinon. Toutefois, avec ses murs solides et ses cheminées fumantes, il représentait un havre de paix pour le protecteur des zèbres et des pigeons.

– Mon nid, s'émerveillait-il souvent.

Le Longs-Doigts ne pouvait pas contempler ce décor sans bénir Fée, sa bienfaitrice. Il n'avait que dix ans quand il avait été arraché à sa mère pour être vendu à un marchand d'esclaves. Le garçon avait d'abord tremblé d'effroi quand La Bossue l'avait acheté, à prix d'or, pour le ramener chez elle, dans sa communauté.

– Comment te remercier de tes innombrables bontés ? lança Nabi dans la bise, comme si ses paroles pouvaient braver le vent du nord et rejoindre la Dezmoghör dans les territoires reculés où vivaient les elfes-sphinx au sang pur.

Les yeux noirs de Nabi s'attardèrent encore un moment sur le domaine puis, guettant l'horizon, il attendit l'apparition de ses messagers.

Cinq ans auparavant, Nabi et vingt-huit elfes-sphinx métissés avaient choisi de ne pas suivre Shinon et Lom'lin dans leur exil septentrional. Contrairement aux Longs-Doigts de sang pur, ceux qui étaient nés dans le monde des hommes étaient protégés contre le grand mal.

– Nous sommes à demi humains... Notre place est parmi eux, avait soutenu Nabi au moment de dire adieu à Shinon.

La dame ailée lui ayant légué ses propriétés de Beyrez, Nabi et sa petite troupe avaient quitté le domaine de Quatre-Mains, près de Corvo, et avaient pris la route du sud-est. Observateur et plume habile, Nabi avait profité de cette traversée du continent pour rédiger une chronique qu'il avait ensuite transmise à Fée et à Lom'lin.

– Je savais bien que je te trouverais ici, chantonna une voix cristalline derrière Nabi.

Quittant son appui sur la balustrade, celui-ci fit volte-face. Son épouse lui souriait, éblouissante dans la lumière matinale. Oliana était aussi blonde, éthérée et délicate que son bien-aimé était noir, terre à terre et vigoureux.

– Quelle folie d'avoir monté cet escalier ! s'émut le sang-mêlé en s'approchant de sa belle.

Sous le manteau vert et la tunique argentée de la jeune femme, pointait un ventre rond qui révélait l'état avancé de sa grossesse.

– En plus, tu risques d'attraper froid, la gronda-t-il gentiment.

– Mais non ! L'air frais m'est bénéfique..., protesta Oliana. À notre enfant aussi.

Autour d'eux, des roucoulements ponctuaient le silence. Soudain, passant par l'ouverture du balcon, une nuée de volatiles s'engouffra dans le colombier, emplissant l'air du bruissement de leurs ailes. Les plus rapides se perchèrent sur les épaules et les bras tendus de Nabi, ultime récompense accordée aux premiers arrivés. Les autres durent se contenter des juchoirs qui encombraient la chambre haute. Ces magnifiques oiseaux appartenaient à une espèce rare. Possédant un sens inné de l'orientation, ils étaient dressés pour porter des missives.

Quelques jours avant que Fée et Lom'lin s'exilent chez les elfes-sphinx au sang pur, Hμrtö, l'ami magicien des Dezmoghör, avait offert à Nabi deux couples de ces étonnants volatiles.

– Un cadeau d'adieu qui nous sera utile à tous, avait présagé le mage en songeant à la grande distance qui allait séparer les métissés de leurs bienfaiteurs. Peut-être pourrez-vous aussi en profiter pour nous informer de ce qui se passe dans le monde des hommes.

Des pigeonneaux avaient vu le jour et, au fil du temps, la famille ailée avait proliféré. Depuis, les oiseaux de Nabi sillonnaient le ciel pour relier le comté de Beyrez au monde très lointain des elfes-sphinx au sang pur.

Tout en prodiguant ses soins aux oiseaux, Nabi récupéra les bouts de parchemin attachés à leur cou et les tendit à Oliana. Quand celle-ci eut déplié les fragments, elle les colla sur un parchemin vierge pour recomposer la lettre de Shinon.

– Un nouveau fléau a frappé la communauté des Longs-Doigts, annonça tristement Oliana en tendant la missive à son époux.

Fée précisait toutefois que les maîtres de magie avaient réussi à détourner la tempête, ce qui avait limité le nombre des victimes. Elle concluait en saluant ses amis de Beyrez et en embrassant son cher Nabi.

Je pense à toi souvent, mon fils. Tu me manques.

Affectueusement,

Shinon

Nabi plia la lettre et l'empocha. Plus tard, quand ils seraient réunis pour le repas du soir, il en ferait la lecture aux autres habitants du domaine.

– Si tu n'as pas trop froid, je nourrirai immédiatement les oiseaux, dit Nabi à la jeune femme.

– Va, mon chéri. Rien ne presse.

Pendant que Nabi remplissait les mangeoires, Oliana ouvrit le recueil qui regroupait les brouillons des lettres de son époux à Quatre-Mains. Au fil des ans, Nabi avait relaté, pour le bénéfice du Dezmoghör, les transformations sociales survenues sur le continent.

Oliana lissa la première page et lut :

Mon très cher Lom'lin,

Toi qui aimes t'instruire au sujet de l'histoire des races pensantes, tu seras intéressé d'apprendre que le monde des hommes a subi une véritable mutation. Voilà un peu plus de deux siècles, quand nous étions réfugiés sur tes terres près de Corvo, nous souciant peu des activités humaines, six puissants seigneurs des guerres continentales ont signé un traité qui a divisé Anastavar en autant de territoires.

Dès lors, chacun a porté le nom de son chef : Yzsar, Lombre, Bortka, Môjar, Laphadëys et Gohtes. Conformément à ce pacte, la taille des régions a été fixée en fonction du nombre de légions des maîtres guerriers et de la valeur marchande de leurs cheptels d'esclaves. Immenses ou plus modestes, ces contrées ont alors été fermées par des frontières placées sous surveillance.

Le Traité des Six prévoyant une trêve de quatre cent vingt-cinq ans, une paix relative s'est installée sur le continent, transformant les mœurs et les gens. Au gré des décennies, les chefs et leurs héritiers ont réclamé des droits royaux. Forts de cette autorité suprême, ils ont prélevé des impôts, instauré des lois et favorisé une civilité nouvelle.

Tirant profit d'une structure moins anarchique, la société humaine a cessé de détruire ses propres récoltes et de tuer ses citoyens dans des guerres fratricides. Pour accroître leurs richesses, les nations pacifiées tendent désormais leurs mains avides vers d'autres mondes. Les émissaires des souverains prennent la mer : ils cherchent avec fébrilité des terres à coloniser et des peuples à asservir.

– Que fais-tu ? demanda Nabi en se lovant dans le dos d'Oliana.

Sous prétexte de la réchauffer, il l'enveloppa dans les pans de sa cape. Elle inclina la tête, offrant sa nuque aux baisers de son mari.

– Je ne me lasse pas de relire tes chroniques. Ça me rappelle l'époque de notre périple, avant notre mariage... Tu me racontais tout ce que tu découvrais avant de l'écrire. Nous y passions des heures, dans une intimité toujours plus suave.

– J'étais partagé entre mes deux passions : la magie de tes charmes et la découverte des mœurs des hommes, souffla Nabi. La première m'a apporté une folie qui n'est pas près de guérir et la seconde, un peu de sagesse.

Le rire d'Oliana résonna, aussi pur que le ruissellement des sources dont elle était la protectrice. Elle dégagea sa main et, glissant son index sur le vélin, reprit le cours de sa lecture, soulignant certains passages de son ongle de nacre claire.

> *Même si la fin du Traité des Six n'adviendra que dans deux cent cinq ans, les rois s'y préparent en assurant leur descendance. Fermement accrochés au pouvoir, les membres de leur dynastie comptent sur les richesses des colonies pour inverser le rapport de force des nations continentales.*
>
> *Une grande guerre éclatera au terme de la trêve et, lorsque sera venue cette triste époque, chaque roi voudra s'emparer de la plus grosse part des territoires, des peuples et des esclaves.*

Sans s'y attarder, Oliana tourna les pages suivantes du cahier. Entre les bras de son mari, elle frissonna.

– Ce chapitre me désole trop, expliqua-t-elle pour justifier son geste.

Dans cette section du recueil, Nabi décrivait les conditions de vie des elfes soumis à l'esclavage.

– N'oublie pas que certains parviennent à s'affranchir, voulut la consoler son époux.

– Ils sont si peu nombreux, répliqua la belle, consciente que le sort des races asservies pourrait un jour devenir le sien.

Jusqu'à maintenant, la discrétion de leur communauté avait été parfaite. Dès qu'ils sortaient du domaine, les Longs-Doigts métissés portaient des gants et s'assuraient de dissimuler leur Marque sous leurs vêtements. Ils n'ignoraient pas qu'un esclave elfe-sphinx valait deux cents forçats des champs ou des mines.

– Qu'arrivera-t-il quand les citoyens de Beyrez découvriront que nous ne vieillissons pas... Que nous ne sommes pas humains ? se rembrunit Oliana.

– Il faudra fuir, déclara Nabi, affligé par ce destin inéluctable.

Il remarqua alors qu'Oliana tremblait.

– Rentrons au manoir, suggéra-t-il.

La jeune femme se blottit un peu plus entre les bras rassurants de son compagnon.

– Encore un chapitre, insista-t-elle.

Ensemble, les époux se plongèrent dans le récit de leur arrivée à Beyrez.

Quand nous avons enfin atteint l'ancien domaine de Fée, nous n'avons trouvé que des ruines. Les gens de Beyrez ne sont plus aussi hospitaliers qu'à l'époque de ma jeunesse. S'ils apprenaient que nous appartenons à une race elfique, ils n'hésiteraient pas à nous vendre à des chasseurs d'esclaves.

Dans sa lettre de retour, Shinon avait supplié celui qu'elle considérait comme son fils de se montrer prudent.

Mais peut-être y a-t-il de l'espoir. Des rumeurs circulent. Depuis quelque temps, en dépit des rançons offertes, certains fugitifs restent introuvables. Plutôt que de considérer les disparus comme morts, la masse des esclaves prétend qu'une confrérie de rebelles elfiques se forme et que, cachée dans son repaire, elle fomente une gigantesque insurrection.

La nature pacifique des elfes ayant été usée à coups de fouet, se pourrait-il qu'une telle révolte se prépare ?

Oliana soupira et ferma le cahier.

– Je désire y croire, déclara-t-elle en se retournant vers son époux.

Elle nota une flamme ardente dans les yeux de Nabi. Avec sa belle chevelure sombre et son teint si pâle, il lui parut plus séduisant que jamais. En lui se mélangeaient la vigueur du zèbre et la douceur de la colombe.

Ils échangèrent un baiser avant de descendre l'escalier de la tour. Tandis qu'ils rentraient d'un pas lent, ils admiraient les cheminées fumantes du manoir. Nabi rêvait d'y vivre paisiblement, entouré de ses enfants, heureux d'entendre jaillir, telle une source, le rire argentin d'Oliana. Ce bonheur, il le chérissait comme un trésor.

« La violence me répugne. Pourtant... », songea-t-il en resserrant son étreinte sur le bras de sa compagne.

Du sang humain coulait dans ses veines : le sang de celui qui avait réduit sa mère à l'esclavage et l'avait cent fois violée. Nabi comprit alors qu'il pourrait céder à une fureur dévastatrice si quelqu'un menaçait les siens. À l'instar des elfes rebelles, si on le provoquait, Nabi n'hésiterait pas : il prendrait les armes et se battrait.

« Mon père... Sa semence portait le germe d'une révolte qui changera les règles de ce monde. Les descendants légitimes des oppresseurs pourraient un jour payer le prix de cet héritage insoucieux légué à leurs frères bâtards. »

– 4 –

Tandis qu'au sud, Nabi couvait d'un œil attendri son épouse enceinte et qu'au nord, Hμrtö tentait de consoler Blanche de la perte de leur petite fille mort-née, Le Cobra réfléchissait à ses projets.

Quelques jours auparavant, il avait vidé les égouts de Corvo pour former un nuage venimeux qu'il avait poussé vers les territoires de ses ennemis. Ce méfait accompli, il avait exécuté un voyage-éclair qui l'avait conduit dans son ancien laboratoire situé sous les décombres du temple des Ejba'Lians.

Quelques incantations avaient suffi pour nettoyer la tanière du sorcier. Au terme de ce bref aménagement, Idris avait été placée, bien en vue, sur la table de travail du seigneur des lieux.

Sans quitter son siège, le Jynabör se pencha au-dessus d'un curieux bac rectangulaire posé à même le sol. Si la boîte avait été plus profonde, elle aurait pu servir de cercueil.

– Par où vais-je commencer ? se questionna Le Cobra en plongeant son regard dans le bac.

Sous cet angle, le contenant ressemblait à une maquette d'édifice sans toiture : des sections cloisonnées s'alignaient le long d'un enchevêtrement d'étroits corridors. Artos soupira d'aise.

– La bibliothèque des Ejba'Lians !

Voilà cinq ans, avant de mettre le feu à son temple, Artos avait récupéré tous les ouvrages. Leur valeur était inestimable. L'espace étant limité dans les souterrains, le sorcier avait réduit la taille des manuscrits pour les loger à l'intérieur d'une réplique de l'ancienne librairie.

– Il me faut découvrir les secrets qui régissent les déplacements de la Cité des sphinx.

Il prononça plusieurs formules magiques et neuf petits blocs volèrent hors du faux cercueil pour atterrir sur sa table. Le sortilège suivant rendit leur dimension originale aux antiques grimoires.

Sans attendre, Artos déchiffra les écritures anciennes, déterminé à percer les mystères de la fabuleuse cité. Pour parfaire sa science de la magie noire, il lui fallait dénicher la ville sainte, s'y rendre et vaincre les défenses du temple du savoir.

✧

Après deux cycles des lunes, Artos renonça à trouver dans les livres l'information qu'il cherchait. Aucun manuel ne lui révélerait le rythme aléatoire des apparitions de la Cité des sphinx. Il était tout aussi inutile de tenter de prévoir les sites où elle pouvait se matérialiser.

Dépité, Le Cobra arpentait son laboratoire. Dans son va-et-vient, son regard tomba sur Idris.

– Cesse de me distraire, accusa-t-il injustement l'onyx indifférent.

Le sorcier résistait difficilement au désir d'épier ses ennemis.

« Les nuages ont-ils tout dévasté ? » se tourmentait-il.

Pour le savoir, il lui suffisait d'utiliser l'agate. Il hésitait pourtant. N'avait-il pas appris à ses dépens que ses indiscrétions le perturbaient plus qu'elles ne le soulageaient ? Espérant surmonter son obsession, il alluma un réchaud et jeta des poudres dans un chaudron.

– Mauhna pleure-t-elle encore son dernier avorton ? lança-t-il devant une armoire chargée de bocaux.

N'y tenant plus, il revint vers Idris et lui donna des ordres dans le langage des pierres. Par la pensée, le sorcier fut aussitôt projeté loin de son antre. L'onyx fit d'abord le tour du collège de magie. L'endroit étant désert, Artos demanda à voir la maison des Loxillion. Passant d'une pièce à l'autre, il aboutit au fond d'un couloir et traversa une porte close.

– Non ! râla-t-il quand il les aperçut.

Par réflexe, il ferma les yeux. Mais rien ne pouvait empêcher les images d'Idris de s'incruster dans son esprit.

– Assez ! cria-t-il, oubliant que l'onyx ne comprenait pas son langage.

Tendrement enlacés, Hɥrtö et Mauhna faisaient l'amour. Les cheveux de la magicienne caressaient leurs corps dénudés, mettant en valeur le satin de sa peau, le galbe de ses seins, la chute provocante de ses reins. Pour Le Cobra solitaire, le spectacle de cette féminité épanouie relevait de la torture. Tour à tour, il fut saisi de jalousie, de désir et d'une furieuse envie de tuer.

– *Coupe !* commanda le sorcier, utilisant cette fois les grincements propres au dialecte d'Idris. *Arrête immédiatement !*

Quand il reprit contact avec la réalité de son repaire, Artos constata qu'il tremblait. Lentement, ses yeux redécouvraient les murs tachés par l'humidité, l'odeur du bois vermoulu, le bruit de cavalcade des rats.

– C'est ta faute, blâma-t-il Idris.

Conscient qu'il divaguait, il passa ses mains sur son visage.

– Plus jamais ! se jura-t-il en se remémorant les caresses des amants.

Saisi d'une violente envie de fracasser son miroir, il se força à inspirer. Au bout d'un moment, il se leva, rangea Idris dans un coin et ouvrit un manuel de potions. Après avoir sélectionné des herbes sur une étagère, il s'absorba dans la confection d'un philtre de détachement.

– Si je veux me venger efficacement, si je veux réussir ma mission, je dois atteindre un état de parfaite insensibilité à leur égard.

C'est ainsi qu'il cessa d'épier les elfes-sphinx et qu'il ignora que sa dernière tempête s'était abîmée dans le désert de Görzyoppey.

✧

Ce n'est qu'au début du printemps qu'Artos conçut une stratégie pour dénicher la Cité des sphinx. La solution lui fut inspirée par un rêve peuplé de créatures aux yeux et aux oreilles gigantesques.

– Il me faut une armée de guetteurs ! s'écria le rebelle en s'éveillant.

Son excitation s'accrut rapidement ; son instinct lui soufflait qu'il tenait la clé du succès.

– Le continent, le ciel, les océans... Je posterai des espions partout.

Le Cobra s'enflammait à l'idée de passer enfin à l'action.

– Le parler noir me servira dans mes négociations avec les différentes races et espèces, s'exclama-t-il, euphorique.

En effet, ce langage originel datait de l'ère de la suprématie des dieux, avant l'éclosion des mondes physiques. Issu du tumulte de la grande rupture cosmique, il était enfoui dans les souvenirs immémoriaux de chaque être, qu'il soit de nature minérale, végétale ou animale.

– Je n'aurai pas étudié en vain, se félicita le sorcier en arpentant frénétiquement son laboratoire.

Sous la férule de son maître, Artos avait appris ce dialecte. Prohibé par les sphinx, le parler noir donnait à la sorcellerie toute sa puissance.

– Comment vais-je m'y prendre pour réveiller la mémoire de mes interlocuteurs ?

Le rebelle s'arrêta brusquement pour réciter une leçon.

– *Pour ranimer temporairement le souvenir de la langue maléfique, il faut plonger le sujet dans un état d'hypnose très particulier : l'Ikisomathys.* Voilà ! Mais comment ?

Il se souvint alors que l'esprit des ténèbres lui avait donné une pierre d'ambre. Quel rapport ce bloc de résine pouvait-il avoir avec le dialecte des mages noirs ? Le Cobra retourna à ses manuels. Il lut plusieurs textes consacrés aux propriétés de l'ambre. En vain. Cette substance possédait nombre de vertus, mais pas l'ombre d'un pouvoir hypnotique.

Artos tempêta. Il s'était imaginé partir sans délai pour embrigader ses espions. À contrecœur, il dut reprendre ses recherches depuis le début.

– Ce n'est pas vrai ! s'emporta-t-il quand il découvrit enfin le seul moyen de provoquer un Ikisomathys. Des champignons ! grogna-t-il. Il me faut des amanites vénéneuses...

Il lut le peu que contenait sa bibliothèque à propos du dangereux végétal :

> *La Phol Garad ou Oronge à gueule noire [...] Variété disparue [...] Volontairement détruite par les prêtres sphinx.*

Après avoir éructé une litanie de jurons, il se souvint du cadeau de son maître.

– Se pourrait-il que ?... suspecta-t-il en saisissant la pierre d'ambre.

Utilisant la lumière d'une bougie, il mira attentivement la gemme.

– Des spores ! exulta-t-il. Le seigneur des ténèbres avait tout prévu. Il les avait préservées pour moi, pour l'élu.

L'exaltation du sorcier fut de courte durée, car ses manuels lui confirmèrent ce qu'il craignait : le travail qui l'attendait serait fastidieux. Il n'allait pas partir de sitôt à la conquête de ses guetteurs.

✧

À l'automne, il obtint enfin une centaine de boutures qui mettraient encore une année avant d'atteindre leur pleine maturité.

La Phol Garad ressemblait à une chanterelle. Son corps orangé s'épanouissait en coupe aux bords ourlés. Au cœur de ce vase, une tache très sombre dessinait une bouche entrouverte. Outre ses propriétés associées au parler maléfique, ce signe distinctif lui avait valu son surnom d'Oronge à gueule noire.

Pas une seule fois, au cours de cette période, Artos ne céda à son désir d'épier Mauhna et Hµrtö. La potion de détachement qu'il buvait l'aidait à surmonter son obsession. Absorbé par la culture de la Phol Garad, il oublia même d'envoyer des nuages putrides sur la tête de ses ennemis.

Dans l'antre du Cobra, les jours se suivaient, toujours pareils, baignés par la lumière des flambeaux, loin du soleil et de l'air vivifiant du dehors. Celui qui avait bravé la mort pour échapper au grand mal gisait dans sa solitude comme un cadavre dans son tombeau.

✧

Quand, rompu de fatigue, Artos s'abandonnait au sommeil, Idris s'activait. Pour entretenir ses pouvoirs, l'agate pensante devait les utiliser. Alors, pour le plaisir pervers de savoir ce que le sorcier ignorait, la pierre espionnait les ennemis de son maître.

C'est ainsi qu'à l'insu du proscrit, le visage de Blanche apparaissait parfois sur le corps de l'onyx, beauté incongrue dans la tanière souterraine. À son cou, pendu à une chaîne dorée, brillait désormais un cristal enchanté capable de déceler les empreintes des sortilèges maléfiques. Idris grinça, agacée par les reflets provocateurs du nouveau bijou. Celui-ci irradiait doucement sur la gorge de Mauhna.

Ce jour-là, la magicienne semblait émue. Dans ses bras, un nouveau-né vagissait.

– 5 –

Mauhna regardait avec attendrissement le fils de Poly.

– Mon neveu, murmura-t-elle.

Depuis que la magicienne avait débarrassé ses sœurs du venin d'un dragon-guivre, les jumelles avaient rattrapé le temps perdu. Aussi jolies et spirituelles l'une que l'autre, elles n'avaient pas eu de mal à trouver de bons compagnons de vie.

– Il est superbe, n'est-ce pas ? s'extasia la maman.

Blanche opina. À la demande de sa sœur, elle s'était précipitée à son chevet dès les premières contractions et l'avait assistée durant l'accouchement. Tout s'était déroulé sans encombre.

– Repose-toi, conseilla-t-elle à sa cadette en lui rendant le poupon.

Avec un léger pincement au cœur, elle sortit de la chambre pour rejoindre Hµrtö qui discutait avec l'époux de Poly.

– Il est magnifique et en parfaite santé, annonça Blanche.

– Félicitations ! se réjouit le Loxillion en serrant la main du nouveau père. C'est une véritable bénédiction.

Aucun enfant n'ayant vu le jour depuis longtemps sur le territoire des elfes-sphinx, cette naissance allait être célébrée comme un miracle.

Puis les maîtres de magie prirent congé. Ils marchèrent en silence, chacun suivant le cours de ses pensées. L'été avait cédé le pas à l'automne. Les bois arboraient leurs couleurs de feu.

Plutôt que de rentrer, Mauhna entraîna Hµrtö derrière la maison. Ils chassèrent la couche de feuilles craquantes qui recouvrait le banc de pierre et prirent place sous le chêne. Partiellement dénudé, l'arbre était le théâtre de la parade amoureuse d'un couple de tourterelles.

Le Gris attendit. Notant l'attitude méditative de son épouse, il avait deviné qu'elle avait besoin de se confier.

– J'ai honte, jeta soudain la magicienne.

Le regard perdu dans le vague, elle se tut un long moment avant de reprendre :

– J'ai honte, parce que j'envie ma sœur. N'est-ce pas abominable ? Suis-je devenue à ce point aigrie et mesquine ?

Elle cacha sa figure dans ses mains et laissa échapper un sanglot.

– Si tu savais, mon amour, comme j'aimerais avoir un enfant. Un enfant de toi... À nous. Mais j'ai si peur, avoua-t-elle, déchirée entre son désir et ses craintes.

La gorge serrée, Hɥrtö l'attira contre lui et caressa ses cheveux.

– Quel sort attend notre neveu ? reprit Blanche. Qu'adviendrait-il de notre enfant si je menais enfin une grossesse à terme ? Notre époque est si cruelle, se désola-t-elle, blottie entre les bras de son époux.

Ils restèrent ainsi quelques instants, bercés par le roucoulement des tourtereaux. Tout à coup, Mauhna se dégagea.

– La nature apporte souvent des réponses simples aux questions qui me hantent, déclara-t-elle en s'essuyant les yeux.

Elle se leva d'un trait.

– Crois-tu qu'ils s'inquiètent pour l'avenir de leur couvée ? demanda-t-elle en désignant le couple à plumes.

Effarouchés par le mouvement brusque de la Longs-Doigts, les oiseaux s'envolèrent pour se percher un peu plus haut. Sans attendre, ils reprirent leur sérénade.

– Viens ! proposa gaiement la guérisseuse en tirant son mari par le bras. Rentrons faire l'amour.

– Maintenant ? s'étonna le Loxillion.

Inclinée vers l'arrière, Mauhna cherchait à déloger Hɥrtö de son siège.

– Pourquoi pas ? insista-t-elle.

Le Gris bondit sur ses pieds. Dans son élan, il perdit l'équilibre et ils se retrouvèrent, tous les deux, étendus sur un lit de feuilles dorées, hilares et heureux.

– Je t'aime, s'enflamma le Loxillion en couvrant de baisers le visage de Mauhna.

Celle-ci fit mine de juger sévèrement cette tentative de séduction.

– Est-ce tout ? Il me semble que ça manque de panache. Je mérite bien une petite galanterie, non ?

– Oh ! Tu désires une cour exubérante... Eh bien, tu l'auras voulu ! rétorqua Le Gris, tandis qu'un bouquet de plumes surgissait derrière sa tête.

Une étincelle de malice pétillait dans ses yeux. Quand son bien-aimé prenait cet air moqueur, Blanche savait qu'il manigançait quelque chose. Amusée, elle le défia du regard.

– Tu n'auras jamais rien vu de tel ! promit Hμrtö, le visage fendu d'un sourire provocateur.

Une lueur bleue scintilla sur sa poitrine, annonçant le début de sa transformation. À son terme, la métamorphose du Loxillion dévoila un invraisemblable volatile, amalgame bigarré de dindon, de paon et d'autruche. Le gros oiseau commença alors à se dandiner. Avec un orgueil ridiculement ostentatoire, il exhibait les plumes de sa queue, érigeait sa crête et se trémoussait dans une danse plus grotesque que gracieuse.

Quand Mauhna eut mal aux côtes à force de rire, elle implora Hμrtö de cesser sa mascarade. Celui-ci en rajouta un peu. Il adorait voir Blanche aussi joyeuse.

– Tu as gagné, haleta la magicienne entre deux éclats douloureux. Arrête, sinon je vais mourir !

Le soleil se couchait et la terre, sous le lit de feuilles mortes, se révélait froide et humide.

– Ne restons pas là, recommanda Le Gris en aidant sa compagne à se relever.

Cette nuit-là, ils dormirent à peine. Le lendemain, Mauhna trouva sur sa table de travail une jolie boule de cristal. Quand elle la toucha, elle découvrit que son époux avait enchanté le bibelot. À l'intérieur, une image apparut : deux tourterelles roucoulaient sur la branche d'un chêne tandis que, sur le sol, une affreuse bête ailée se déhanchait dans une désopilante parade de plumes roses.

– 6 –

Les Oronges à gueule noire atteignirent leur maturité un an après avoir été repiquées. Quand les lunes des couleurs célébrèrent le retour de l'automne, Le Cobra put amorcer l'étape du séchage et la conception d'écrins d'ivoire pour ranger ses précieux champignons. L'été suivant, il était enfin prêt.

Il quitta son laboratoire avec l'intention de solliciter ses premiers espions parmi les habitants du monde souterrain. N'ayant en poche qu'Idris et quelques Phol Garad, il se rendit sur la colline surplombant Corvo. Là-haut, il emprunta l'apparence d'un épervier et s'envola hors de la ville.

À quelques lieues de la cité, il aperçut un village entouré de champs de maïs. Le rapace atterrit sur le chapeau d'un épouvantail souillé de fientes puis, d'un bond, disparut parmi les tiges. Quelques instants suffirent à Artos pour réintégrer son corps elfique et faucher, autour de lui, une centaine de plants. Au centre de cette section dégagée, il pointa l'index vers le sol.

– *Hore temptis, hyste franctar*, lança-t-il à trois reprises, ouvrant, à chaque itération, une blessure dans la terre meuble.

Une vapeur rougeâtre monta bientôt de ces fentes.

– *Hore temptis, hyste franctar*, répéta-t-il.

Les rebords du gouffre commencèrent à s'effriter, creusant peu à peu un tunnel hexagonal qui plongeait dans les abîmes. Une étincelle bleutée éclaira la poitrine du rebelle quand il se transforma en araignée. Suspendu à un fil, il descendit dans le trou fumant.

La petite bête à huit pattes déroula longtemps sa soie argentée avant d'aboutir dans une grotte immergée. Telle une patineuse, elle se posa sur la surface sombre et resta immobile.

« Qui sait ce qui grouille là-dessous ? » réfléchissait le magicien en cherchant le meilleur moyen de poursuivre son exploration des lieux.

Il finit par fixer son choix. À la suite de son incantation, il s'enfonça dans l'onde glacée. De son mouvement sinueux, l'anguille traversa le lac et scruta les parois rocheuses du bassin.

Le Cobra cherchait une voie qui le conduise vers d'éventuels alliés, des créatures capables de surveiller, pour lui, les entrailles de la terre. Il savait que rien, pas même le roc, ne résistait à la magie de la Cité des sphinx.

L'anguille emprunta des canaux inondés qui l'entraînèrent dans les abysses des Dédales. Soudain, débouchant d'un de ces conduits, Le Cobra fut happé par le courant impétueux d'une rivière. Bordée de granit, l'eau tourbillonnait. Ballotté en tous sens, Artos distingua un vague grondement. Il ne fallut pas longtemps pour que le bruit devienne un véritable tumulte.

« Une chute », devina-t-il trop tard.

Son plongeon prit fin dans un bassin bouillonnant. Le choc avait sonné la civelle. L'eau, très chaude, exhalait des vapeurs sulfureuses et endormait les réflexes de la bête. Mollement, elle coulait.

« Je dois sortir de cette marmite », songea le sorcier tandis que l'engourdissement gagnait le corps étranger qui abritait son esprit.

Luttant contre la torpeur, il parvint à formuler deux incantations successives. La première lui rendit son apparence habituelle ; la seconde le propulsa hors de l'eau. Ensuite, lévitant dans un épais brouillard, il utilisa son aura pour éclairer la grotte.

À l'opposé de la cataracte, les eaux venaient mourir sur une plage de pierres plates. Celle-ci s'évasait en s'élevant comme un escalier. Artos se posa dans cette vallée stérile et se munit d'un flambeau. Il arpenta les gradins naturels en perçant le voile de brume à l'aide de sa torche.

Poursuivant son inspection, le sorcier commença à douter que des créatures puissent vivre dans cet habitat. Le souffle oppressé, les oreilles bourdonnantes, il sentait la sueur ruisseler sur sa peau, lui brûler les paupières et irriter les replis de sa chair.

– Je dois sortir de ce four, déclara-t-il quand un vertige le saisit.

Prenant appui contre une muraille, il palpa des courbes étrangement polies. Intrigué, il recula de quelques pas et releva son flambeau.

– Nom d'une vipère ! laissa-t-il échapper.

Elles étaient monumentales. Les mouvements capricieux du brouillard révélaient par moments quelques fragments des sculptures. Elles représentaient des insectes géants, debout sur leurs pattes graciles, la paire de leurs membres antérieurs étant curieusement repliées. Ces créatures possédaient des mandibules dentées et une tête triangulaire surmontée d'antennes. Le tout s'apparentait à une sauterelle ou à une mante religieuse colossale.

– Des mantratins, les identifia le Jynabör.

Observant plus attentivement la configuration de la grotte, il nota que des autels étaient érigés au pied des statues. Leur présence affermit la décision du magicien.

– J'ai assez traîné dans le coin, marmonna-t-il en se retournant.

Son élan s'arrêta net. Ils l'encerclaient. Les mantratins arrivaient par petits groupes, bondissant hors des tunnels tout autour, leurs yeux globuleux fixés sur l'intrus au sang chaud.

– *Qui est votre chef ?* demanda le sorcier en utilisant le parler noir.

Les monstres continuaient d'affluer vers lui. Debout sur leurs pattes postérieures, ils dépassaient Artos d'une bonne tête. Bientôt, une voie s'ouvrit dans la cohue des corps filiformes, livrant passage à un mantratin encore plus grand que les autres. L'insecte colossal faisait claquer ses pinces acérées. Le rebelle inspira, prêt à affronter la bestiole qui se présentait comme le chef.

– *Je sais que tu comprends mes paroles,* affirma le Jynabör avec autorité.

Son rival poursuivit son avancée en déroulant un suçoir poilu. Son intention était manifeste : broyer sa proie et aspirer la bouillie de sa chair.

– *Tu ne devrais pas me tuer avant de savoir ce que je peux t'offrir*, le prévint Artos en reculant.

Il se trouva bientôt acculé à la muraille sculptée.

– *Je suis l'élu, le seigneur des ténèbres du monde d'en haut*, enchaîna-t-il en bombant le torse. *J'ai une alliance à te proposer.*

D'une voix gutturale, il lança :

– *Grips dalit numidator !*

Sur l'autel le plus proche, se matérialisa une vasque remplie de chair sanglante. Le chef se détourna pour humer le fumet et le sorcier en profita pour faire apparaître deux autres cuves. Cette fois, les créatures parurent conquises. Des stridulations extatiques s'élevèrent de leur gorge palpitante.

– *Es-tu intéressé à discuter maintenant ?* s'enquit Artos.

Le mantratin le dévisagea de ses yeux verdâtres et émit une série de sifflements aigus. Le sorcier dressa la main pour mettre un terme à cette agression sonore.

– *Tu perds ton temps*, assura-t-il. *Je ne comprends pas ton langage. Mais j'ai ce qu'il faut pour faciliter nos échanges*, annonça-t-il à son hôte en extirpant de sa poche un écrin d'ivoire. *Avale ce champignon. Une fois sous l'effet de l'Ikisomathys, tu retrouveras le souvenir du parler noir.*

D'un geste sans équivoque, le mantratin refusa. Toutefois, il interpella un de ses sujets qui ficha le végétal séché entre ses mandibules. L'Oronge à gueule noire fut réduite en purée puis happée par la trompe pour être déglutie dans la gorge trop étroite. En quelques instants, la créature se détendit et ses yeux blêmes roulèrent dans leur orbite sans paupières.

Le chef des insectes émit alors un sifflement hargneux à l'adresse du Longs-Doigts.

– *Me prends-tu pour un imbécile ?* traduisit l'interprète dans la langue prohibée des mages noirs. *Croyais-tu que j'accepterais bêtement de me laisser mettre en transe... De me soumettre à ta volonté au moment de traiter avec toi ?*

Artos respira plus librement. En dépit du ton belliqueux, il savait que le dialogue était engagé et que son interlocuteur acceptait de négocier.

– *Comment t'appelles-tu ?* demanda-t-il sèchement.

– *Elguel.*

– *Eh bien, Elguel ! Sache que je peux te fournir plusieurs de ces vasques,* promit Le Cobra pour l'aguicher. *Grâce à ma magie, elles ne seront jamais taries.*

Le colosse écoutait les gémissements ravis de ses semblables, tandis qu'ils se rassasiaient enfin.

– *Tu n'es pas sans connaître la valeur de cette nourriture pour ceux de ma race. Qu'attends-tu en échange ?*

Incommodé par la chaleur nécessaire à la survie des mantratins, Artos s'épongea le front. Il peinait à se concentrer.

– *Connais-tu la Cité des sphinx ?* parvint-il à souffler.

L'énorme insecte acquiesça.

– *Saurais-tu la reconnaître si elle apparaissait dans tes cavernes ?* voulut confirmer le sorcier.

– *Assurément !*

Artos étouffait.

– *Je te laisserai ces récipients et bien d'autres si tu surveilles pour moi le monde des Dédales,* assura-t-il dans un râle. *Je viendrai régulièrement te visiter. Si l'enchantement auquel la cité est soumise la fait se matérialiser par ici, tu devras me conduire à ses remparts.*

– *Tu n'exiges rien de plus ?* s'étonna le chef des mantratins.

– *Non ! Tu seras mes yeux ici-bas,* expliqua l'elfe-sphinx. *Comprends néanmoins que la chose ne sera pas si aisée. La ville peut s'enchâsser dans le roc, ne laissant voir que d'infimes fragments.*

Elguel semblait toujours méfiant. Il allait rétorquer quand des rugissements se firent entendre. Retentissant dans l'espace brumeux de la caverne, les cris rauques provenaient des couloirs qui débouchaient sur le sanctuaire des mantes géantes. Sans attendre, les mantratins déguerpirent dans une indescriptible pagaille.

– *Que se passe-t-il ?* questionna Artos, désarçonné.

Tandis qu'Elguel s'enfuyait en bondissant, son interprète traduisit :

– *Des andramors !*

– 7 –

Le soleil du sud-est dardait ses rayons dans un ciel sans nuages, accablant les sang-mêlé qui fauchaient le seigle. Derrière eux, Nabi et Azpar ramassaient les épis, les nouaient en gerbes et les entassaient sur les chariots.

– Heureusement qu'il y a la brise des montagnes, fit remarquer Azpar en retirant sa chemise pour s'essuyer le visage et le torse.

Nabi lui sourit et l'imita. Les vêtements humides et maculés furent ensuite jetés sur les bras d'une des charrettes.

Le protecteur des zèbres et des pigeons adorait ce dur labeur qui éprouvait sa force et son endurance. À la tombée du jour, bien que fourbu, il se sentirait repu de grand air, enivré de liberté.

Nabi aimait chacun des métissés qui habitaient avec lui l'ancien domaine de Shinon. Toutefois, une amitié particulière le liait à Azpar, amitié maintenant vieille de quelque cent ans. Les deux compères saisirent un ballot et le hissèrent d'un même mouvement puissant sur le plateau du fardier. Cet effort gonfla les longs muscles de Nabi et ceux, plus massifs, de son compagnon.

Bâti comme un colosse, Azpar incarnait l'équilibre entre les mondes terrestre et marin. Protecteur de la race légendaire des hippocampes géants, il alliait la robustesse du cheval et la souplesse du serpent de mer. La portion chevaline de son sphinx ornait la poitrine du Longs-Doigts. Quant au corps reptilien, il contournait le flanc d'Azpar pour étaler, sur ses reins, l'éventail de sa queue dentelée.

De son père humain, le sang-mêlé avait reçu une tignasse blond-roux, un teint brique et des yeux légèrement bridés. Au premier regard, les femmes ne le jugeaient pas beau. Pourtant, dès qu'il les couvait de la flamme de ses pupilles et qu'il leur souriait, les dames succombaient.

Nabi leva brusquement la tête.

– D'où vient ce bruit ? demanda-t-il à son compagnon.

Ils scrutèrent le paysage, notant au passage que les faucheurs étaient rendus à la limite du champ de seigle. Leur tâche s'achevait.

– Des cavaliers ! s'exclamèrent de concert les deux amis quand le son devint plus distinct.

– Va prévenir les autres, ordonna Nabi à Azpar. Qu'ils passent par le petit bois pour gagner le manoir... Et qu'ils se pressent !

Vivement, le géant roux attrapa sa chemise et s'élança.

– Je reviens tout de suite, promit-il, s'éloignant déjà sur ses puissantes jambes.

Il courut vers les métissés qui étaient trop loin pour voir venir la menace. Celle-ci se présentait sous la forme d'un nuage qui empoussiérait le chemin menant au domaine.

– Qui sont ces gens ? marmonna le Longs-Doigts en remettant sa tunique à la hâte.

À force de sonder le voile poudreux qui s'élevait de la route en contrebas, il finit par distinguer les importuns ; ils étaient six, montés sur des destriers qu'ils cravachaient furieusement pour les pousser dans l'ascension du coteau.

Nabi dissimula ses index en enfilant des gants de cuir. Saisi d'un désagréable pressentiment, il escalada une butte qui le séparait du chemin. Azpar le rejoignit quelques instants avant que les intrus aient atteint le sommet du promontoire.

Toujours au galop, la troupe surgit d'un détour pour s'engager dans le dernier droit. Quand les cavaliers aperçurent les deux amis plantés au milieu de la voie, ils durent freiner abruptement l'élan de leur monture. Se rebellant contre la violence de ce traitement, deux chevaux se cabrèrent. Le meneur du groupe pesta.

– Dégagez ! exigea-t-il impérieusement.

Nabi le toisa, imperturbable, et vint caresser le front du bel étalon de l'étranger. La bête s'apaisa aussitôt.

– Que viens-tu faire sur mes terres ? jeta Nabi à l'insolent personnage.

Celui-ci pinça les lèvres, démontrant qu'il ne goûtait guère d'être apostrophé sur ce ton.

– Tu es donc Nabi Jyn, rétorqua-t-il.

Le Longs-Doigts opina sèchement mais se tint coi, attendant la suite qu'il anticipait avec déplaisir.

– Eh bien, sache que ce fief fait partie de ma seigneurie, ce qui te désigne comme mon vassal, assena l'autre avec morgue.

Cette annonce ébranla Nabi plus qu'il ne voulait le laisser paraître. Ne trouvant rien à répliquer, il se contenta de croiser les bras sur sa poitrine.

– Tu n'es pas très loquace, le nargua le suzerain en descendant de cheval.

Il s'approcha de Nabi, la main sur le manche de sa dague. Plus empâté que costaud, le seigneur avait les épaules étroites, la taille épaisse et un postérieur qui lui donnait une démarche peu virile. Par contre, ses traits n'avaient rien de féminin. Assez élégants, ils étaient gâchés par une peau huileuse et des yeux trop rapprochés. Ses cheveux mi-longs bouclaient, malgré la pommade grasse qu'il avait pris soin d'appliquer pour les discipliner.

Son regard envieux glissa un moment sur la silhouette harmonieuse de Nabi, sa chevelure lustrée et son teint d'albâtre. Dès cet instant, les deux hommes se détestèrent.

– Je m'appelle Mayko, comte de Beyrez. Par décret de Bÿron, roi du pays de Môjar, je détiens les pleins pouvoirs sur les sujets de mon comté. Il m'incombe aussi de faire régner l'ordre et d'appliquer les lois dictées par notre souverain.

Après avoir détaillé les vêtements luxueux et les bijoux de son visiteur, Nabi se décida à rompre son silence.

– Il y a presque sept ans que j'ai pris possession de mon domaine... Tu t'es fait bien discret pendant tout ce temps, ironisa-t-il.

– Je suis rentré depuis peu d'un séjour prolongé dans la cité impériale ; le roi requérait mes conseils pour préparer ses équipées coloniales... Voilà pourquoi nous ne nous sommes pas rencontrés plus tôt.

Nabi reçut ces explications avec une indifférence feinte.

– Mon intendant m'a raconté que ton arrivée dans la région a semé la pagaille, glapit Mayko, offensé par l'apparente nonchalance de son vassal. Est-il vrai que tu as chassé les citoyens qui vivaient en ces lieux ?

– J'en avais le droit ; ces gens occupaient illégalement ma propriété, protesta Nabi.

Azpar s'approcha de Mayko.

– Que veux-tu au juste ? demanda-t-il en abattant sa main sur l'épaule chétive du seigneur.

Les cinq compagnons du rutilant personnage n'attendaient que ce signal. Ils sautèrent à bas de leur monture et s'alignèrent auprès de leur maître. L'épée dressée, ils défièrent leurs opposants qui n'avaient pour toute arme que leur bravoure.

– Où sont tes laboureurs ? Ils étaient là avant notre arrivée. Pourquoi les caches-tu ? s'enquit le comte, l'air suspicieux.

Tentant de réfréner sa fureur, Nabi plongea son regard dans celui de son adversaire.

– Je ne les cache pas ; leur tâche étant terminée, je les ai envoyés cueillir les premiers fruits dans les vergers.

Un sourire narquois apparut sur les lèvres du seigneur de Beyrez.

– Puisque tu abordes le sujet du produit de *tes* terres, je...

Une voix cristalline s'éleva.

– Nabi ! Où es-tu ? appela Oliana.

Ignorant la présence des visiteurs, elle était venue du manoir pour porter à boire aux travailleurs. Étonnée de trouver les chariots et les ballots abandonnés, elle déposa ses gourdes et répéta :

– Nabi !

N'obtenant pas de réponse, elle grimpa le petit escarpement qui bordait la route et s'arrêta net.

– Oh ! s'effraya-t-elle en apercevant les étrangers.

Instinctivement, elle serra les poings et dissimula ses mains derrière son dos. Impuissant à éviter cette rencontre, conscient que l'irréparable venait de se produire, Nabi maugréa tout bas :

– Que la gale ronge ce tas de suif !

Le visage de Mayko s'était transformé sans transition quand il avait aperçu Oliana. Une lueur de convoitise enflammait maintenant ses prunelles, révélant ses évidents penchants lubriques.

– Quelle agréable apparition ! s'exclama le comte avec une courtoisie qui ne trompait personne.

Pour la première fois de son existence, Nabi songea qu'il aurait mieux valu qu'Oliana ne soit pas aussi désirable. Sous le soleil, ses cheveux dorés l'auréolaient. La stupéfaction agrandissait ses yeux limpides, leur conférant une adorable candeur. Comme pour exacerber les tourments du Longs-Doigts, une brise persistante plaquait la tunique argentée de sa bien-aimée, soulignant ses courbes voluptueuses.

– Qui est cette merveilleuse créature ? demanda Mayko à Nabi.

– Oliana, mon épouse, répondit Nabi à contrecœur.

Il ne put réprimer un frisson quand l'importun s'approcha de la jeune femme.

– Je suis le maître de ce comté. Mayko de Beyrez.

Affolée par la concupiscence qui brillait dans les pupilles du détestable personnage, la Longs-Doigts recula.

– Excusez-moi, mon seign... seigneur ! bredouilla-t-elle. Je dois rentrer au manoir, m'occuper de ma petite... C'est l'heure de...

– Attends !

– Je suis navrée, mentit Oliana.

Peu soucieuse de sa conduite irrévérencieuse, elle fit volte-face et disparut derrière l'escarpement, sa course faisant flotter dans son sillage ses voiles argentés. L'espace d'un instant, ce scintillement ressembla au cours fluide d'un ruisseau.

Frustré, Mayko revint vers son vassal. Il reprit aussitôt son propos interrompu.

– Puisque tu revendiques la possession de ces terres, éructa-t-il avec hargne, puisque, de toute évidence, elles produisent abondamment, j'estime que tu me dois sept années de redevances. Demain, à l'aube, je t'enverrai mes huissiers... Ils n'accepteront pour paiement que de l'or et de l'argent.

Sur ce, aidé par un de ses cavaliers, il mit le pied à l'étrier et posa son large fessier sur sa selle richement ornée.

– Je t'aurai prévenu, Nabi Jyn, siffla le comte en saisissant ses rênes. S'il manque une seule pièce, je te chasserai de ce fief comme le pire des gueux. Et si tu résistes, il n'y aura pas assez de paille dans le cachot que je te réserve pour éponger le sang de tes plaies.

Son étalon renâcla quand Mayko le cravacha sans ménagement. Le fougueux destrier caracola mais, retenu par son cavalier, il piaffa, irrité de l'incohérence des ordres de son maître.

– Quant à ta charmante épouse, elle pourrait regretter de m'avoir manqué d'égard, ricana l'ignoble suzerain.

Le visage de Nabi se crispa. De sa main gantée, il agrippa la bride du cheval ; il refusait de laisser Mayko déguerpir sur ses menaces.

– Ne te donne pas la peine de déranger tes huissiers. Demain, j'irai moi-même te bailler l'or, lança froidement le protecteur des zèbres et des pigeons.

Il lâcha sa prise sur le harnais quand les cinq compagnons du seigneur eurent enfourché leur monture.

– Salue bien ton insolente épouse, gloussa Mayko de Beyrez en guise d'adieu.

Il éperonna son cheval tandis que, dans un dernier rire, il pavoisait :

– Rappelle-lui qu'au pays de Môjar, j'ai droit de cuissage...

– 8 –

Dans les entrailles de la terre, aux confins des Dédales, Artos pointait en vain l'index. Autour de lui, c'était la débandade. Les mantratins fuyaient, tandis que des félins, gros comme des ours, surgissaient de partout, dirigés par un mâle hirsute aux crocs aussi venimeux que les griffes. Dans le brouillard, les yeux jaunes des fauves scintillaient.

Ayant repéré le rebelle, le mâle dominant rugit comme un lion des savanes. Artos en profita pour lancer un champignon hypnotique dans la gueule béante.

« Aucune créature ne peut résister à l'Oronge à gueule noire », récita Artos pour se rassurer.

Il sut que la bête était assujettie à l'Ikisomathys quand, d'une voix gutturale, elle se mit à parler dans le langage des sorciers corrompus.

– *Capturez l'intrus. Il faut l'empêcher de refermer la faille. Il doit mourir.*

Le cœur battant, Artos réfléchissait.

« Profitons de ce revirement, songea-t-il. Pourquoi ne pas asservir les andramors plutôt que des insectes suceurs de sang ? »

C'est alors qu'une femelle au pelage tacheté fondit sur le félin en transe. Rendu indolent par la Phol Gard, celui-ci ânonnait :

– *Si le tunnel reste ouvert, les miens pourront sortir dans le monde d'en haut et se nourrir à satiété... L'intrus ne doit pas clore la voie. Tuez-le.*

La femelle renifla agressivement son compagnon hébété avant de tourner son énorme museau vers le Longs-Doigts.

– *Dis à ta femelle que je suis venu pour conclure une alliance,* ordonna le sorcier au mâle hypnotisé.

L'interpellé obéit. Ensuite, avec la même docilité, il traduisit la réponse de sa compagne.

– *Tu as aliéné notre chef,* accusa-t-elle.

– *Ce n'est que temporaire,* tenta de la raisonner Artos.

La furie rugit. De la salive venimeuse suinta de ses crocs.

– *Tu as déshonoré notre race,* soutint-elle. *Je vais t'écraser, te saigner, t'éviscérer...*

Toutes griffes dehors, elle se rua sur le sorcier qui lévita hors de sa portée.

– *Je suis le seigneur des ténèbres,* se présenta Artos en défiant la bête courroucée. *Si ceux de ton clan me prêtent allégeance, je laisserai ouvert le gouffre qui conduit à l'univers des elfes et des hommes. Les vôtres n'auront plus jamais faim.*

La femelle se recroquevilla, prête à bondir vers sa proie.

– *Sache que les arrogants du monde d'en haut n'ont aucun pouvoir dans les Dédales. Crois-tu que les andramors vont accepter de te servir ? Nous ne sommes pas des êtres inférieurs comme les mantratins.*

Mis au défi de soumettre cette orgueilleuse, Le Cobra plongea la main dans sa poche. Si sa magie s'avérait inefficace contre les créatures des abîmes, celle d'Idris pouvait sans doute les mater.

– *Tant pis pour toi et les tiens,* riposta-t-il en brandissant l'onyx.

Alertée par ce geste brusque, la femelle s'écarta si vivement que le rayon de l'agate la manqua, frappant plutôt un petit de sa horde. Immédiatement, les pattes du jeune mâle se soudèrent au sol de la caverne. Pétrifié, il ne fit plus qu'un avec le roc.

– *Vise la femelle,* commanda le sorcier dans le langage des pierres.

Idris rata encore sa cible. Propulsée par ses puissantes pattes, la compagne du chef parvint à sauter à la hauteur de son attaquant. En retombant, elle balaya l'air de sa queue velue et percuta le rebelle au creux des reins. Le souffle coupé par la douleur, il chuta sur la surface rugueuse d'un autel. Bien que sonné, Artos parvint à élever un bouclier magique contre lequel la femelle s'écrasa. Ses griffes éraflèrent férocement la barrière invisible, emplissant la grotte de grincements insupportables.

« Idris ! » s'affola le rebelle en découvrant que, sous la force de l'impact, il avait lâché son précieux miroir.

Autour de lui, les andramors répondaient à l'appel de la bête tachetée. Bientôt, les fauves géants encerclèrent Le Cobra.

« J'ai échoué », admit-il en son for intérieur.

Il venait de comprendre qu'il ne pourrait pas négocier de sitôt avec des créatures si farouches. Il scruta anxieusement le sol à la recherche de l'onyx. Dès qu'il l'eut repéré, il l'attira à lui par un sortilège et commanda son voyage-éclair.

✧

Le sorcier reparut au cœur du champ de maïs, là où il avait ouvert une porte sur les Dédales. Pendant les quelques heures qu'avait duré son infructueux périple, la faille s'était élargie, libérant un flot de vapeurs pourpres. Dans la nuit délicieusement tiède, le sorcier entendit des cris de terreur. Intrigué, il s'éleva au-dessus des épis pour voir ce qui se passait au loin.

Le village prospère qu'il avait survolé plus tôt était devenu le théâtre d'une indescriptible désolation. Plusieurs maisons flambaient. Les gens couraient en hurlant, fuyant devant des créatures ailées qui les pourchassaient : des dragons avaient profité du canal pour quitter leur univers souterrain et sortir chasser. Artos en compta sept.

« Au lever du jour, la lumière va les endormir et les humains ne manqueront pas de les décapiter. »

Flottant toujours dans les airs, le Jynabör pointa l'index vers la brèche et regarda les six parois du gouffre se ressouder. Une fois cette tâche accomplie, Artos redescendit lentement sur le sol. Du pied, il aplatit le bourrelet de terre noire qui s'était formé, puis il s'éloigna parmi les plants de maïs.

✧

Indifférent au sort des villageois, déçu de l'échec de ses premiers pourparlers, Le Cobra marchait sans but, perdu dans ses méditations. Il sursauta quand une haute silhouette surgit devant lui.

– *Faliss wernat bergrup*, riposta le sorcier, le cœur battant d'avoir été surpris dans la nuit.

Soudain, l'index encore dressé, Artos laissa échapper un rire crispé. Trompé par les ténèbres, il avait foudroyé un épouvantail.

– Cette descente dans les Dédales m'a vraiment mis les nerfs en boule ! maugréa-t-il en baissant sa garde.

Épuisé, il s'assit par terre et s'adossa au piquet qui supportait le bonhomme bourré de paille roussie. Après un moment d'hésitation, il extirpa Idris de sa poche. Il y avait longtemps que le proscrit n'avait pas cédé à la tentation.

– Juste une fois... Jeter un bref coup d'œil ne me détournera pas de mon but, tergiversait-il.

Du bout de l'index, il caressait la sombre surface de l'onyx.

– Grâce à la potion de détachement, je ne perdrai pas mon sang-froid, continuait-il d'argumenter avec lui-même.

Un frisson d'impatience lui parcourut l'échine.

– Seulement quelques instants ! se décida-t-il enfin.

Idris s'anima. Répondant aux ordres de son maître, elle lui montra les couloirs déserts du collège de magie, les rues vides du village, la maison d'Hµrtö et de Mauhna.

– Personne, constata Artos, dépité. Où peuvent-ils bien se trouver à cette heure ?

Après un moment à observer La Grotte dépeuplée, il s'exclama :

– Mais oui ! La fête doit battre son plein.

Le sorcier allait commander à l'agate de déplacer son regard occulte vers le chaudron des lunes quand une douleur aiguë lui fit lâcher le miroir. Il se redressa, les jambes flageolantes, et s'accrocha à l'épouvantail, cherchant en vain les prédateurs qui déchiraient sa chair.

– 9 –

Dix-huit cycles des lunes s'étaient écoulés sans qu'aucun orage dévastateur ne s'abatte sur le monde des elfes-sphinx. Grâce à ce répit, la communauté des Longs-Doigts avait vu naître plusieurs enfants. Aussi, dès le début de l'assemblée estivale, Hodmar et les Anciens s'attelèrent-ils à la tâche de révéler les sphinx des nombreux nouveau-nés.

Peu avant le coucher du soleil, ils reçurent le dernier poupon : Aglaë, une fillette née à la fin du printemps. Après tant de grossesses avortées, Hμrtö et Mauhna avaient du mal à croire à leur bonheur.

Deux Marques furent dévoilées sur le corps d'Aglaë : un lion et un diamant. L'alliance de la fillette avec les félins des savanes lui conférait force et dignité. Pour sa part, la pierre précieuse lui offrait en tribut la lucidité et la résistance aux épreuves.

– Notre fille possède des dons exceptionnels ! s'extasia le Loxillion au terme de la cérémonie.

Blanche opina, un sourire espiègle aux lèvres. La fierté aveugle d'Hμrtö l'amusait ; son adoration sans partage l'attendrissait.

– Tu es un père merveilleux, le complimenta-t-elle en l'embrassant avec fougue.

Comblés, ils prirent le chemin du chapiteau où se donnait le banquet. Quand les maîtres de magie arrivèrent sous le pavillon, ils furent interpellés par Lom'lin et Shinon.

– Installons-nous ensemble, les invita le gaillard au visage poupin.

Il y avait maintenant sept ans que les Dezmoghör avaient quitté Corvo pour venir séjourner parmi les Longs-Doigts. Ils n'avaient pas prévu de rester aussi longtemps mais, tant que les tempêtes avaient affligé leurs hôtes, ils avaient refusé de les abandonner à leur sort.

Après l'interruption des fléaux, alors qu'ils envisageaient de mettre fin à leur exil, un miracle s'était produit, un miracle qu'ils n'attendaient plus et qui les avait forcés à différer leur départ. Le ventre de Fée avait grossi si vite que, mi-moqueuse, mi-inquiète, elle avait souvent lancé :

– Si ça continue, je vais accoucher d'une baleine.

Au cœur de la foule en liesse, Shinon rayonnait. À ses côtés, Quatre-Mains portait un couffin trop lourd pour elle.

– Dépose-le là, lui recommanda la dame ailée en désignant un espace près d'une table libre.

Aussitôt fait, elle souleva le voile du panier pour que Mauhna puisse admirer les jumeaux.

– Ils grandissent à vue d'œil ! s'ébahit la guérisseuse, en se rappelant que seulement trois cycles des lunes séparaient leur naissance de celle d'Aglaë.

Couchés l'un près de l'autre, bordés jusqu'au menton, les colosses dormaient paisiblement. Ainsi emmaillotés, on ne pouvait pas voir leurs jambes velues ni leurs sabots, héritages de leurs lointains ancêtres Ghör. On ne pouvait pas davantage apercevoir l'articulation charnue qui les liait par la hanche. La souplesse de ce lien permettait aux bébés siamois de se tenir côte à côte ou dos à dos. Dans leur sommeil, leurs menottes se nouaient. Puisqu'ils étaient beaux et fascinants comme des demi-dieux, les elfes-sphinx les appelaient affectueusement les petits centaures.

Laissant les femmes à leur bavardage maternel, Hµrtö entraîna Quatre-Mains vers une table où s'alignaient des amphores de vin vieilli. Il remplit deux coupes et en tendit une au Dezmoghör.

– Maintenant que vous avez les enfants, songez-vous toujours à retourner parmi les hommes ?

Lom'lin avala une gorgée avant de répondre :

– Fée est déchirée. D'une part, elle aimerait revoir Nabi. Par contre...

De toute évidence, le sujet le troublait.

– Oui ? fit Hµrtö pour l'encourager à poursuivre.

Le colosse goûta encore le vin, puis il reprit :

– Longtemps, Shinon a été méprisée, rudoyée et injuriée par les humains. Pour les gens de cette race, elle est une curiosité, voire un monstre ! Tout comme moi...

Le Gris imaginait trop bien les humiliations que Fée avait subies. Elle ne dissimulait pas en vain ses ailes et les pattes de mouche qui lui servaient de jambes.

– Là-bas, le même sort guette sans doute nos fils, conclut péniblement Lom'lin.

– Alors, restez ! répliqua Hµrtö. Vous êtes ici chez vous, certifia-t-il, parlant sans hésitation au nom de sa communauté.

– Nous verrons, tergiversa le Dezmoghör. Mais pas ce soir... Nous sommes ici pour profiter de la fête.

Il remplit son verre et celui du magicien. Ensuite, il se chargea d'apporter à boire à Shinon et à Mauhna, plaisantant sur l'utilité de posséder autant de mains. Une fois réunis, les nouveaux parents trinquèrent.

– À l'avenir de nos enfants, dirent-ils d'abord.

Puis, se remémorant les événements des sept dernières années, ils furent submergés d'émotion et de reconnaissance. Grâce à leur solidarité, ils avaient surmonté l'adversité. Ils choquèrent leur verre une seconde fois et s'exclamèrent de concert :

– À l'amitié !

✧

Sur le chemin du retour, tenant chacun une poignée du couffin, Mauhna et Hµrtö berçaient doucement Aglaë. Quand les bruits du bal s'estompèrent, les âmes sœurs renouèrent avec le chant des grillons. Baigné par les rayons des trois lunes, le paysage nocturne s'imprégnait d'un charme mystérieux.

– Je connais une merveilleuse façon de couronner cette soirée, suggéra Mauhna d'un air mutin.

Le Gris s'arrêta net au milieu de la route.

– Dois-je me transformer en dinde panachée ? s'enquit-il avec un empressement amusé.

– De grâce, non ! rit Mauhna. Rendons-nous plutôt au petit lac caché... Le sable de la berge y est si doux. L'eau de la chute sera délicieuse après cette journée torride.

Ils quittèrent le chemin pour s'enfoncer dans le bois qui encerclait le bassin argenté. Sur la rive, Hµrtö posa le panier dans lequel dormait la petite. Puis il enlaça Blanche. Leur baiser se prolongea, avivant l'ardeur de leur désir, leur tirant des gémissements impatients. Bientôt, leurs mains cherchèrent la moiteur de leur peau sous leurs vêtements devenus encombrants.

Une fois nus, ils se glissèrent dans l'eau fraîche et nagèrent avant de revenir l'un vers l'autre.

– Donnons un petit frère à Aglaë, murmura Mauhna en passant ses bras autour du cou de son bien-aimé.

Le fond du lac était moelleux sous leurs pieds. Se laissant porter par l'onde, Blanche s'accrocha à Hµrtö. Elle referma sur lui le piège irrésistible de ses cuisses, nouant ses jambes sur ses hanches. Le Loxillion resserra son étreinte sur les reins de sa compagne, anticipant le moment où leurs corps se souderaient, les transportant dans un univers de sensations enivrantes.

– Ma chérie ! soupira-t-il, le regard noyé dans celui de Mauhna. Si nous avions un fils, mon bonheur serait parfait.

Ils scellèrent ce vœu de baisers et de caresses de plus en plus audacieuses. Ils s'aimèrent parmi les nénuphars, puis sur la plage poudreuse, goûtant la communion extatique de leur corps et de leur âme. Quand, encore haletants, ils s'échouèrent sur le dos pour contempler le ciel étoilé, Hµrtö répéta :

– Quand nous aurons un fils, mon bonheur sera parfait !

Au cours des siècles suivants, Hµrtö se remémorerait souvent cette affirmation et regretterait l'insouciance de cet instant.

– 10 –

Très loin de là, au cœur d'un champ de maïs, Artos piaffait. La brûlure montait au gré de la progression des innombrables agresseurs qui s'immisçaient dans ses bottes et sous ses vêtements. Au risque d'accroître sa douleur, le sorcier se frappait violemment le corps.

– Laissez-moi ! criait-il en vain.

Dans les lueurs des lunes, une brume argentée se levait sur la plantation. Fiché sur son pieu, l'épouvantail au rictus grossièrement couturé semblait se moquer du rebelle. Tentant de dominer son malaise, Artos examina la terre autour du piquet. Sur le sol, une nuée ondoyait comme une mare sous la brise.

– Sang de vipère ! pesta l'élu. Je me suis assis sur un nid de fourmis roses.

Les minuscules guerrières n'hésitaient pas à braver l'envahisseur, prêtes à l'ultime sacrifice de leur vie pour préserver leur colonie.

« Pourquoi ne pas exploiter la détermination et la discipline de cette espèce ? » songea Le Cobra, brutalement ramené au souvenir de son échec auprès des mantratins et des andramors.

Séduit par cette idée, il cessa de s'agiter et prononça une incantation pour se débarrasser des bestioles.

« La démangeaison passera », se dit-il en rêvant de plonger sa peau enflammée dans l'eau fraîche d'un lac.

Sans plus attendre, il retira le sceau d'un boîtier d'ivoire et posa une Oronge à gueule noire parmi les insectes grouillants. En un rien de temps, les fourmis découpèrent le champignon, destinant chaque miette à la réserve de la communauté. Les effluves de la Phol Garad suffirent cependant à mettre les créatures en transe.

– *Qui est votre chef ?* demanda Artos dans la langue des sorciers noirs.

D'une seule voix, l'essaim psalmodia :

– *Nous n'avons pas de chef. Nous n'en avons pas besoin. Chacun de nous connaît sa tâche et l'accomplit.*

Artos se présenta et ajouta qu'il cherchait des alliés pour une mission secrète.

– *En ce cas, il faut discuter avec notre reine,* déclarèrent unanimement les fourmis.

– *Annoncez-moi !* exigea l'élu.

Une procession de bestioles se forma. Grâce à un bref frottement de leurs antennes, elles faisaient circuler la requête.

– *La reine accepte de vous recevoir,* ânonnèrent-elles, surprenant Le Cobra par leur efficacité.

Le sorcier aurait pu emprunter l'apparence des fourmis, mais il lui répugnait de se fondre dans cette masse anonyme. Il se contenta de réduire sa silhouette jusqu'à ce qu'il puisse s'introduire dans les méandres de la fourmilière. Il devait marcher vite et projeter sa lumière astrale pour suivre le rythme empressé de la cohorte. En dépit des lourdes portions de champignon qu'elles portaient, elles trottaient, semblables à des mulets cuirassés.

Après moult détours qui lui firent perdre ses repères, le sorcier déboucha dans une galerie où régnait une agitation fébrile. Les ouvrières s'affairaient autour de la reine. Bien plus grosse que ses sujets, la pondeuse refusa de se soumettre à l'emprise de la Phol Garad. Les fourmis guerrières, déjà sous le joug de l'Ikisomathys, furent désignées comme interprètes.

– *Mes hommages,* salua courtoisement Artos.

– *Faites vite,* ordonna la reine. *Je n'aime pas que des étrangers souillent mon royaume par leurs odeurs immondes.*

Laissant tomber les préambules, le sorcier expliqua comment la société des fourmis roses pouvait l'aider dans sa quête.

– *Quel intérêt ai-je à vous soutenir dans vos ambitions ?* questionna le colossal insecte.

– *À vous de me le dire. Grâce à la magie, je répondrai à votre souhait, quel qu'il soit,* rétorqua Le Cobra.

Cet aplomb parut ébranler la reine. Sans interruption, son abdomen bourrelé expulsait des œufs.

– *Les fourmis de ma race sont petites et vulnérables,* reconnut-elle avec aigreur. *J'aimerais qu'on nous craigne. Je doute que vous puissiez réaliser un vœu aussi extravagant.*

Ces dernières paroles avaient été prononcées avec un mépris évident. Faisant fi de l'attitude de la souveraine, le sorcier la défia.

– *J'ai subi les morsures de vos soldats,* rappela-t-il. *Elles provoquent des irritations désagréables, mais leur brûlure s'estompe rapidement. C'est dommage car...*

– *Où voulez-vous en venir ?* l'interrompit la pondeuse d'un ton peu amène.

– *Vos troupes conduisent de brillantes attaques. Elles font preuve d'un courage exemplaire.*

– *Vous faites fausse route si vous croyez m'amadouer en me flattant,* éructa l'insecte avec humeur.

Le proscrit se dirigea effrontément vers l'enclos protégé de la reine.

– *Leur vaillance est gaspillée en pure perte,* assena-t-il sans ménagement.

Il devina que le coup avait porté quand l'hôtesse récalcitrante redressa ses antennes.

– *Avez-vous, oui ou non, une proposition à me faire ?* demanda-t-elle, impatiente mais intéressée.

– *Je peux rendre les mandibules de vos sujets terriblement venimeuses. Ainsi...*

– *Vous vous moquez de moi,* le coupa la souveraine.

Sans sourciller, le sorcier pointa l'index vers un des soldats. Sous l'impact, les cornes buccales de la fourmi devinrent d'un rouge intense. La reine commanda alors à la mutante d'expérimenter sa nouvelle arme sur un puceron asservi. La démonstration établit sans conteste l'efficacité mortelle du poison.

– *Aucun prédateur ne pourra désormais piller vos réserves,* présagea Artos avec orgueil. *Sous peu, l'apparition d'une nuée de fourmis rouges provoquera frayeur et déroute.*

Peu encline au changement, la pondeuse observait avec circonspection les mandibules écarlates de son sujet. Il était temps pour le Jynabör de pousser son avantage et d'imposer son autorité.

– *Si vous boudez mon offre, elle pourrait profiter à d'autres,* lanca-t-il en défi à la mégère royale.

Un imperceptible frisson parcourut le corps bouffi de celle-ci.

– *Ne croyez-vous pas qu'en échange d'une telle arme, les pucerons s'empresseraient de conclure une entente avec moi ?* enchaîna le sorcier, l'idée venant de lui traverser l'esprit. *Ils pourraient enfin se libérer de l'esclavage dans lequel vous les maintenez, voire inverser le rapport de force et devenir vos maîtres.*

Vaincue par cet argument, la souveraine ravala sa morgue et céda.

– *Ma colonie sera aux aguets pour le seigneur des ténèbres.*

– *Je veux davantage,* exigea Le Cobra, sachant qu'il avait brisé son adversaire.

– *D'accord !* plia de nouveau la reine. *J'enverrai des messagers dans toute la communauté des fourmis de mon espèce. Partout sur le continent, les nôtres surveilleront la venue de la Cité des sphinx. Ma fourmilière sera votre point de contact avec notre espèce.*

Ayant obtenu gain de cause, Artos dota les mâles reproducteurs de mandibules vermeilles et la reine pondit aussitôt une génération de soldats meurtriers. Le sorcier assista au départ précipité des premiers messagers. En plus des instructions de leur maîtresse, ils emportaient une larve de géniteur venimeux. Les autres reines de l'espèce pourraient bientôt, à leur tour, engendrer des insectes terrifiants.

« Je t'ai eue, sale harpie ! » exulta Artos en saluant son hôtesse d'un bref hochement de tête.

Par voyage-éclair, il retourna au milieu du champ de maïs. Là, l'épouvantail éviscéré l'accueillit avec son sourire équivoque.

✧

Grisé par ce succès, Artos oublia complètement qu'il avait projeté d'épier Hµrtö et Mauhna. Son désir de harceler les Longs-Doigts s'était évanoui pour laisser place à l'élaboration de ses plans ; sa véritable quête venait de commencer.

– J'aurai des espions dans tous les habitats : terre, ciel et mer.

C'est ainsi qu'il embrigada des lombrics, des araignées, des blattes et des scolopendres. Quand il eut truffé le sol de vigiles à sa solde, il s'allia plusieurs espèces d'oiseaux. En échange de leur aide, les uns désiraient des plumes colorées, d'autres aspiraient à de plus grosses couvées.

Au cours de ses tractations, le sorcier comprit qu'à l'instar des andramors, les races les plus puissantes n'accepteraient pas d'emblée sa domination. Il évita donc les espèces ambitieuses, privilégiant celles qui se montraient discrètes, faciles à satisfaire et prolifiques.

Il fallut cinq saisons au rebelle pour négocier avec des représentants des forêts, des montagnes, des océans, des lacs et des rivières. Ce faisant, la nature subissait des altérations contraires à ses lois, mais Le Cobra n'en avait cure.

✧

Souvent, quand il regagnait son antre, le sorcier solitaire arpentait les catacombes.

– Je grimperai au sommet du monde, soliloquait-il, tel un spectre oublié des mortels. Et quand j'aurai détruit la beauté et l'espoir si chers aux êtres pensants, la nature elle-même se prosternera à mes pieds.

Le sorcier n'en demeurait pas moins cruellement conscient de son ennui.

Une nuit qu'il errait ainsi, forcé de se parler à lui-même pour remettre en cause ses propres raisonnements, il se figea dans le rayon vacillant d'une torche. Sidéré, il cligna plusieurs fois des yeux pour s'assurer que sa vue ne le trompait pas.

Contre les parois de roc, là où aurait dû s'étaler la silhouette parfaitement opaque de son ombre, se trouvait une tache marbrée de veinules lumineuses. Par endroits, les lueurs du flambeau traversaient sa chair comme un voile lacéré. Coupé de l'univers des vivants, Artos se dématérialisait peu à peu.

– Depuis combien de temps suis-je ainsi ? s'affola-t-il.

Se remémorant une magie aussi ancienne que le parler noir, il rompit le lien qui l'unissait à son ombre. Aussitôt libérée, la forme s'éloigna en fléchissant la nuque. Ensuite, elle roula les épaules et tendit les bras comme un esclave délivré de ses chaînes.

Pendant ce temps, le proscrit tentait d'étoffer la substance de son corps à l'aide de sortilèges prohibés. Détachée de lui, son ombre coulait sur le sol, allant dans une direction, puis dans une autre, apparemment fascinée par sa soudaine autonomie. Après une brève hésitation, la tache remonta contre une muraille bien éclairée et s'adressa à Artos.

– Tu m'as affranchie.

« C'est ma voix », constata Artos.

Les marbrures lumineuses qui avaient effrayé Le Cobra s'étaient regroupées à l'emplacement du visage de l'ombre pour lui dessiner quelques traits flous et une bouche de feu.

– Tu m'as donné une existence distincte et rendu l'usage de ma volonté, enchaîna la silhouette en se redressant. En échange de ce présent inestimable, je me considère comme ton débiteur. Comment puis-je te servir ?

– Que peux-tu faire pour moi ? questionna le rebelle, incrédule. Tu n'es qu'une... qu'un...

Il s'interrompit, décontenancé. Son interlocuteur pencha la tête et se fendit d'un sourire moqueur.

– Je te tiendrai compagnie.

Artos referma ses mains sur sa poitrine comme s'il voulait contenir son essence à l'intérieur de sa chair.

– Comment dois-je t'appeler ? s'enquit-il après un moment, signifiant à son vis-à-vis qu'il acceptait sa présence.

– Je n'ai pas de nom. Toi seul as le droit de m'en choisir un. Je ne te cache pas que ce serait un honneur sans précédent pour une ombre.

Le proscrit réfléchit quelques instants.

– Tu seras donc Sotra ep Zayd, annonça-t-il.

– Sotra, le séide, traduisit l'ombre.

– Je sais, ce n'est pas très original, confessa le sorcier. Mais je ne veux pas que tu oublies que tu n'es que mon double, un sosie inférieur, puisque tu ne possèdes ni traits, ni teinte, ni reliefs.

Peu importait à Sotra que son nom ne soit qu'une anagramme ; il jubilait.

– Je n'envisage pas la situation autrement, rassura-t-il son maître.

– Et qu'en est-il de tes pensées ? vérifia Artos, encore un peu soupçonneux.

– Je partage les tiennes, affirma l'ombre, comme si la chose allait de soi. Tu l'as dit : je ne suis qu'une facette de toi... Sans les fioritures !

Pour souligner ses propos, son œil rudimentaire esquissa une imitation de clin d'œil.

– Et maintenant, qu'attends-tu de moi ? s'empressa-t-il de réclamer.

Artos mit son affidé à l'épreuve en exigeant qu'il lui rappelle où s'était arrêté le cours de ses réflexions.

– Tu prévoyais de rendre visite aux espèces ailées pour qu'elles te fassent leur rapport. Pour entreprendre ta tournée, tu hésitais entre les montagnes et l'océan, les vautours et les albatros.

– Quelle est ton opinion ? demanda le sorcier.

– Les vautours couvrent un plus grand territoire. Les chances sont meilleures qu'ils aient aperçu la Cité des sphinx !

Satisfait, le Jynabör décroisa les bras.

– Je te préviens, nous serons en perpétuel déplacement jusqu'à ce que l'un ou l'autre de mes espions ait repéré la ville sacrée.

– Où tu vas, je vais ! promit l'ombre.

– Nous irons d'un habitat à l'autre, et quand nous aurons terminé, nous recommencerons.

– Je te rappelle que je lis dans ton esprit... Tu n'as pas à m'expliquer tout ça, lança Sotra, non sans une pointe de raillerie.

– Et s'il me plaît de te parler, n'est-ce pas mon privilège ? rétorqua Le Cobra.

– Tout à fait, acquiesça l'ombre en épousant les courbures de la voûte avant de s'immiscer dans le décor d'une fresque.

À cet instant, se surprenant lui-même, Artos sourit. À quand remontait la dernière fois où il avait manifesté un tel contentement ?

– C'était voilà trois ans, sur la colline qui domine Corvo, affirma Sotra, sans hésitation. Tu regardais les ruines du temple et tu te réjouissais à l'idée de vivre sous les décombres.

Le Cobra éclata de rire. Sa solitude avait pris fin. Pouvait-il souhaiter une meilleure compagnie que la sienne ?

Sotra sur les talons, il reprit sa promenade dans les catacombes. Le séide s'assurait d'ajuster sa progression au rythme de son seigneur. Toutefois, il s'émerveillait de pouvoir adopter sa propre démarche, agir à sa guise et céder à ses curiosités personnelles. Cette rupture dans le synchronisme du Longs-Doigts et de son ombre donnait à la scène une allure surnaturelle.

Après un moment, Sotra osa interrompre la méditation de son maître.

– Si je peux me permettre...

Artos hocha la tête pour l'autoriser à parler.

– Je crains que tu n'aies pas restauré toute ta substance.

– Que dis-tu ? s'étonna le sorcier.

– Tu as encore un vide ! soutint l'affidé.

– Où ça ? s'inquiéta Artos.

– Là ! À la place du cœur !

– 11 –

Nabi se prit la tête entre les mains. Par la porte-fenêtre de son cabinet, une brise soufflait les parfums des prés et lui rappelait la douceur de cette fin d'été. Depuis le premier jour du cycle des lunes étoilées, le maître du domaine de Beyrez voyait ses champs et ses greniers se vider. Un fléau pire qu'une nuée de sauterelles s'était abattu sur la communauté des métissés.

– Charogne ! pesta Nabi, les coudes appuyés sur le parchemin responsable de ses tourments.

Des larmes de rage brouillèrent la vue du protecteur des zèbres et des pigeons, noyant dans le flou l'écriture ostentatoire du comte.

Messire,

La saison des cultures tire à sa fin et, conformément à mes prérogatives seigneuriales, je peux réclamer le produit de tous les champs qui bordent mes routes. Donc, dès la fin de vos moissons, vous devrez bailler à mes percepteurs la moitié de votre grain dans des boisseaux et l'autre demie, sous forme de farine, laquelle devra être blutée, broyée et sassée, à vos frais, à la meunerie du comté.

Vous n'êtes pas sans savoir que, désireux de pourvoir à votre commodité, j'ai fait tracer plusieurs chemins sur votre propriété. Ces travaux, qui me donnent mainmise sur une portion de vos récoltes, requièrent votre contribution. Aussi, vous ajouterez à la taille annuelle deux bouvillons, trois génisses, cinq porcs, vingt moutons et autant de faisans. Si vous êtes dans l'impossibilité de régler cet impôt, je devrai vous déposséder de vos terres et de vos bâtiments.

Soyez bon entendeur et, surtout, n'omettez pas de transmettre mes hommages à votre délicieuse épouse. Dites-lui que, même dans mon exil, je ne l'oublie pas. Dès mon retour, j'entends me prévaloir de mes droits et obtenir réparation pour son impertinence à mon égard. D'ici là, qu'elle reçoive l'expression empressée de mes désirs les plus ardents.

Mayko Vamdal, comte de Beyrez

Depuis sa première rencontre avec le seigneur du comté, Nabi avait perdu le repos. Comment protéger sa femme, sa communauté et le produit de ses terres contre la convoitise d'un personnage aussi vil ? Trois années s'étaient écoulées et trois récoltes, issues du labeur des Longs-Doigts, avaient presque entièrement disparu, passant des mains usées des sang-mêlé à celles, blanches et soignées, des huissiers de Mayko.

– L'infâme ! cracha Nabi en songeant aux maigres sentiers que son oppresseur qualifiait de *routes* pour justifier ses abus.

Par chance, le roi Bÿron retenait Mayko dans la capitale. Loin de son comté, réduit à utiliser la plume pour perpétrer ses forfaits, le seigneur de Beyrez ne pouvait pas s'en prendre à Oliana. Par dépit, il faisait confisquer les biens de son rival.

« À ce rythme, nous serons ruinés dans deux ans... Trois peut-être ! À quel exil serons-nous alors condamnés ? » s'affligeait Nabi, prostré devant la sommation du comte.

Il se redressa quand il entendit un bruit reconnaissable : son équipage revenait. Il bondit de son siège. Quand il sortit du manoir, Oliana émergeait de la serre et le convoi s'arrêtait. Monté sur un étalon et bien armé, Azpar avait escorté les trois charrettes et les cochers. Il sauta de cheval et vint vers Nabi.

– As-tu la quittance ? s'enquit celui-ci.

Le protecteur des hippocampes géants brandit un feuillet plié.

– Nous n'aurons qu'une bien maigre pitance cet hiver, déplora-t-il.

– Nous trouverons de quoi survivre, soutint Oliana pour le réconforter. Notre potager n'a pas été rançonné, pas plus que le champ au pied des montagnes. Nous avons encore quelques brebis, des lapins et des volailles...

À cet instant, une fillette accourut. Ses mains et ses lèvres étaient barbouillées de rouge.

– Maman ! lança-t-elle. J'ai trouvé des framboises... J'en ai gardé trois dans ma poche : une pour toi, une pour papa et la dernière pour Azpar.

Les yeux d'Oliana étincelèrent dans son visage amaigri.

– Tu es très généreuse, ma petite Cora, la complimenta la protectrice des sources.

– Pas si petite, j'ai cinq ans ! tint à rappeler la belle enfant.

Ensuite, elle sauta dans les bras de son père. Celui-ci s'approcha d'Azpar.

– Oliana a raison, renchérit Nabi pour remonter le moral de son ami. L'automne venu, nous chasserons et nous garnirons le charnier de gibier.

Azpar acquiesça puis, renonçant à sa morosité, il demanda à Cora :

– Aimerais-tu faire une balade à cheval ?

La petite battit des mains, ravie à la perspective de filer dans les prés. Azpar remonta en selle et installa Cora devant lui.

– Accroche-toi bien ! recommanda-t-il avant de lancer l'étalon au galop.

Nabi les regarda s'éloigner, attendri. Son cœur se serra quand il songea aux vêtements élimés de sa fille et aux bottes percées d'Azpar. L'hiver précédent, les elfes-sphinx avaient mangé chichement, allongeant les soupes et ménageant le pain. Pour ne pas gaspiller le bois, ils avaient vécu dans une pièce commune, sacrifiant leur intimité pour bénéficier de la chaleur de la grande cheminée.

– La misère nous attend encore cette année, confia-t-il à Oliana, la mine soucieuse.

La protectrice des sources glissa ses doigts dans la main de Nabi.

– Viens, l'invita-t-elle.

– Où m'emmènes-tu ?

– Tu verras... J'ai un secret à te révéler.

✧

Ils traversèrent un champ fauché avant de s'enfoncer dans un boisé. Bientôt, ils atteignirent le bord d'un ruisseau. L'eau scintillait quand le couvert feuillu laissait filtrer les rayons du soleil. Oliana fit signe à Nabi de la suivre. Ils avançaient parmi les fougères, remontant le cours sinueux du torrent.

– Où allons-nous ? questionna encore le métissé.

– Chut ! ordonna la belle. Tu vas les effrayer !

– Qui donc ?

– Les naïades.

Nabi se tut, intrigué par l'attitude mystérieuse de sa compagne. Quand Oliana s'arrêta enfin, il s'approcha d'elle et l'attira entre ses bras.

– Embrasse-moi, chuchota-t-il, ses lèvres effleurant le lobe de son oreille.

Elle rit tout en le repoussant gentiment.

– Le décor est parfait. Allons nous étendre sur ce lit de mousse, insista-t-il.

– Patiente un peu ! le gronda sa bien-aimée d'une voix douce. Elles arrivent...

Nabi se retourna en entendant de curieux bruissements. Elles étaient sept, à peine plus hautes qu'une main, à voltiger au-dessus de l'onde. La première se posa sur un rocher tandis que ses consœurs s'asseyaient sur les branches d'un saule. Ainsi perchées, elles se mirent à balancer leurs jambes nues sous leur courte tunique. Tel le mouvement d'un pendule, cette danse sans musique apaisa l'esprit de Nabi.

– Je croyais que les fées ne vivaient que dans les forêts enchantées, s'exclama le Longs-Doigts, stupéfait.

Sous la pluie d'embruns de la cascade, la naïade du rocher le dévisageait.

– Vous n'avez pas tort. Les nymphes évitent généralement de séjourner dans le monde des hommes. Toutefois, lorsque la protectrice des sources nous appelle, nous surmontons nos craintes pour venir à elle, finit-elle par répondre.

Oliana la remercia.

– Suivez-nous ! exigea soudain la naïade. Notre Noble et Grande Mère désire s'entretenir avec vous.

– Nabi peut-il m'accompagner ? osa-t-elle solliciter.

Les sept fées opinèrent. Quand elles entonnèrent un chant, Nabi se sentit envoûté. Dans un état voisin du sommeil, il se laissa guider. Indifférent au passage du temps, les yeux fixés sur l'onde, il ne reprit conscience que lorsqu'ils furent rendus dans un lieu inconnu. Autour de lui, la forêt était sombre. Les naïades avaient disparu.

Seul le ruissellement de l'eau troublait le silence. Les arbres dissimulaient presque entièrement une masse rocheuse qui s'élevait comme un rempart creux. Oliana prit la main de son époux et le conduisit plus près de la paroi qui suintait.

– Shahana, Noble et Grande Mère, murmura la Longs-Doigts d'une voix empreinte de piété.

Le flux de la source s'intensifia, jaillissant avec abondance par les fissures du roc. Bientôt, le flot ressembla à une chute plus large que profonde et, dans son cours argenté, contrastant sur le fond de granit mouillé, un visage féminin se dessina. Oliana s'inclina respectueusement.

– Ma bonne marraine ! Vous avez demandé à me voir ?

– Oui, mais avant toute chose, j'aimerais que tu me présentes ton époux.

– Voici Nabi, protecteur des zèbres et des pigeons, s'exécuta Oliana avec fierté et tendresse.

La Noble et Grande Mère ferma les yeux quelques instants avant de darder sur le métissé un regard pénétrant.

– Je devine le combat qui se livre en ton âme, Nabi des plaines et du ciel. Tu es né pour la paix. Par contre, le sang humain qui coule dans tes veines te pousse à répondre aux outrages. Telle est la destinée des sang-mêlé : ils se sentent déchirés. Pourtant, en raison de cette souffrance, ils deviendront plus forts et plus sages. Si la race humaine survit, elle le devra à des braves de ta trempe.

Nabi acquiesça en silence. Sans savoir pourquoi, une vive émotion l'avait saisi. Shahana lui sourit.

– Je vois, dans un avenir pas si lointain, des événements dont je te ferai part avant la fin de notre entretien, l'avisa-t-elle. Cependant, je veux d'abord vous aider dans vos épreuves en vous offrant des richesses qu'aucun adversaire ne pourra vous ravir.

L'onde bouillonna soudain, éclipsant le visage de la déesse des sources. Les gorges de la paroi rocheuse s'ouvrirent, laissant jaillir une nuée d'alevins si jeunes que leur corps frétillant paraissait translucide. Sitôt après, de minuscules bêtes roses furent déversées dans le ruisseau. Luttant contre le courant, cette faune resta dans le bassin qui s'était formé sous la chute enchantée.

Tout à coup, le métissé vit réapparaître les sept naïades. Chacune portait un récipient semblable à un chaudron. Elles s'approchèrent de l'onde pour guider les poissons et les écrevisses vers les ruisseaux et les lacs du domaine de Nabi.

Après leur départ, La Noble et Grande Mère reparut dans la cascade.

– Personne, mis à part les sang-mêlé, ne pourra pêcher ces truites et ces crustacés. Leur chair est délectable et leur abondance assurera votre subsistance, mais plus encore. Vendez l'excédent, vous en obtiendrez un bon prix.

Nabi écarquillait les yeux, interdit.

– Comment vous remercier de votre bonté ? s'exclama-t-il avec ferveur.

– Prends soin de ma fille, l'adjura la déesse.

Tout à coup, le visage dans l'onde parut s'égayer.

– N'êtes-vous pas curieux de savoir ce que contiennent les chaudrons des naïades ?

– Certes, mais je n'aurais pas osé le demander ! avoua Nabi.

Cette franchise parut plaire à La Noble et Grande Mère.

– Il s'agit d'un cadeau de mon frère, le dieu des montagnes... Des pépites d'or que les fées vont parsemer dans vos ruisseaux. Encore une fois, seuls les vôtres sauront les cueillir parmi les algues. Elles se renouvelleront au gré de vos besoins.

Shahana émit alors un rire en cascade.

– Mon frère possède un esprit malicieux ; aussi a-t-il doté ces pépites d'un pouvoir qui vous réjouira. Si elles aboutissent dans la bourse d'un homme malhonnête, elles reviendront dans le lit de vos ruisseaux, ne laissant que des galets dans l'escarcelle du vilain.

Vaincus par la gaieté de la divinité, les elfes-sphinx se déridèrent enfin.

– Je dois maintenant vous quitter, annonça Shahana en recouvrant son sérieux.

Oliana s'approcha de la chute, les yeux brillants de reconnaissance.

– Vous êtes si généreuse !

Intimidée par sa propre audace, elle tendit les mains pour une ultime prière.

– Marraine, vous aviez promis de nous révéler certains événements du futur. Dites-moi... Depuis que le comte de Beyrez a jeté son dévolu sur moi, je crains qu'il ne... Parviendra-t-il à ses fins ?

– Jamais ! Par contre, un drame surviendra par la faute de cet homme, prophétisa la divinité. Tu devras être forte et ne jamais perdre confiance en Nabi. Il t'aime et te le prouvera.

Le protecteur des zèbres et des pigeons s'approcha de son épouse et l'étreignit pour la réconforter.

– Quand vous retournerez sur vos terres, près du saule des naïades, laissez s'épanouir votre passion, cédez au désir que vous éprouvez l'un pour l'autre, recommanda la Noble et Grande Mère. Votre union sera sanctifiée par la conception d'un enfant.

Cette nouvelle combla Oliana, lui faisant oublier le précédent présage. Lentement, l'image de Shahana se dissipait. Sa voix s'éleva pour une ultime prédiction qu'elle adressa à Nabi.

– Chez les humains, les oracles annoncent que, dans deux siècles, un garçon noble de cœur, sinon de sang, naîtra pour libérer les elfes de l'esclavage. Un grand avenir est promis à sa descendance. Un jour encore lointain, ce jeune humain te sauvera la vie. En récompense de son courage, tu lui offriras un présent. De ce geste dépend la survie des elfes-sphinx. N'oublie pas... Il faudra que tu sois parfaitement honnête avec toi-même et que tu lui donnes le bien le plus cher à ton cœur.

– Pas Oliana... Pas Cora, protesta Nabi, déjà affolé.

– Mais non ! Le moment venu, tu sauras ce que tu dois lui offrir, le rassura la déesse.

Le métissé aurait voulu l'interroger à propos de cette singulière prophétie mais, avant qu'il ait pu ouvrir la bouche, il fut replongé dans l'état de transe qui avait permis sa venue dans l'univers secret de la déesse.

Oliana ramena son époux en suivant le réseau complexe des embranchements des cours d'eau. Une fois revenu dans le décor familier de son domaine, le Longs-Doigts s'éveilla, se souvenant de la déesse et des nymphes comme s'il les avait vues en songe. Il s'accroupit pour puiser de l'eau et s'en asperger le front et la nuque. Une fois rafraîchi, il s'ébroua au-dessus de l'onde. C'est alors qu'il vit les alevins, les écrevisses et des scintillements dorés dans le limon du ruisseau. D'un bond, il revint vers Oliana.

– Je n'ai pas rêvé... Mayko ne nous acculera donc pas à la misère !

Sa bien-aimée vint l'enlacer.

– Pas par la faim ni la ruine, tint-elle à préciser. Mais rappelle-toi, Shahana a prédit que le comte serait à l'origine d'un malheur.

Voyant Nabi se rembrunir, Oliana se blottit plus étroitement contre lui.

– Inutile de nous morfondre pour l'avenir. Regarde la mousse sous le saule. N'est-ce pas un endroit délicieux où s'étendre ?

Oubliant ses tourments, le sang-mêlé admira la beauté envoûtante de son épouse. Il l'embrassa et la souleva de terre, notant, avec un pincement au cœur, la légèreté de son corps amaigri. Ils roulèrent sous les branches ployées, profitant de la complicité du saule pour abriter leurs ébats.

– Fais-moi cet enfant béni par la Noble et Grande Mère, murmura Oliana en caressant les reins de son amant.

Quand ils sortirent de leur retraite amoureuse, le soleil plombait sur les champs dépouillés. Ils rentrèrent au domaine, les yeux aussi brillants que les pépites qui gonflaient leurs goussets.

– 12 –

Le chant des cigales célébrait la plénitude de l'été. Assise dans l'herbe, Aglaë releva brusquement la tête.

– Je ne l'aime pas, déclara-t-elle en jetant un œil hostile au ventre rebondi de sa mère.

Peu de temps après la naissance de son aînée, Mauhna avait désiré un deuxième enfant. Sans égard pour son empressement, la nature l'avait fait patienter pendant dix saisons. Au début du printemps, Blanche avait été assaillie de fréquentes nausées. Depuis, elle se sentait continuellement épuisée.

– Pourquoi dis-tu ça ? s'attrista la magicienne, surprise de cette agressivité inhabituelle chez Aglaë.

Accablée par la chaleur, Mauhna était venue s'installer sous le chêne du jardin, espérant trouver à l'ombre une fraîcheur et une brise apaisantes. À ses pieds, Aglaë avait étalé ses jeux, accordant une place de choix à sa poupée.

– Tu semblais pourtant heureuse d'avoir bientôt un petit frère ou une petite sœur, reprit Blanche, cherchant à percer le mystère de cette soudaine véhémence.

– C'était avant, fit l'enfant en baissant misérablement les yeux.

Elle avait lancé ces mots d'une voix à peine audible, comme si elle craignait d'être punie. Bouleversée, Blanche quitta son banc et vint s'accroupir auprès de la fillette.

– Qu'y a-t-il, Aga chérie ? lui murmura-t-elle pour la réconforter.

Âgée de trois ans, la fille des maîtres de magie parlait avec beaucoup d'aisance. Par contre, comme elle était réservée et réfléchie, Mauhna savait qu'il fallait lui laisser du temps.

– Il est méchant, finit par accuser l'enfant.

– Le bébé ? s'étonna la mère.

– Oui, mon petit frère est méchant.

La magicienne s'épongea le front, de plus en plus troublée par cette conversation.

– Ma chérie, nous ignorons encore s'il s'agit d'un garçon, rappela-t-elle à la fillette.

– Moi je sais, déclara Aglaë, candide.

– Et comment le sais-tu ?

En guise de réponse, Blanche eut droit à un haussement d'épaules.

– Pourquoi dis-tu qu'il est méchant ?

– Quand tu poses la main sur ton ventre, je vois qu'il te fait du mal... Encore tout à l'heure, il a recommencé : tu as grimacé et tu es devenue toute pâle.

À son tour, Blanche pesa ses mots.

– J'avoue que ses coups sont parfois douloureux, concéda-t-elle avec franchise. Mais pas toujours. Et puis, le bébé, il ne sait pas... Crois-tu qu'il me blesserait volontairement ?

Aglaë haussa de nouveau les épaules, incapable d'expliquer pourquoi une boule insupportable se nichait au creux de sa poitrine quand elle pensait à l'enfant à naître. Mauhna choisit de ne pas insister.

– Cette chaleur est suffocante, fit-elle remarquer en retirant le bandeau qui retenait la chevelure fauve de sa fille. Peut-être pourrions-nous aller patauger dans le ruisseau.

Le visage de la gamine s'éclaira d'un large sourire.

– Tout de suite ? s'informa-t-elle, les yeux brillants de plaisir anticipé.

Au-dessus de leur tête, le faux soleil de La Grotte dardait. Mauhna le désigna du doigt.

– Nous irons quand notre ami doré aura un peu décliné vers l'ouest.

La fillette plaqua un baiser sur la joue de sa mère.

– Je te promets d'être gentille.

– Tu es toujours bien sage, ma jolie ! l'assura Blanche.

– Oh ! Ce sera plus difficile quand le bébé pleurera très fort, déclara Aglaë, avec cet air réfléchi qui la rendait parfois déconcertante.

Pendant un instant, Mauhna cessa de respirer.

– Pourquoi dis-tu...

– Ne t'en fais pas, maman, l'interrompit Aglaë en retrouvant son sourire. Quand il sera trop vilain, toi et moi, on ira jouer dans l'eau.

– Mais...

– Il restera avec tante Poly, poursuivit l'enfant, heureuse d'avoir résolu le dilemme. Tu pourras te reposer, et moi je redeviendrai gentille.

Une crampe particulièrement violente força Blanche au silence. Elle se redressa et retourna sur le banc. Des gouttes de sueur perlaient sur son front et entre ses seins. Il lui semblait qu'un poids énorme lui cassait déjà les reins.

« Et je ne suis qu'au milieu de ma grossesse », calcula-t-elle, le souffle coupé.

Rompue de fatigue, elle ferma les yeux. La touffeur estivale aidant, elle s'assoupit tandis qu'Aglaë chantonnait pour sa poupée. Ce fut la voix déçue de la fillette qui la tira de sa torpeur.

– Maman, nous avons trop tardé ! geignit-elle soudain. Nous ne pourrons pas nous baigner dans le ruisseau.

Courbatue, la bouche fielleuse, Mauhna cligna des yeux.

– Misère ! Combien de temps ai-je dormi ? s'exclama-t-elle, sidérée par l'hostilité ambiante.

Autour d'elle, le paysage avait changé. La brise légère avait cédé le pas à un vent aigre qui soulevait la poussière des chemins. Le ciel s'était couvert de nuages sombres et, dans le lointain, l'orage grondait.

Une peur animale tordit les entrailles de Mauhna.

– Viens vite, ma chérie, lança-t-elle à Aglaë en la soulevant de terre.

– Ma poupée ! rechigna l'enfant.

La magicienne fit léviter les jouets dans son sillage, poussant le petit personnage rembourré vers la main tendue de la fillette. Ainsi chargée, Blanche courut se réfugier à l'intérieur de la maison. À peine avait-elle franchi le seuil qu'Hµrtö apparaissait au centre du laboratoire-cuisine.

– Comment te sens-tu ? s'inquiéta-t-il en se précipitant vers son épouse.

– Ni mieux ni pire que ce matin, s'efforça de diagnostiquer la guérisseuse en tâtant son ventre.

– Je pars affronter le fléau, annonça Le Gris en baisant le front de sa fille et les lèvres de sa femme.

Son voyage-éclair conduisit Hµrtö au sommet des montagnes qui bordaient la frontière orientale du territoire des elfes-sphinx. Quelques secondes plus tard, Hodmar se matérialisait à ses côtés. Grâce à leurs cristaux enchantés, il ne fallut pas longtemps aux deux mages pour comprendre l'inutilité de combattre la nuée tonitruante.

– Il n'y a rien de maléfique dans cette tourmente, hurla le doyen pour dominer les grondements du tonnerre.

Hµrtö opina. Trempés jusqu'aux os mais soulagés, ils retournèrent au cœur de La Grotte. Plusieurs femmes enceintes et quelques vieillards avaient déjà rejoint Mauhna, espérant trouver auprès d'elle des soins préventifs contre les effets du fléau.

La bonne nouvelle fit rapidement le tour de la communauté.

– Un simple orage, répétaient les gens en souriant de leur vaine frayeur.

Bien que brutale, la tempête fut de courte durée. Quand les pluies torrentielles eurent cessé, les Longs-Doigts sortirent hors de La Grotte. L'incident les ayant rassemblés, ils se rendirent spontanément vers le chaudron des lunes. Arrivés dans le cercle d'herbe argentée, ils virent les nuages s'effilocher et des arcs-en-ciel iriser le ciel.

– Improvisons une fête, suggérèrent des jeunes gens que l'événement avait surexcités.

Le soir venu, tentant d'oublier ses malaises, Mauhna persuada Hµrtö de la faire danser. Non loin d'eux, une bande joyeuse trépignait. Pour le plaisir d'imiter leurs parents, les enfants s'inventaient des rondes exubérantes et Aglaë menait le bal.

– Faites comme moi, recommandait-elle à ses amis en se trémoussant avec une grâce attendrissante.

Parmi les apprentis danseurs, dépassant d'une tête tous ceux de leur âge, se trouvaient les jumeaux de Shinon et Lom'lin. Leur jolie frimousse et leur énergie débordante séduisaient tous les Longs-Doigts. Aglaë adorait les petits centaures. Incapable de décider lequel de Khar ou de Dhar elle préférait, elle avait un jour prévenu son père :

– Quand je serai grande, je les épouserai tous les deux.

Le Gris avait souri de son ingénuité, songeant malgré tout que, liés comme ils l'étaient, les frères Dezmoghör ne pouvaient pas venir l'un sans l'autre.

✧

Bien qu'épuisée, Mauhna n'arrivait pas à dormir. Dans son ventre, le bébé s'agitait, sans doute perturbé par les émotions de la journée.

« J'aurais pu le perdre », ne cessait-elle de se répéter en se remémorant les nuages qu'elle avait crus maléfiques.

Soucieuse de ne pas éveiller Hµrtö, elle se leva sans bruit.

– Du calme, chuchota-t-elle à l'enfant à naître.

Elle se rendit dans son laboratoire pour préparer une infusion lénifiante.

– Nous en avons besoin, dit-elle d'une voix douce au bébé turbulent.

La tasse à la main, elle sortit dans le jardin. Là, le visage nimbé de la lumière des lunes, elle compta une dizaine d'étoiles filantes et autant de crampes aiguës qui la transpercèrent. Pour surmonter son malaise et son angoisse, elle adressa une prière aux astres de la nuit.

– Mes bonnes marraines, donnez-moi la force de mener cet enfant à terme. Accordez-lui votre bénédiction. Que son âme ne s'égare jamais dans les ténèbres, implora avec ferveur la protectrice des lunes.

Une fois cette supplique achevée, Mauhna nota que la potion produisait son effet : le bébé s'apaisait. Elle lui fit alors une promesse.

– Même si je dois souffrir encore et encore, tu verras le jour. Et puisque Aglaë affirme que tu es un garçon, tu deviendras un homme séduisant et fort. Toi qui luttes tant pour survivre, tu ne craindras rien ni personne.

Ignorant que ses vœux se réaliseraient, provoquant une suite d'événements tragiques, elle caressa son ventre et murmura, pour son fils endormi :

– Que tes rêves soient doux, mon trésor.

– 13 –

Le sorcier et son ombre se déplaçaient sans relâche. D'un bout à l'autre du continent, suivant une séquence rigoureuse, ils allaient entendre les rapports des espions d'Artos. Engagés dans la quête de l'élu, ces guetteurs attendaient l'apparition de la Cité des sphinx.

Par un jour maussade des lunes de givre, tandis qu'une neige mouillée tombait sur Corvo, Le Cobra se transporta à l'est, au pied d'une montagne rongée par l'érosion. Là-bas, le soleil hivernal perçait le voile nuageux. Profitant de cette lumière, Sotra étira sa silhouette le long des flancs rocheux.

– Cesse de faire l'idiot ! s'impatienta le sorcier.

Le séide revint immédiatement auprès de son maître.

– J'adore m'imaginer en géant, se justifia-t-il en réduisant sa taille pour l'adapter à celle du rebelle.

Dans le visage de l'ombre, des paillettes lumineuses esquissèrent une moue.

– Tu ne sais pas te divertir, déplora Sotra en se glissant dans une fissure du massif.

En maugréant, le sorcier le suivit jusqu'au cœur d'une caverne. Dérangées par leur venue, les chauves-souris s'envolèrent. Quand la pagaille prit fin, Artos projeta sa lumière astrale et lévita pour entreprendre l'ascension de cette cheminée naturelle.

– *Réveillez-vous et accueillez l'élu,* commanda-t-il en utilisant le parler noir.

L'écho lui retourna le timbre rocailleux de sa voix et alerta les bêtes nichées au sommet. Dans cette aire jonchée de détritus, sept têtes se dressèrent. En réponse au cri de leur visiteur, les dragons rugirent.

Évadés des Dédales, les monstres ailés avaient établi leur abri au faîte de la montagne. S'y étant réfugiés dès le premier jour, ils s'étaient protégés contre les lueurs de l'aube et avaient échappé aux représailles des villageois. Depuis, chaque nuit, les monstres ailés survolaient la vallée pour profiter de ses richesses : dans l'univers des humains, la chasse était facile et la chair délectable.

Plusieurs chevaliers avaient tenté de les exterminer. Casqués, armés de piques et d'épées, ils se lançaient à la rescousse de jeunes filles ou d'enfants enlevés par les cracheurs de feu. En dépit de leur valeur, aucun de ces téméraires n'était redescendu de l'antre des bêtes. Leur bravoure inspirait les poètes ; des légendes prenaient naissance. Selon une d'entre elles, seul un valeureux magicien réussirait un jour à vaincre ces abominations.

Artos n'aspirait nullement à devenir ce héros. Quand, par hasard, il avait débusqué les dragons dans leur tanière, il avait choisi de les embrigader, non pas pour le salut des hommes, mais pour mettre les monstres au service de ses ambitions. En échange de leur allégeance, il avait promis aux sept mâles de rouvrir brièvement une voie vers les Dédales pour leur permettre de descendre capturer une ou deux femelles.

– Seulement quand vous m'aurez conduit à la Cité des sphinx, avait toutefois précisé le sorcier avant de conclure le pacte.

Rendu au seuil du repaire, le rebelle intensifia son aura pour discerner les sept guivres. Le flot lumineux libéra Sotra qui se mit aussitôt à arpenter la tanière des bêtes, remarquant au passage un monticule de squelettes, grands et petits. La masse pestilentielle grouillait de vers.

Sans plus attendre, le sorcier amorça les discussions. Le chef des dragons déclara que la Cité des sphinx n'avait pas paru sur les territoires surveillés par les siens. Irrité, Artos s'approcha agressivement de la créature. Depuis deux ans, où qu'il allât, le proscrit recevait cette même réponse.

– *Inspectes-tu bien tous les secteurs ?* gronda-t-il. *Peut-être n'utilises-tu pas assez tes relations avec mes autres espions.*

En plus d'embrigader certaines espèces, Le Cobra les avait forcées à établir des liens entre elles, songeant qu'ainsi les renseignements lui parviendraient plus rapidement.

– *Nous accuses-tu de négligence ?* s'offusqua son interlocuteur, un dragon aux écailles bleutées et à la crête hérissée de dards.

Ses naseaux devinrent incandescents. Sa queue frappa brusquement le sol qui s'effrita en dégageant un nuage de poussière. Le sorcier leva une rafale pour détourner le voile irritant vers la bête.

– *Continue comme ça et tu pourras dire adieu à tes femelles,* menaça-t-il en se croisant les bras.

Le monstre ramena sa queue contre son flanc. Un silence hostile s'installa, révélant le bruit incongru d'un battement d'ailes provenant des voûtes.

– *Qui ose pénétrer dans l'antre des dragons ?* tempêta le chef.

Sotra s'allongea contre la paroi de la grotte, juste à la limite du halo lumineux de son maître.

– Une chauve-souris, identifia-t-il quand le mammifère volant descendit vers l'élu.

Sur l'ordre du sorcier, la bête avala l'Oronge à gueule noire. Ensuite, suspendue à un pic rocheux, elle annonça laconiquement :

– *La Cité des sphinx est apparue !*

– *Où ?* questionna Le Cobra, gagné par une vive excitation.

– *Je l'ignore,* répondit mollement la chauve-souris que l'Ikisomathys ensommeillait. *Je répète seulement les paroles d'un hanneton.*

– *Mais alors ?* pesta le sorcier, contrarié par l'apparente nonchalance de sa messagère.

Cette dernière émit un curieux son de gorge avant d'éructer une boule couverte de glaire.

– *Je me suis bien gardée de l'avaler,* se félicita-t-elle.

Le hanneton régurgité avait atterri entre les pieds du Jynabör. Plus mort que vif, il remuait à peine. Même s'il avait toujours boudé l'art de la guérison, Artos s'empressa d'extirper de sa mémoire quelques incantations apprises dans sa jeunesse. Quand l'insecte revigoré reprit son vol, Artos l'attrapa et l'obligea à humer les vapeurs de la Phol Garad. Se sentant enfin près du but, le sorcier pressa le messager cuirassé de lui répondre.

– *Où s'est matérialisée la cité sainte ?*

– *Je ne sais pas,* avoua le hanneton en manifestant une imprudente candeur. *Je répète ce que disent les corbeaux.*

Courroucé, le mage noir faillit écraser la bestiole.

– Ne fais pas ça, lui recommanda Sotra. Il faut d'abord vérifier ce que les corbeaux ont vu.

– Tu as raison. Le hanneton nous conduira à eux.

Sur ces mots, Le Cobra disparut, emportant avec lui son ombre et un insecte tremblant d'effroi.

✧

Dans une vallée du comté voisin, les gros passereaux s'attroupèrent pour assister à l'échange entre le sorcier et leur porte-parole. Agacé par les croassements des volatiles, Artos les bouscula en exigeant de couper court aux hommages.

– *Ce hanneton prétend que vous avez vu la Cité des sphinx.*

– *Il a menti,* déclara le corbeau interprète.

– *Je n'ai jamais prétendu ça,* se défendit l'insecte frissonnant.

Il avait miraculeusement échappé à une chauve-souris pour se réveiller entouré d'un essaim de prédateurs au bec vorace.

– *J'ai seulement rapporté ce que vous craillez sans cesse : la cité sainte est apparue !*

Impatienté, Le Cobra interrogea agressivement le passereau responsable de livrer le rapport de sa volée.

– *Qu'as-tu vu ?* siffla-t-il.

– *Rien,* soutint le corbeau. *Mais l'épervier affirme que la ville sacrée a surgi du néant.*

– *L'épervier,* répéta le magicien excédé. *Et lui, est-ce qu'il a vu la Cité des sphinx ?*

– *Il faudra le lui demander,* conclut platement le sombre volatile.

Dès que le magicien s'éclipsa, les oiseaux s'envolèrent. Dans leur danse criarde, ils fendirent le ciel hivernal. Leur chef resta seul à fixer le hanneton abandonné sur le sol enneigé. Le sort de l'insecte était inexorable : dans quelques instants, il serait au chaud, dans le gosier du corbeau.

✧

Artos et son ombre se rendirent sur une falaise dominant un pré. Ensuite, il leur fallut se rendre sur un pic couvert de glace. Le magicien avait vite cessé de dilapider son énergie en vaine irritation. Malgré leurs moyens limités et l'apparent désordre de leurs interventions, ses alliés l'entraînaient dans une direction évidente.

– Nous sommes partis de l'intérieur du continent pour aller vers l'ouest, en traversant les vallées, les plateaux, les chaînes de montagnes et maintenant le littoral, expliqua Le Cobra, son excitation initiale ranimée.

– Les messagers nous conduisent vers l'océan, conclut Sotra.

– Je la tiens ! Bientôt, la Cité des sphinx sera à moi ! présagea Artos tandis que son ombre se dissimulait entre les plis de son manteau en prévision du prochain voyage-éclair.

Quand une aigrette blanche les guida vers un banc de merlans qui frétillaient dans les eaux peu profondes de la côte, Artos jubila.

– La ville sacrée gît sous la mer.

Le représentant des merlans convia l'élu à prendre le large.

– Les requins bleus affirment que la cité s'est matérialisée très loin des rives.

Le sorcier se transforma en squale et partit à la recherche de ses alliés sélaciens. Eux-mêmes le référèrent à une raie géante qui emmena le seigneur des ténèbres en haute mer. Le rebelle avait cessé de voir les berges depuis plusieurs jours quand la raie plongea.

– Tu devras te rendre dans les abysses, dans des profondeurs que, même moi, je ne peux pas supporter, spécifia l'impressionnant poisson.

Artos quitta avec regret l'élégante créature pour la compagnie d'une crevette. Enfin, après une longue succession de ouï-dire, un espion déclarait avoir vu la Cité des sphinx.

Afin de survivre aux conditions extrêmes des abîmes océaniques, le sorcier dut emprunter l'apparence de son guide. Sous cette forme chétive, il se sentait terriblement vulnérable.

Pourtant, aucun incident ne perturba son incursion sous-marine et, tout à coup, le crustacé rompit le silence pour l'informer qu'ils étaient arrivés.

Artos scruta inutilement les ténèbres.

– *Où est la ville ?* s'alarma-t-il, tourmenté à l'idée d'avoir été mystifié.

– *Juste devant toi*, assura la crevette avant de s'enfuir.

La bête à dix pattes avait accompli sa mission ; plus rien ne la retenait auprès du sorcier qu'elle craignait.

Flottant dans l'eau glaciale, Artos se concentra sur sa prochaine incantation de transformation. Il refusait d'entrer dans la cité sous la forme d'un vulgaire crustacé.

« Je suis le seigneur des ténèbres. Je veux que les esprits me reconnaissent quand je franchirai le seuil de leur univers. »

Cependant, s'il ne voulait pas périr, broyé sous la pression, il devait agir avec précision. Il matérialisa autour de lui une bulle de verre. Ensuite, il remplaça l'eau par de l'air et reprit sa forme elfique.

– Tu veux bien faire de la lumière ? réclama Sotra qui n'existait que par elle.

– Dès que j'aurai repris mon souffle, répliqua Le Cobra avec humeur.

D'appréhension et de froid, il frissonna.

– Incroyable ! s'extasia l'affidé quand Artos éclaira enfin le décor abyssal.

La Cité des sphinx se dressait, majestueuse, au cœur d'une vallée d'anémones. Dans ce paysage d'un autre monde, des créatures de toutes tailles détalaient, pêle-mêle, effarouchées par la clarté crue. Une portion des remparts de marbre blanc s'élevait devant Le Cobra, le reste se perdant hors du halo de sa lumière astrale.

– J'ai réussi ! exulta-t-il.

Fasciné, il s'approcha de la paroi de verre de la bulle.

– Il faut entrer avant de crier victoire, lui rappela Sotra, rabattant l'exaltation du proscrit. Imagine un peu que la magie des prêtres Nagù s'active avant qu'on ait franchi le seuil de la cité... Elle se déplacerait, on ne sait où, et tout serait à recommencer.

Cette perspective aiguillonna le sorcier. Il abandonna sa contemplation et se tourna vers son double.

– Tous les portails sont clos ; des verrous magiques les protègent. Sans les clés d'or, d'argent ou de platine, il me faudrait les forcer. Mais alors, je perdrais un temps précieux. Je n'ai donc pas d'autre choix : je dois emprunter l'entrée des damnés, celle qui répond aux incantations de magie noire.

– Cette porte semble avoir été créée à notre intention, marmonna Sotra. Ne trouves-tu pas cela étrange ?

– Oui et non ! Souviens-toi de la leçon d'Hodmar sur les desseins impénétrables des sphinx.

– *Dans leur extrême sagesse, les maîtres Nagù savaient que les forces opposées doivent s'équilibrer en toute chose, aussi paradoxal qu'il y paraisse,* récita Sotra.

– La peste si je comprends ce que ça signifie, grommela le proscrit.

– Que faisons-nous alors ?

– Tant pis pour les énigmes des sphinx ! Dépêchons-nous d'entrer ! décida le seigneur. Nous verrons ensuite à quoi rime ce charabia.

– C'est peut-être un piège, l'avertit l'affidé.

– En ce cas, nous le saurons très bientôt, se contenta de répliquer Le Cobra.

Sans plus attendre, il extirpa la bulle de verre du lit de vase où elle s'était enchâssée. Lentement, la sphère longea les murs de la ville. Après un moment qui lui parut interminable, le sorcier vit apparaître ce qu'il cherchait : une large bande de marbre noir qui tranchait sur le reste des parois uniformément blanches.

Ni arche ni créneau ne délimitait ce fragment contrasté. La pierre lisse ne possédait aucun gond, aucune serrure. Sa surface, trop propre, ne présentait pas la moindre aspérité. Même les anémones des abîmes et les minuscules organismes végétaux semblaient éviter de s'y agripper, lui conférant une apparence froide et nette qui détonait avec l'environnement foisonnant de vie.

– Il doit exister un mot de passe, raisonna Sotra. Pourtant, je n'en trouve pas trace dans ton esprit.

Le séide commençait à s'affoler ; il était obsédé par la crainte de voir disparaître la cité d'un instant à l'autre.

– Vite, retrouve-le, insista-t-il en trépignant.

– Je ne connais pas de mot de passe, avoua Artos en immobilisant la bulle devant la porte.

Son double jura. D'un geste autoritaire, le sorcier lui intima de contenir ses doléances. Il pencha la tête, ferma les yeux et médita. Après un moment, il leva la main comme s'il s'apprêtait à pousser une porte.

– *Livrez passage à l'élu,* exigea-t-il en utilisant le parler noir.

À l'intérieur de la cage de verre, sa voix gutturale résonna. Il paraissait peu probable que ce commandement, bien que tonitruant, traverse la masse d'eau salée pour réveiller une quelconque sentinelle. Néanmoins, le sorcier répéta son ordre. Dans le silence qui s'ensuivit, le verre de la sphère fit entendre d'inquiétants craquements.

– Je n'aime pas ça ! se lamenta Sotra.

Le front haut, la main toujours dressée, Le Cobra affichait un air imperturbable.

– Voilà ! souffla-t-il quand des étincelles rougeoyantes illuminèrent la surface de marbre noir.

Bientôt, les lueurs dessinèrent des caractères abscons. Dans un mouvement fluide, ces lettres de feu s'alignèrent pour former une phrase écrite dans le langage des sorciers damnés.

– *Bienvenue au seigneur des ténèbres !* déchiffra Artos.

– Eh bien, maître ! s'égaya Sotra en oubliant sa récente frayeur, je crois que tu as été entendu.

✧

Au cœur de la cité, dans les lueurs surnaturelles de leur temple, trois statues s'éveillèrent. Koros, l'esprit du passé, et sa sœur Demma, la gardienne du futur, tournèrent leur regard vers Pomgalion, le maître des destins.

– Père ? s'enquirent-ils de concert. Est-ce le moment annoncé ?

– Oui, leur confirma l'effigie du grand sphinx. La prophétie s'accomplit : la destinée des elfes et des hommes a dévié de son cours. Des jours funestes attendent les races pensantes.

– Y a-t-il de l'espoir pour nos héritiers ? demanda Koros.

– Il y a de la noblesse dans le cœur de certains de nos descendants, assura Demma. Prions pour eux. Leur courage pourrait forcer les voies du destin.

✧

Une flamme d'orgueil étincelait dans les yeux d'Artos.

– La cité a reconnu son nouveau maître ! pavoisa-t-il.

Cet instant de félicité fut interrompu par un mouvement brusque de la sphère. Aspirée par un courant surnaturel, elle grinça. Des fissures en zébrèrent le verre. Puis la cage fut projetée contre le rempart. La bulle éclata en franchissant la paroi enchantée.

Un torrent d'eau glacée s'engouffra dans l'espace parfaitement net de la Cité des sphinx, portant dans son cours tumultueux, l'élu, le ferment de la dévastation, le fils du mal.

– 14 –

La trombe soudaine surprit moins Mauhna que la douleur insoutenable qui lui traversa le corps.

– Mes eaux ! s'écria-t-elle.

La flaque chaude éclaboussa le sol mal nivelé de la caverne. Pieds nus dans la mare, Blanche lâcha le drap avec lequel elle se séchait et crispa ses doigts sur son ventre distendu.

– Le bébé va naître ! souffla-t-elle en cherchant un appui.

Hµrtö se précipita vers elle pour la soutenir.

– Pas ici ! protesta-t-il.

– Je n'ai pas le choix, haleta-t-elle. Il vient !

La souffrance était si intense que ses jambes se dérobèrent sous son poids. Elle vacilla dans les bras de son bien-aimé.

– Pas ici ! répéta celui-ci en essayant de la redresser.

– Je dois m'étendre, insista la magicienne d'une voix pressante.

Le Gris comprit que, s'il s'entêtait, Mauhna allait défaillir. Vaincu, il entassa leurs vêtements pour en faire une paillasse de fortune. Puis, ayant aidé sa compagne à s'installer aussi confortablement que possible, il la couvrit du drap qu'elle avait laissé choir.

– Quelle idée stupide ai-je eue de t'amener dans cet endroit. À quoi ai-je pensé ? pesta-t-il contre lui-même tandis qu'il s'agenouillait aux côtés de Blanche.

Momentanément soulagée, celle-ci lui saisit la main.

– Ça ira ! dit-elle d'une voix qu'elle espérait rassurante.

Hμrtö serra les doigts de sa femme en notant qu'elle était livide et qu'elle tremblait.

– Il faut essayer de rentrer à la maison, tenta-t-il de la convaincre. Par voyage-éclair, nous pouvons...

– Le travail a commencé, répliqua patiemment Mauhna. Tu sais comme moi que mes pouvoirs sont désormais concentrés sur l'enfant. Tant que le bébé n'aura pas vu le jour, je ne pourrai pas recourir à la magie.

– Je vais t'emmener avec moi, s'entêta le Loxillion. Nous ne pouvons pas rester ici pendant que tu...

Le cri de Blanche l'interrompit.

– Aide-moi ! supplia-t-elle. C'est trop affreux.

L'horreur venait de commencer.

Cette grossesse avait rudement éprouvé Mauhna. En proie à des nausées fréquentes, elle avait tellement maigri que son ventre proéminent paraissait disproportionné par rapport à sa silhouette émaciée.

Ce soir-là, pour la distraire de ses malaises et favoriser son sommeil, Hµrtö lui avait proposé une visite aux confins des grottes volcaniques. Là, dans un cocon de vapeur, se trouvaient des bassins d'eaux aux propriétés apaisantes ; rien de tel pour oublier les rigueurs hivernales et chasser les douleurs. Quelques instants auparavant, alors qu'elle sortait d'un bain délicieusement chaud, Mauhna avait remercié son époux pour sa délicate attention.

– Il y a longtemps que je ne me suis pas sentie aussi détendue, avait-elle affirmé en s'enveloppant dans un drap.

Maintenant que Blanche gisait sur sa couche improvisée, Le Gris se blâmait pour son insouciance. L'endroit était isolé. Pire, il était enfoui au cœur d'une montagne magique. Tel un rempart occulte, le massif protégeait ceux qui s'y réfugiaient contre l'intrusion des maléfices. À l'inverse, cependant, il limitait la portée des incantations lancées vers l'extérieur. Hµrtö essaya néanmoins d'appeler Hodmar par la pensée.

– C'est inutile. Nous sommes laissés à nous-mêmes, l'avisa Mauhna en captant l'appel dans l'esprit de son compagnon.

La dernière vague de douleur s'était retirée, mais Blanche savait que son répit serait bref.

– Je te guiderai, promit-elle à Hµrtö.

Il s'efforça de sourire et embrassa affectueusement sa compagne. Ensuite, il ferma les yeux et tâta le ventre contracté. Tel un guerrier s'apprêtant au combat, il fit l'inventaire de ses armes.

« J'ai mes deux mains, des pouvoirs limités par la montagne, ma détermination », énuméra-t-il pour lui-même.

Il inspira.

« Et tout mon amour... »

Il se raccrocha à cette pensée et sentit se calmer les battements de son cœur. La survie de sa bien-aimée et de l'enfant dépendait de son sang-froid.

✧

Après plusieurs heures, Mauhna bascula dans le délire. La souffrance la rendait sourde aux consignes de son époux.

– Cet enfant va me tuer ! hurla-t-elle avant de sombrer dans l'inconscience.

Elle se vit flotter au-dessus du corps d'une femme à la longue chevelure immaculée. L'inconnue avait le visage cyanosé.

« La mort la guette », constata Blanche sans se reconnaître dans le personnage inanimé.

– Reviens, supplia Hµrtö d'une voix très douce. Il faut que tu pousses.

Ignorant le sang et les soubresauts qui assaillaient sa bien-aimée, il entreprit de lui rappeler les petits bonheurs de leur vie quotidienne. Il lui parla d'Aglaë, du grand chêne dans le jardin, des promenades au bord de la mer, des baignades à la rivière. Après un moment, il s'interrompit brièvement pour réclamer :

– Pousse, ma chérie ! Pousse comme tu l'as fait pour mettre au monde notre fille.

« Notre fille... Aglaë ! » se souvint vaguement Mauhna.

– Comme elle était belle avec son minois tout chiffonné, reprit le Loxillion. Elle avait déjà cette tignasse fauve que tu t'acharnes à dénouer... Reviens, mon amour ! Il faut pousser... Et les jolis rubans que tu attaches à ses nattes.

Sans savoir pourquoi, ce charmant récit attirait l'esprit de Blanche plus près du corps supplicié de l'inconnue.

– Pousse, mon aimée ! réitéra Le Gris.

Mauhna se sentit soudain happée. En réintégrant son enveloppe charnelle, elle retrouva la souffrance inexorable de l'accouchement. Pourtant, cette fois, elle décida qu'elle tiendrait bon.

– Il est temps, souffla-t-elle en offrant à son époux la récompense d'un sourire crispé.

Quand Hµrtö comprit qu'elle était revenue pour se battre, il laissa échapper un sanglot.

– Tu es la plus formidable des guerrières, réussit-il à articuler, son regard accroché à celui de son épouse.

Pendant quelques secondes, plus rien n'exista pour les âmes sœurs que ce lien incomparable qui les unissait. Puis la guérisseuse cria. L'enfant lui déchirait les entrailles.

✧

Le Gris s'écria enfin :

– Je vois la tê...

Il plissa les yeux pour mieux distinguer la masse qui émergeait entre les replis de chair. Son hésitation fit bientôt place à la stupéfaction.

– Ma pauvre chérie ! ne put-il s'empêcher de s'exclamer.

Il avança les doigts pour s'assurer qu'il ne faisait pas erreur. Quand les pointes lui transpercèrent la peau, il sut qu'il ne s'était pas trompé. Il referma néanmoins la main sur le petit crâne épineux pour l'empêcher de déchirer davantage les tissus qui l'enserraient.

– Qu'y a-t-il ? Je n'en peux plus, s'étrangla Mauhna.

Hµrtö prononça une incantation qui assouplit les dards. Sans lâcher prise, il guida le nourrisson jusqu'à ce que son visage ridé soit dégagé.

– Il n'y a qu'une explication, commença Hµrtö d'un ton hésitant. Le sphinx du bébé s'est révélé au cours de ta grossesse et...

– Dis-moi la vérité, exigea Blanche.

– Notre enfant a des aiguillons sur la tête, dévoila le magicien sans plus tergiverser. Il est le protecteur d'une espèce de hérisson.

La mère retomba sur sa couche imprégnée de sueur. Elle devinait sans mal les dommages infligés à ses entrailles.

« Cet enfantement sera mon ultime combat », songea-t-elle avant de s'évanouir de nouveau.

Un braillement strident la tira de l'inconscience.

– C'est un garçon, annonça Hµrtö en lui montrant l'enfant.

Dans ses bras, le nourrisson s'époumonait en agitant furieusement ses minuscules poings rouges. Débordé par les émotions, Le Gris n'arrivait pas à se réjouir.

« Mon fils », se répétait-il en vain.

Pour l'instant, il était incapable de surmonter sa rancœur contre le bourreau de Mauhna.

« C'est trop me demander », se désola le Loxillion.

Il coupa le cordon et emmaillota l'enfant qui accueillit ces soins en redoublant ses cris. Ensuite, Hµrtö blottit le bébé contre sa mère, espérant que cette proximité apaiserait le nourrisson.

– Mauhna ! appela Le Gris en caressant la joue livide de son épouse. Je suis très inquiet pour toi. Que dois-je faire pour te sauver ?

Sur ces mots, il appliqua ses index contre les tempes de sa bien-aimée. Il lui transféra une partie de son énergie et attendit. Après quelques instants, Blanche parut plus alerte. Pas à pas, tel que l'avait demandé Hµrtö, elle le guida dans ses soins. Le temps que dura cette guérison, Hµrtö devint les yeux et les mains de Mauhna.

– Tu es très doué, l'encouragea Blanche à maintes reprises.

Toutefois, elle savait qu'aucune médecine ne réparerait les dommages infligés à son corps : elle n'aurait plus d'enfant. Ce chagrin s'ajoutait à celui que lui causait son impuissance à réconforter son petit.

– Sois patient, chuchotait-elle au bébé vagissant.

Épuisé par ses pleurs, le nourrisson finit par renoncer. Il s'endormit en tétant son poing, poussant, par moments, de faibles gémissements qui brisaient le cœur de sa mère.

Après plusieurs heures, Mauhna put s'asseoir et apaiser la soif du bébé. Les pouvoirs de la magicienne revenaient et les lunes, à l'intérieur de ses paumes, retrouvaient leur scintillement.

– Quittons cet endroit, s'empressa de recommander Hμrtö.

Toute à sa joie, Blanche ne l'entendit pas. Elle contemplait le visage de l'enfant. Enfin, les traits du petit se détendaient, ses poings se desserraient.

– Regarde comme il est beau, souffla Mauhna à Hμrtö.

Dès que celui-ci posa les yeux sur le poupon, il ne conçut plus de doute. Son cœur s'ouvrit et, du plus profond de son âme, il accueillit son fils.

– Quel batailleur ! murmura-t-il, envahi de tendresse et d'admiration.

Sur le crâne du bébé, le hérisson s'était endormi. Assouplis par l'incantation d'Hμrtö, les dards reposaient sur le corps du minuscule animal. Toutefois, les pointes incitaient toujours à la prudence.

– De quelle espèce s'agit-il ? voulut savoir Blanche.

Hμrtö lui fit remarquer la teinte rougeâtre des épines. Au premier abord, il avait confondu cette coloration avec le sang de l'accouchement.

– Un hérisson pourpré, répondit-il avec assurance.

Sans lâcher son fils, prenant appui sur le bras de son époux, Mauhna se leva.

– Je suis prête, affirma-t-elle en constatant avec bonheur que ses pouvoirs paraissaient stables.

– Il serait préférable que je le ramène, déclara Hɥrtö en tendant les bras.

Blanche soupira, obligée de reconnaître la pertinence de cette précaution ; elle ne pouvait pas prendre le risque qu'une défaillance de ses forces occultes livre son enfant au néant.

– Comment l'appellerons-nous ? demanda-t-elle sans rendre immédiatement l'enfant à son père.

Le Gris sourit quand une image s'imposa à son esprit.

– Les hérissons pourprés abondent dans la prairie de Jor, rappela-t-il à sa compagne. J'y conduirai notre fils quand il saura marcher. Au milieu de ce décor, il sera comme un petit prince dans son royaume.

Mauhna comprit immédiatement ce que lui proposait son mari.

– Dans la langue des anciens, ne traduit-on pas le mot prince par *Dan* ?

Le Loxillion acquiesça. Alors, la protectrice des lunes souleva le petit et proclama :

– Que les marraines de la nuit bénissent Jordan.

Heureuse, elle admira encore le nouveau-né. Dans son sommeil, il lui semblait si fragile.

– Aussitôt que nous serons à la maison, nous le doterons d'un talisman occulte, dit-elle à Hµrtö.

Celui-ci acquiesça vivement. Bien avant la naissance d'Aglaë, n'oubliant jamais les menaces de L'Autre, les magiciens avaient préparé des sortilèges capables de prémunir leurs enfants contre tout contact physique avec leur ennemi. Bien qu'invisibles, ceux-ci auréolaient le corps de leur aînée d'un bouclier dévastateur.

– J'ai beau savoir que les Anciens ont érigé des barrières contre le proscrit, cette précaution additionnelle me rassure, ajouta la magicienne pour justifier son souhait.

– J'éprouve le même besoin. Il me plaît de penser que ce damné sorcier ne pourra jamais toucher Jordan ou Aglaë sans s'en repentir, conclut Le Gris en tendant les bras avec insistance.

Il lui tardait de quitter ce lieu clos et les pénibles souvenirs qu'il évoquait. Le bébé s'éveilla dès que Blanche le confia à Hµrtö. En un instant, le nez minuscule de l'enfant se pinça, son front se rida, sa bouche se tordit et ses lèvres frémirent. Ainsi décomposé, l'innocent visage parut se couvrir d'un masque de colère. Son cri le confirma. Penaud, Le Gris dut resserrer son étreinte sur le corps agité de son fils.

– Ça ira, murmura-t-il, avant de commander son voyage-éclair.

Tentait-il, par ces paroles, de calmer Jordan, de rassurer Mauhna ou de se convaincre lui-même ?

En l'espace d'un battement de cœur, le silence de la maison des maîtres de magie fut déchiré par les hurlements de Jordan. Les âmes sœurs ignoraient que l'arrivée de leur fils venait de sonner le glas de leur quiétude.

– 15 –

Bien qu'immergée dans l'océan, la Cité des sphinx n'était pas inondée. Son unique porte noire s'était refermée aussitôt après le passage du Cobra. Dans un torrent glacial, Artos avait été projeté sur une place entourée de jardins. Écrasé sur le pavé rêche, il remua péniblement pour s'étendre sur le dos. Alors seulement, retenant son souffle, il osa desceller ses paupières crispées.

Entre les murailles de la ville, sous une voûte transparente qui laissait voir les hauts- fonds marins, une lumière venue de nulle part éclairait le décor.

Incapable de tenir plus longtemps, le rebelle cracha l'eau qui s'était infiltrée dans sa bouche et inspira. Puis, encore tremblant, il se leva.

– J'ai réussi ! J'ai réclamé qu'on m'ouvre et la Cité des sphinx m'a accueilli ! s'exclama-t-il.

Il prononça quelques incantations pour se sécher et se parer de vêtements somptueux.

– N'oublie pas ta mission, lui rappela Sotra en sortant de sous ses bottes. Par quoi commences-tu ?

Artos soupira. Le séide avait raison ; après tout, il ne faisait qu'exprimer les pensées de son maître. Néanmoins, celui-ci aurait aimé s'octroyer le plaisir de prolonger un peu ce moment de satisfaction.

– Rabat-joie ! maugréa-t-il à l'adresse de son double, qui glissa sur le sol et vint se plaquer contre le pilier d'un temple.

Le Cobra lui tourna le dos pour se repérer dans le lacis des avenues et des venelles et identifier les bâtiments qui les bordaient. Il constata qu'il avait abouti sur une petite butte située à l'opposé de sa destination.

– Le temple du savoir ! annonça-t-il en désignant un édifice colossal qui se dressait à bonne distance sur sa gauche. Nous devrons traverser la ville pour l'atteindre.

Lentement, tel un seigneur visitant son fief, le sorcier survola la cité. Des spectres circulaient : certains saluaient distraitement l'étranger, d'autres le toisaient avec morgue.

– Pas très amènes, ces fantômes, commenta Sotra en dardant sur eux son regard de feu.

Artos haussa les épaules, indifférent. Il songeait déjà à son prochain défi. Pour s'emparer des secrets qu'il convoitait, il devrait forcer les verrous qui interdisaient l'accès aux sections prohibées du temple du savoir. Ensuite, il lui faudrait déchiffrer d'innombrables grimoires de magie noire. Pourtant, le sorcier se sentait confiant. Son cœur se gonfla soudain d'orgueil.

– Bientôt, toutes les créatures pensantes se prosterneront devant moi, souffla-t-il à la face d'un Ghör évanescent.

Le spectre le dévisagea d'un air maussade, puis il lui passa à travers le corps.

✧

C'est ainsi qu'Artos et son ombre prirent possession de la cité légendaire. Le Cobra ignorait que les esprits du temple du destin avaient assisté à son irruption par la porte noire. Recueillies dans leur sanctuaire, les idoles méditaient.

Koros, l'esprit des temps révolus, fut le premier à rompre le silence.

– Voici donc venue l'ère du profanateur.

Les yeux argentés de Pomgalion se posèrent sur un miroir magique ; la surface lisse renvoyait l'image d'Artos déambulant, tel un conquérant, dans les rues de la ville.

– C'était écrit... En cet instant, débute l'œuvre du suppôt du mal, proclama le maître des destins.

La gardienne du futur chassa la vision de l'intrus pour projeter des scènes d'époques encore lointaines.

– Quoi qu'en pense cet impudent, la déchéance des races pensantes n'est pas inéluctable. Un jour, des êtres volontaires et braves se dresseront contre lui, présagea Demma.

✧

Utilisant les rudiments de sorcellerie appris sous l'égide du seigneur des ténèbres, Artos parvint à déverrouiller le portail du domaine de la magie noire. Combien de fois avait-il échoué à pénétrer dans cette section interdite ?

– Elle est à moi ! exulta le rebelle quand la cloison occulte céda enfin. La connaissance maléfique m'appartiendra bientôt comme une épouse soumise.

Au-delà du seuil, il découvrit des enfilades de pièces semblables à celles des autres sections du temple du savoir.

Leur netteté contrastait avec le décor qu'avait imaginé Le Cobra. Jusqu'à ce jour, il avait cru que la sorcellerie ne se pratiquait que dans des lieux sombres et empreints de mystère.

Pourtant, rien de tel ne s'offrait à sa vue tandis qu'il arpentait les salles vouées à l'art du mal. Chacune regorgeait de grimoires, de parchemins et d'instruments dont il ne connaissait pas l'usage. Le rebelle mesura tout à coup l'ampleur de la tâche qui l'attendait.

Poursuivant son exploration, il s'enfonça dans les ramifications souterraines de cet édifice qui défiait effrontément les règles du monde concret, faisant surgir des escaliers, des passages et des pièces à des endroits invraisemblables. Quand il eut atteint le dernier niveau, il sentit que l'endroit exerçait sur lui une puissante attraction.

Des appartements bien aménagés débouchaient sur une bibliothèque ovale remplie de manuels anciens.

– Les enseignements fondamentaux de la magie noire, résuma Sotra après avoir glissé sur plusieurs des rayons.

La bibliothèque ouvrait sur un spacieux laboratoire. Dans un coin, une fontaine ruisselait sous le regard vide de trois sphinx sculptés dans le marbre. Un liquide argenté jaillissait sous leurs pattes pour alimenter la cascade.

– Le sang des sphinx ! comprit immédiatement Le Cobra.

Il dégaina Malam, l'instrument de toutes ses guerres puis, à l'aide de la dague enchantée, il s'entailla la paume. Son sang coula et se mêla à celui de ses lointains ancêtres.

– Ainsi prend fin l'ère des prêtres Nagù, déclara l'élu en voyant l'onde se teinter de rouge. Je suis le nouveau maître de ces lieux.

✧

En peu de temps, le rebelle vécut dans son repaire comme s'il n'avait jamais connu d'autre demeure. Idris occupait une place privilégiée dans ce nouveau décor. Les pouvoirs maléfiques d'Artos s'accroissaient et l'onyx profitait de cette force ; totalement subjuguée, la pierre se soumettait enfin à son seigneur. Elle révéla alors au Cobra que Mauhna, Hɥrtö et Hodmar possédaient des cristaux capables de trahir l'usage de la magie noire.

– Oh, ils se croient malins ! s'exclama Artos, mis au défi.

Il travailla sans relâche, parfois dans sa bibliothèque, parfois dans son laboratoire. Au terme de son labeur acharné, il parvint à perfectionner tous ses maléfices pour qu'ils déjouent les cristaux de ses ennemis.

– Désormais, ces minables mages blancs ne portent plus à leur cou que des colifichets inutiles, confia-t-il à Sotra d'un air triomphal.

✧

Pendant les cinq années qui suivirent son arrivée dans la Cité des sphinx, le sorcier perfectionna son art. Quand il n'était pas plongé dans les grimoires anciens, il marchait dans les rues de la ville, accompagné de son ombre qui furetait dans tous les coins.

Livrée au sortilège de protection de ses fondateurs, la ville enchantée se déplaçait fréquemment. Toutefois, Artos sentait à peine les mouvements de son habitat. De temps à autre, il se rendait dans une bâtisse isolée. Sur le frontispice, une plaque annonçait la vocation du bâtiment : *Jildatbec ep Soulinar*, ce qui signifiait « La fenêtre sur le monde ».

Maintenant qu'il pouvait jeter un œil sur l'extérieur, une curiosité plus pernicieuse revenait le hanter. Jusque-là, ses activités incessantes et sa potion de détachement l'avaient préservé de l'émergence de son obsession. Mais, depuis qu'il avait entrepris un traitement de déshumanisation, ses viscères ne toléraient plus son ancien élixir. Pour combattre son désir malsain d'épier les Longs-Doigts, le proscrit ne disposait plus que de sa volonté.

« Que font mes ennemis ? » se demandait-il de plus en plus souvent.

Pour supporter sa détermination, il laissait libre cours à sa hargne. Avec une virulence exacerbée par ses nouveaux pouvoirs, il ravageait les arbres de la forêt ancestrale et lançait des tempêtes sur les territoires des elfes-sphinx. Cependant, craignant de céder à la tentation, il s'abstenait d'utiliser Idris pour constater l'effet de ses saccages.

– Je dois résister, marmonnait-il jusque dans son sommeil.

Un jour d'humeur noire, le précaire rempart de sa volonté chancela ; l'obsession du sorcier subjugua sa raison.

– Je veux savoir...

À son commandement, la surface d'Idris lui montra son frère de sang. Dans une chambre où régnait un terrible désordre, Hµrtö se tenait, prostré, la tête entre les mains. Devant lui, un petit garçon trépignait en hurlant : « Non, non et non ! Je n'irai pas. »

Dès cette première image, Le Cobra sut qu'une pâture toute fraîche s'offrait à la voracité de sa haine. Ses crocs avaient trouvé une chair bien tendre dans laquelle instiller leur venin.

- 16 -

– Je n'irai pas ! répéta Jordan en tapant du pied.

Hμrtö se massa les tempes avant de reporter son regard sur son fils de cinq ans.

– Cesse de crier, exigea-t-il posément. Tu n'obtiendras pas gain de cause de cette manière.

– Laisse-moi tranquille, lança le bambin d'une voix stridente. Tu ne peux pas me forcer.

– Je n'en ai pas l'intention. Toutefois...

– Je ne veux pas, l'interrompit l'entêté.

– Laisse-moi t'expliquer, tenta de le raisonner Le Gris. L'école de magie, c'est essentiel pour un garçon aussi doué que toi.

– ...

Le soudain mutisme de l'enfant incita le père à poursuivre sur sa lancée. La flatterie, nullement mensongère d'ailleurs, lui avait valu l'attention de son fils. Il s'empressa de renchérir.

– Et puis, c'est amusant ! Demande à Aglaë. Elle s'y plaît beaucoup.

L'argument sembla porter. Jordan adorait sa sœur. Plus calme, il fit une moue boudeuse.

« Bougre de petit homme ! » songea Hµrtö, attendri par la grâce du gamin.

Malheureusement, la moindre contrariété crispait la beauté de ses traits et, pour Jordan, l'existence semblait une source intarissable de mécontentement. Hµrtö n'en chérissait pas moins son fils.

– J'irai si Aga m'accompagne, concéda l'enfant terrible.

– Bien ! fit Hµrtö en réprimant un soupir.

Âgée de huit ans, Aglaë s'acquittait avec sérieux de son rôle de grande sœur. Plus rien ne subsistait de ses craintes concernant le petit bourreau de sa mère. Elle n'avait aucun souvenir d'avoir un jour accusé le bébé de méchanceté et si Mauhna lui avait raconté cette anecdote, Aglaë aurait été scandalisée de sa propre malveillance. D'une loyauté inflexible, la fillette ne laissait personne médire de Jordan.

Le jour de l'arrivée de son frère à la maison, l'aînée avait réussi là où Mauhna elle-même avait échoué. En appuyant sa petite paume sur le front du nourrisson hurlant, la fillette avait entonné sa chanson favorite. Peu de temps après, bercé par la voix frêle de sa sœur, Jordan s'était endormi. Aglaë avait souvent répété cet exploit et, au fil du temps, des liens indissolubles s'étaient tissés entre elle et le petit.

Hµrtö entraîna Jordan hors de sa chambre. Dans le couloir, il tendit la main à son fils, mais le protecteur des hérissons pourpres ignora le geste de réconciliation. Bien que puéril, ce rejet blessa le magicien.

Souvent, au cours de ses nuits d'insomnie, le maître de magie repensait à la naissance de Jordan : l'enfant avait failli tuer Mauhna. Le Loxillion se blâmait pour la rancune qu'il avait alors ressentie.

« C'est moi qui l'ai d'abord rejeté... Peut-être le devine-t-il. »

Sa relation parfois houleuse avec Jordan n'était pas son seul tourment.

Au cours des cinq dernières années, il avait dû combattre plusieurs tempêtes viciées. Chaque fois, avec l'aide d'Hodmar, il avait repoussé le fléau vers le désert septentrional, creusant toujours plus les ravins rougeâtres. Les cristaux enchantés ne décelant aucune aura maléfique, Hµrtö avait fini par accepter l'idée que les perturbations provenaient de dimensions voisines. Il n'en fulminait pas moins.

Il avait beau savoir que la moindre contre-attaque provoquerait une réplique fatale de la part des univers parallèles, il détestait se sentir si impuissant. Si les méfaits avaient été l'œuvre d'un sorcier, les grands maîtres de magie auraient riposté avec force. Mais, convaincus d'être les victimes de manifestations involontaires d'un autre monde, ils étaient réduits à une stratégie défensive.

Ignorant que Le Cobra l'épiait, le Loxillion se dirigeait avec Jordan et Aglaë vers la petite école de magie. Pour se distraire de ses sombres pensées, Le Gris observait son fils et sa fille, fasciné par leur complicité. Comment des enfants aussi différents l'un de l'autre parvenaient-ils à s'entendre ? Pour Hµrtö, il s'agissait d'un mystère.

Chérir Aglaë lui avait paru naturel et facile ; la fillette était si raisonnable et docile. À l'opposé, aimer Jordan et le lui démontrer relevait parfois du défi, car le comportement agressif du garçon forçait Hµrtö à une discipline stricte et à une constante fermeté.

– Jouons à pie-puits-pis, proposa Jordan à sa sœur.

À peine cela dit, le gamin se ravisa.

– Non ! Jouons plutôt à vent-sommet-nuage.

Aglaë acquiesça et brandit l'index. Son frère l'imita, fébrile.

– Un, deux, trois, compta lentement la fillette.

À trois, une fumée blanche jaillit du bout de son doigt et dessina la forme d'une montagne. Jordan maîtrisait depuis peu les incantations requises pour le jeu. Malgré tout, à la fin du décompte, il avait réussi à faire surgir de son index un petit nuage. Il s'empressa de le jeter à l'assaut du massif de sa sœur.

– Le nuage voile la montagne, s'écria-t-il victorieux.

Au coup suivant, Aglaë fit de nouveau émerger une silhouette montagneuse et le vent de son frère fut bloqué par le rempart.

– Zut ! siffla le gamin, déçu.

Quand, ensuite, Jordan perdit encore parce que le vent d'Aglaë avait chassé son nuage, il s'emporta.

– Ce n'est pas juste ! C'est toujours toi qui gagnes !

Sans se laisser impressionner par la colère du petit, l'aîné haussa les épaules.

– Puisque tu le prends ainsi, nous ne jouerons plus, l'avisa-t-elle calmement.

Jordan bouda pendant un moment puis, n'y tenant plus, il tira la manche de sa sœur et demanda :

– Aga, m'aimes-tu toujours ?

La fillette lui prit la main et y fit apparaître une jolie bille orangée.

– La vérité, Jordan, c'est que je t'aime quand tu es aimable. Autrement... c'est plus difficile !

La sagesse si évidente de cette réponse fit sourire Hµrtö. Il se promit de retenir la leçon.

✧

Après avoir confié les enfants à l'institutrice des classes primaires, le Loxillion prit la direction du collège et alla frapper à la porte d'Hodmar pour lui demander de prendre en charge la formation de son fils.

– S'il s'en donne la peine, Jordan peut devenir un grand magicien. Il est doué mais moi, je n'en tirerai rien. Comment dire ? Étant son père, je suis trop... Il croit que...

– Je comprends, l'assura Hodmar.

– La situation me navre, d'autant que vous avez mérité de vous reposer, poursuivit Hµrtö, embarrassé.

– Je te rappelle que je ne suis pas encore dans la tombe, protesta le vénérable mage en riant doucement.

– Mon fils risque de vous causer des migraines, le prévint le disciple, soucieux de présenter franchement la situation à son ami.

Le vieillard dodelina de la tête, l'air nostalgique.

– J'en ai connu quelques-uns de cette espèce, rappela-t-il en haussant un sourcil moqueur. Je devrais m'en tirer sans y laisser mon antique carcasse.

En signe de remerciement et d'affection, Hμrtö lui serra le bras.

– Puis-je espérer qu'un jour la colère de Jordan s'apaisera ?

– Bien sûr ! Mais n'oublie jamais qu'étant le protecteur des hérissons, ton fils conservera toujours un petit côté *piquant*. C'est sa nature.

– Je m'efforce de le respecter tel qu'il est. J'ai pourtant peur que nos fréquentes querelles émoussent sa confiance en moi. Je dois me montrer si strict envers lui. Je crains qu'il ne me pardonne jamais.

Compatissant, le grand maître hocha la tête.

– Crois-en ma parole, commença-t-il après un moment de réflexion, si tu te pardonnes d'être sévère envers lui – ce que, de toute façon, tu fais pour son bien –, il finira par comprendre et te pardonner. Un jour, vous serez en paix, l'un et l'autre.

✧

Depuis son antre, Le Cobra siffla :

– Oh non ! Maintenant que j'ai trouvé l'instrument de ta torture, crois-en ma parole, Hµrtö, ton fils ne te laissera aucun repos ! J'y veillerai.

– 17 –

Au même instant, au sud-est du continent, le convoi de Mayko sillonnait à vive allure les routes bordées d'arbres en fleurs. Quand un des cavaliers de son escorte informa le comte qu'ils arrivaient en vue du bourg de Beyrez, le seigneur sortit la tête de son carrosse et observa le décor familier. Indifférent aux beautés printanières, il ne contemplait ni l'harmonie du paysage, ni les courbes des vallons. Il n'appréciait pas non plus l'air pur des montagnes. Non, il guettait l'accueil de ses sujets. Il attendait que s'élèvent leurs cris de joie.

– Notre seigneur est de retour ! croyait-il déjà entendre.

Il y avait presque cinq ans qu'il avait quitté son comté pour aller vivre dans la cité royale. Obséquieux parmi les obséquieux, il avait tant flagorné les souverains que ceux-ci avaient fini par l'introduire dans l'intimité de leur cour.

Constatant qu'il se trouvait encore trop loin des agglomérations pour attirer la foule, Mayko s'affala sur les coussins du carrosse et se gratta rageusement le crâne.

– Damnées bestioles ! pesta-t-il quand il vit du sang sous ses ongles noirs de crasse.

Bien qu'il voyageât en voiture, son visage, ses cheveux et ses vêtements tachés étaient gris de poussière. Son corps exhalait des odeurs de musc et de sueur. Sa bourse étant complètement à sec, les aubergistes de ses dernières haltes l'avaient reçu sans enthousiasme, lui faisant crédit pour le couvert de ses hommes, le soin des chevaux et un lit à peu près convenable. Par contre, les taverniers ne semblaient pas considérer les bains comme des nécessités à dispenser en prime à un aristocrate désargenté.

Fréquenter la fine fleur de la noblesse coûtait cher. Au cours de son séjour dans la capitale du Môjar, Mayko n'avait pas lésiné sur ses parures et sa valetaille. Il avait mené un train de vie princier et s'était montré très généreux envers le roi Bÿron, sa reine et leurs proches. C'était le prix à payer pour éviter les missions à l'étranger. Mayko avait vite découvert que le souverain se séparait volontiers des seigneurs moins prodigues, les envoyant conquérir en son nom les trésors des colonies. Là-bas, c'était la guerre, la chasse aux esclaves, le pillage des habitants, les bêtes venimeuses et les fièvres mortelles.

« Beaucoup de risques pour une maigre gloire... Et tout ça pour remplir les coffres d'un autre. Très peu pour moi ! »

Incapable de tenir en place, Mayko revint s'accouder à la fenêtre du carrosse. Le convoi grimpait une pente abrupte. Bientôt, il allait atteindre le plus populeux des villages du comté : le village de Beyrez. Le comte n'avait pas l'intention de s'attarder longtemps dans ce trou accroché à flanc de montagne.

Ayant dilapidé tout l'or qu'il avait emporté avec lui cinq ans auparavant, il avait dû prendre congé du roi avant que celui-ci ne songe à l'expédier dans les colonies. Il revenait donc sur ses terres dans l'idée de regarnir ses cassettes et de repartir aussitôt pour la capitale.

Le cortège s'arrêta au pied des fortifications et le capitaine de sa troupe alla ordonner aux sentinelles de livrer passage à leur maître.

– Annoncez sa venue à la population, exigea-t-il selon la coutume.

Les hommes en faction eurent beau souffler à plusieurs reprises dans leurs trompes, les portes des maisons restèrent closes. Seuls quelques chats mités circulaient dans les rues désertes. Le comte ne vit même pas l'ombre d'un vieillard à sa fenêtre.

Dépité, Mayko de Beyrez jura. Il avait souhaité un triomphe pour son retour, la clameur de centaines de vassaux en liesse.

– Ne restons pas là ! grogna-t-il en faisant signe à l'officier de remonter en selle et de reformer l'escorte.

Plutôt que de parader dans les avenues, l'équipage se rendit d'un trait au château de Mayko. Sur son trajet, le seigneur déconfit ne croisa pas âme qui vive.

– Pis d'truie ! Que se passe-t-il ici ? éructa-t-il en notant la propreté impeccable des carrefours, les façades repeintes des échoppes, les fleurs dans les jardins.

Le village présentait des allures de prospérité qui s'accordaient mal avec les souvenirs de son seigneur.

– Si mes sujets vivent dans l'opulence, ça signifie qu'ils ne paient pas assez d'impôts, maugréa-t-il. Oh ! Je vais y mettre bon ordre !

La vision de l'or affluant dans ses coffres adoucit son humeur. Toutefois, ce retour raté lui restait comme une arête en travers de la gorge. Quand il débarqua dans le hall de son château et que ses domestiques se ruèrent à sa rencontre, se courbant en deux pour lui baiser les mains, il estima que la moitié de sa valetaille manquait.

– Kabir, où sont mes gens ? hurla-t-il à la face de son intendant.

Le vieil homme trembla. De toute évidence, l'irruption de son maître le prenait de court.

– Je... nous..., bredouilla-t-il.

– Où sont mes gens ? répéta Mayko, les yeux exorbités de fureur.

– Nous ne vous attendions que demain, répondit Kabir en tentant de retrouver sa contenance. Mais n'ayez crainte, tout est prêt pour vous et vous disposerez de vos commodités habituelles. Désirez-vous prendre un bain ? ajouta-t-il, les narines imperceptiblement pincées pour échapper à la puanteur de son maître.

Le vieillard s'était déjà retourné vers une matrone pour transmettre ses consignes. Furieux, le comte accrocha le bonhomme par le bras et le secoua sans ménagement.

– Si tu ne me réponds pas immédiatement, je te tranche la gorge, menaça-t-il.

L'intendant déglutit.

– Ils sont à la fête, chevrota-t-il en évitant le regard de son maître.

Sentant la poigne de celui-ci se resserrer sur ses os, Kabir ajouta :

– Au domaine de Nabi Jyn... Pour célébrer la saison des semailles !

Un tic fit tressauter les traits de Mayko. Sans lâcher sa prise sur le poignet de son serviteur, il regagna son carrosse et força l'intendant à y grimper.

– Au manoir de Jyn, ordonna le comte à son cocher.

L'attelage s'ébranla aussitôt, projetant brutalement le vieil homme sur le siège en face de Mayko.

– Maintenant, tu vas me raconter ce qui s'est passé pendant mon absence, glapit celui-ci. Fais vite ! Je veux tout savoir avant d'être rendu chez mon vassal.

Kabir expliqua que le propriétaire du plus vaste fief de Beyrez était entré en possession d'une mystérieuse fortune. Le principal intéressé prétendait avoir reçu un héritage. Personne ne savait s'il disait vrai. Toutefois, depuis ce moment, Nabi Jyn présentait tous les signes d'une richesse inépuisable.

Plutôt que d'accroître sa fortune en prêtant son or à des taux usuraires, il avait soutenu les commerçants, les éleveurs et les artisans, favorisant l'émergence d'une nouvelle prospérité dans l'ensemble de la communauté.

Au bout d'un moment, les yeux de Mayko se plissèrent. Entre les fentes de ses paupières, il décocha un regard mauvais au vieillard.

– Je suis certain que cette canaille s'enrichit à mes dépens. Il triche sans doute sur ses redevances.

Kabir secoua la tête en signe de dénégation.

– Bien au contraire, osa-t-il contredire son maître.

Au comble de l'exaspération, le comte passa une main tremblante sur son visage mal rasé.

« Je vais remettre cet arrogant à sa place, se promit-il. Ce Nabi Jyn va apprendre qu'il n'y a qu'un seul seigneur à Beyrez, et ce seigneur, c'est moi ! »

✧

Ils entendirent les bruits de la fête avant d'en apercevoir le décor. Des chapiteaux avaient été dressés dans le parc. Sous les tentes ornées de guirlandes, des tables offraient aux invités des boissons et des mets variés. Un peu à l'écart, des musiciens entraînaient les danseurs dans des rondes effrénées. Le jour déclinait et la lumière orangée du crépuscule ajoutait à la féerie du moment.

Mayko fendit la foule, entouré de son escorte. À ses ordres, ses hommes avaient dégainé leurs épées et leurs dagues. Sur leur passage, comme tirés d'un rêve agréable par l'imminence d'un danger, les invités ravalaient leurs rires en s'écartant prudemment. Dès qu'ils reconnaissaient leur suzerain, ils s'inclinaient, mais le comte n'était pas dupe. Ses sujets le saluaient à contrecœur, se redressaient sans attendre et fixaient le sol d'un air fautif.

– Tu vas me le payer, Nabi Jyn ! siffla Mayko entre ses dents.

Lentement, un silence embarrassé succéda à la rumeur exubérante des gens un peu ivres. Le seigneur de Beyrez se dirigea sans hésitation vers le plus grand chapiteau. Entourée de plusieurs invités, l'hôtesse n'avait pas encore constaté que des importuns semaient la consternation dans leur sillage.

L'assemblée finit de se dissiper. Surprise par ce brusque mouvement de recul, Oliana releva la tête. Pendant quelques instants, son cœur cessa de battre. Dans le feu des lanternes, ses yeux scintillèrent comme ceux d'une biche aux abois.

Mayko vint se placer devant elle. Au cours de son séjour dans la cité royale, le comte avait côtoyé les plus élégantes femmes du continent. Ces courtisanes rivalisaient de grâce, se parant de vêtements et de bijoux somptueux. Pourtant, aucune d'entre elles n'aurait pu égaler la beauté d'Oliana. Vêtue d'une robe argentée, qui cintrait sa taille en soulignant la courbe de ses hanches et la rondeur de ses seins, elle avait tout d'une reine.

Cette vision captiva tant le seigneur qu'il en oublia momentanément son courroux. L'hôtesse le gratifia d'un bref hochement de tête et attendit. Le sourire avait déserté ses lèvres et son regard. Néanmoins alléché, Mayko s'avança et saisit rudement la main de la protectrice des sources.

– Ne fait-il pas un peu chaud pour porter des gants ? jeta-t-il en la dévisageant sans vergogne.

La métissée frissonna, outrée par l'indécence du regard qui semblait la dévêtir. Elle tira inutilement sur sa main quand Mayko commença à lui tripoter les doigts. Il ne s'arrêta que lorsqu'il eut tâté l'index trop long, obtenant par cet examen indiscret la confirmation de ses soupçons.

– Lâche ma femme ! gronda tout à coup une voix agressive.

Informé par Azpar de l'arrivée d'une bande d'intrus armés, Nabi avait quitté les amis avec qui il discutait sous un autre chapiteau et avait accouru aussi vite que possible. Le ton belliqueux de son ennemi raviva immédiatement la fureur de Mayko. Pourtant, un curieux sourire fendait son visage quand il tourna la tête vers Nabi pour l'affronter.

– N'est-il pas fascinant de constater à quel point la beauté de ton épouse reste inaltérable ? En général, les femmes perdent vite leur fraîcheur.

– Que fais-tu chez moi ? demanda le protecteur des zèbres et des pigeons.

– Tu organises une fête et tu n'invites pas *ton seigneur*, répliqua Mayko en insistant sur les deux derniers mots. Voilà un manque d'égards qui pourrait m'offenser.

Le comte nota alors que Nabi n'avait rien à envier à son épouse quant à l'élégance de sa tenue. Un rictus tordit encore une fois les traits de Mayko. Il venait de prendre conscience de son apparence débraillée. Sale dans ses vêtements défraîchis, les cheveux et la barbe hirsutes, il ressemblait davantage à un mendiant qu'à un aristocrate de haut rang.

Son premier réflexe fut de démasquer Nabi et les siens en les obligeant à retirer leurs gants. Il se retint pourtant.

« Si je veux jouir de ma vengeance, je dois la préparer avec soin », décida Mayko, la rage au ventre.

Percevant la rancœur du comte, Oliana recula. Elle ne s'arrêta que lorsqu'elle buta contre une table derrière elle. Sans la lâcher des yeux, Mayko la rejoignit. Il agissait comme si elle l'avait convié au banquet.

– Quel luxe que cette fête ! s'exclama-t-il en saisissant un verre de vin.

Il balaya du regard les plateaux de victuailles, s'attardant plus longtemps sur une assiette de poisson et des bols de crustacés au fumet alléchant.

– De la truite... Des écrevisses... J'ignorais que les rivières de la région regorgeaient d'espèces aussi rares !

Sous l'effet de la colère, son teint prit la même couleur que les crustacés. Sa coupe à la main, il se détourna et croisa le regard de Nabi : ils auraient tout aussi bien pu croiser le fer. Lentement, le seigneur de Beyrez s'approcha du Longs-Doigts. Rendu à deux pas de lui, il leva le bras comme pour trinquer à la santé de son hôte.

– Nabi Jyn ! dit-il d'un ton grinçant.

Les traits déformés par une grimace convulsive, le comte fléchit le poignet et jeta le vin sur les pieds de son vassal. Ensuite, il fit volte-face et disparut dans la nuit tombante.

✧

– Il sait, affirma Oliana en se réfugiant dans les bras de son époux.

Celui-ci l'entraîna vers le manoir. Azpar et les autres sang-mêlé les suivirent à quelque distance, délaissant les invités qui quittaient le domaine, la mine sombre.

La fête était finie. Chacun songeait avec effroi aux conséquences du retour de leur seigneur. Ils devinaient sans mal les abus dont ils seraient bientôt les victimes. Comment Nabi, leur bienfaiteur, pourrait-il empêcher Mayko de les acculer à la misère ?

– Je te jure qu'il sait que nous sommes des Longs-Doigts, répéta Oliana quand les métissés furent regroupés dans la salle commune du petit château.

Inquiète, elle était allée chercher ses deux filles dans leur lit. Celle de dix ans, Cora, était venue s'asseoir auprès de son père. Dona, à peine âgée de quatre ans, avait préféré rester blottie dans les jupes de sa mère. Après un moment de silence, Oliana exprima la pensée qu'ils partageaient tous sans oser l'énoncer.

– Il faut partir ! Fuyons avant que le piège se referme sur nous.

Nabi acquiesça tristement.

– N'emportons que le nécessaire, recommanda-t-il.

✧

Cette nuit-là, personne ne dormit dans le comté. Pendant que les elfes-sphinx métissés amassaient leurs effets, Mayko distribuait des ordres à ses officiers. Il y eut bien un capitaine assez téméraire pour manifester quelques scrupules à exercer de pareilles représailles contre les habitants du village ; le comte le fit pendre sur l'heure, ainsi que sa femme et ses enfants. Les corps furent ensuite exhibés pour dissuader quiconque de s'opposer aux volontés du maître de Beyrez.

Plus efficaces que les huissiers, les soldats, munis de sabre et de hallebardes, enfoncèrent les portes des maisons. Selon leurs directives, ils évitaient de confisquer les objets encombrants.

– Ne prenez que l'or, l'argent et les bijoux, avait commandé Mayko.

Dans le sillage des gens armés, des percepteurs laissaient des lettres rédigées à la hâte. Il s'agissait de sommations pour les impôts à payer aux prochaines moissons. La ruine n'épargnerait personne dans le comté.

En quelques heures, des monceaux de pépites, pour la plupart extraites des rivières de Nabi, furent jetés dans les coffres du seigneur. Pendant ce temps, Mayko planifiait sa vengeance.

✧

Dès l'aube du lendemain, les métissés étaient prêts. Le cœur lourd, ils se préparaient à quitter le domaine, le comté de Beyrez et son menaçant seigneur. Pendant que certains d'entre eux chargeaient les mules, Nabi, Azpar et trois autres sang-mêlé s'étaient rendus à la rivière. Dans la lumière naissante, l'eau vive jusqu'aux genoux, ils fouillaient la vase.

– C'est assez... Nous n'avons plus le temps, lança le protecteur des zèbres et des pigeons quand le soleil commença à rougir l'horizon.

Il accrocha à son épaule son sac bourré d'or et s'élança à travers les bois, imité par ses complices. Ils coururent aussi rapidement que possible, évitant les nœuds des racines, sautant par-dessus les troncs des arbres morts. Tandis qu'il cavalait, Nabi se demandait s'il avait eu tort de s'éloigner pour ramasser cet ultime trésor. En fait, il avait cédé devant l'insistance des femmes.

– Nous aurons besoin de tout au cours de notre exil, avaient plaidé les mères en songeant aux mille nécessités de leur famille.

– Et puis, avait renchéri Oliana, on ne peut pas partir sans laisser un gage de gratitude aux divinités. Peut-être devrons-nous encore solliciter leur aide. Prends mon offrande et verse-la dans un ruisseau...

Elle lui avait tendu un bocal contenant une eau limpide et une mèche de cheveux blonds tressés. L'eau provenait de la source qui coulait sous le sein de son épouse, longeait son ventre et disparaissait dans la petite mare de son nombril.

– Pendant ce temps, je regrouperai nos gens et verrai aux derniers préparatifs, avait promis Oliana.

Tandis que ses compagnons cherchaient l'or parmi les algues, Nabi avait honoré Shahana, la Noble et Grande Mère, ainsi que les nymphes des ruisseaux en leur remettant le tribut d'Oliana. Ensuite, guettant fébrilement les premières lueurs matinales, il avait prêté main-forte à la récolte des pépites.

Les cinq Longs-Doigts débouchèrent dans un champ et furent bientôt en vue du manoir. Tout à coup, Nabi s'affala au milieu des épis. Le souffle coupé, le cœur battant, il se dégagea pour constater que son assaillant n'était nul autre qu'Azpar.

– Que...

– Chut !

Le colosse l'avait fait chuter pour le protéger. D'un mouvement de tête, il l'invita à ramper jusqu'à l'abri d'un clapier. Ainsi embusqués, les sang-mêlé observèrent ce qui se tramait dans la cour du petit château de la communauté.

Une vingtaine de soldats arborant le blason de Mayko surveillaient les alentours. L'épée au poing, ils piétinaient dans le crottin des mules. Les bêtes erraient, dépourvues de charge, profitant de leur soudaine liberté pour ravager le potager. Aucun des habitants du domaine n'était en vue. Alarmé, Nabi jeta un œil vers la route en contrebas.

– Non ! s'étrangla-t-il, le poing sur les lèvres.

Dans la poussière du chemin, un convoi s'éloignait. L'écho matinal portait la voix des cochers qui poussaient les bêtes au galop. Une cinquantaine de cavaliers escortaient le carrosse de Mayko et les fardiers où s'entassaient les Longs-Doigts capturés. Malgré la distance, Nabi pouvait reconnaître la chevelure blonde d'Oliana. Il lui semblait même entendre les pleurs de ses filles et les plaintes des métissés enchaînés.

« Rendez-moi ma femme. Rendez-moi mes petites ! » aurait voulu crier Nabi.

– Attaquons ! chuchota Nabi en proie à la détresse.

– Ils n'attendent que ça, répliqua Azpar en le retenant. Mayko te provoque... Il veut te forcer à te montrer, à commettre un acte téméraire. Mais nous ne pouvons rien contre ses gardes. Ils sont beaucoup trop nombreux.

– Alors, suivons la troupe. Ainsi, nous saurons où ils mènent nos gens.

– Pour cela, il nous faudrait abattre les sentinelles qui bloquent l'accès aux écuries.

– Laisse-moi agir, fit Nabi en se dégageant de la poigne de son ami. Aie confiance, ajouta-t-il devant la mine anxieuse d'Azpar. Je sais ce que je fais.

Prudemment, il contourna le clapier, puis l'étable. Quand il fut rendu au pied de la tour du pigeonnier, il siffla un trille provocateur. Mécontents d'être ainsi raillés, les soldats pointèrent leurs lames et convergèrent vers Nabi. Les ordres de Mayko avaient été très clairs :

– Tuez-le ! Ce Longs-Doigts vaut une fortune, mais aucun trésor ne me préservera contre sa vengeance s'il reste vivant... Abattez-le !

Au moment où les mercenaires s'élançaient sur le métissé, un curieux vrombissement se fit entendre. Des centaines de volatiles fondirent sur les hommes, s'accrochant à leurs cheveux, les aveuglant de leurs ailes, leur piquant le crâne et le visage à coups de bec.

Dans la débandade, les soldats du comte lâchèrent leurs épées devenues inutiles et coururent se refugier à l'intérieur du manoir. Poursuivis par une nuée de pigeons, ils ne virent pas les cinq elfes-sphinx se glisser dans l'écurie. Sous la garde de leurs geôliers à plumes, ils furent incapables d'empêcher les fugitifs de déguerpir sur les meilleures montures du domaine.

Dans ses bagages, Nabi emportait des armes, du papier et deux couples de pigeons. Avec ses compagnons, il suivit la piste du convoi qui emportait nombre de ceux qu'il aimait. Il ne mit pas longtemps à comprendre que Mayko conduisait ses captifs dans la capitale du Môjar.

Le soir même, Nabi confia une lettre à son pigeon le plus rapide. Dans cette missive, il suppliait Quatre-Mains de venir au secours d'Oliana, de ses filles et d'une vingtaine de métissés.

Mes veines ont beau contenir du sang humain, je ne sais pas me battre, déplorait-il en griffant le papier d'une plume tremblante. *Lom'lin, tu as toujours été un père pour moi. Je t'en supplie, viens. J'ai besoin d'un maître d'armes, j'ai besoin d'un miracle.*

– 18 –

Depuis qu'il avait de nouveau cédé à son obsession, Artos n'avait qu'un seul but, qu'une seule envie : espionner ses ennemis. Cela faisait quatre jours et, déjà, il semblait se désintéresser de toute autre chose.

– *Arrête !* ordonna-t-il à Idris dans le langage des pierres. *Tes pouvoirs faiblissent et tu risques de trahir ma présence.*

L'image vacilla avant de disparaître, ramenant le rebelle à la réalité. Seul le bruissement de la fontaine troublait le silence de l'antre souterrain. Le sorcier frotta ses yeux rougis et ses joues mal rasées. Des vestiges de repas engloutis à la hâte séchaient dans les plats à côté de plusieurs jarres vides. Était-ce la quantité de vin qu'il avait bue ou sa haine ravivée qui l'enivrait de la sorte ?

Comme son maître revenait de sa transe, Sotra glissa le long d'un mur et rampa sur le sol. Une fois grimpé sur la table, il épousa les formes inégales des grimoires délaissés et attendit. Artos le regarda un moment sans le voir. Adossé à son fauteuil, il réfléchissait aux informations glanées au gré de ses indiscrétions.

– Le gamin ! lança-t-il soudain.

Il se souvenait du visage de Jordan, de ses cris, de ses caprices.

– Un très bel enfant, apprécia-t-il. Traits harmonieux, cheveux blonds...

– Sous lesquels se hérissent des épines bien acérées, lui rappela l'ombre avec un sourire entendu.

– Des iris verts et pailletés, poursuivit Artos.

À ces mots, Sotra s'esclaffa.

– Hormis la couleur des yeux, le fils d'Hµrtö te ressemble tellement qu'il pourrait passer pour ton bâtard.

Le Cobra frappa résolument le bras de son siège.

– Je dois trouver un moyen de l'utiliser à mes fins !

Il pointa l'index pour faire disparaître les plateaux et les amphores.

– *Nous recommencerons demain matin,* annonça-t-il à Idris. *Prépare-toi à une longue surveillance.*

Soudain, il pinça le nez, s'éveillant à la puanteur des lieux et à celle de son corps. Il se leva, une coupe d'argent à la main, et se rendit à la fontaine. Là, du même mouvement de poignet qu'avait eu Mayko de Beyrez, il jeta le vin. Le liquide rouge éclaboussa les pattes d'un sphinx de marbre et se mêla au sang qui jaillissait sous elles.

– L'ivresse n'est pas bonne conseillère, dit-il en coiffant moqueusement une des statues de son gobelet renversé.

Il tituba vers sa couche. Avant de sombrer dans un sommeil alourdi par le vin, il grommela :

– Je dois trouver un moyen d'utiliser l'enfant !

✧

Le surlendemain, un incident le récompensa de sa patience et de sa sobriété. L'esprit en alerte, il prit place dans son fauteuil, approcha Idris et lui commanda de chercher Jordan. L'image du gamin apparut dans le cadre familier de la petite école de magie. Comme tous les étés, les leçons se donnaient dans la cour adjacente.

Artos se crispa, refusant de laisser monter en lui les souvenirs des jeux innocents qu'il avait autrefois partagés en ce lieu avec Hµrtö. Il ne voulait pas penser à cette époque révolue où, extasiés, ils découvraient ensemble la naissance de leurs pouvoirs immatures.

Contrairement à ces enfants d'autrefois, Jordan s'amusait seul, faisant mine d'ignorer la présence de son maître. Accoudé à un muret, Hodmar l'observait du coin de l'œil.

– Viens près de moi, exigea le vieil homme d'une voix douce mais qui ne tolérait aucun retard.

Loin de là, terré dans son refuge, Le Cobra tiqua. Cette faculté qu'avait le maître de capter son attention et de le faire obéir l'avait toujours déconcerté. D'abord surpris par ce ton, Jordan obtempéra. Une main derrière le dos, la mine espiègle, il lança un défi à son maître.

– Qu'ai-je dans mon poing ?

– Tu tiens la plus grosse, celle qui est irisée de bleu, déclara le vieux mage.

À l'aide d'un sortilège, il délogea la bille et l'attira à lui. Sentant la sphère de verre lui échapper, Jordan sourit.

– Ma mère aussi devine les secrets, lança le garçon, manifestement fier.

La bille flotta et vint tournoyer devant le maître, accrochant au passage les rayons du soleil. L'effet était ravissant.

– Dans la maison, elle fait léviter des tas d'objets, ajouta l'enfant, apparemment fasciné par les pouvoirs de Mauhna.

La boule de verre se mit à décrire une trajectoire complexe en jetant des reflets multicolores.

– Mais toi, Jordan, sais-tu faire danser les billes ? demanda Hodmar.

Refusant d'avouer son ignorance, le petit haussa les épaules, imitant inconsciemment cette habitude d'Aglaë.

– Aimerais-tu que je t'enseigne à le faire ? lui proposa le maître.

Le protecteur des hérissons pourprés opina, enthousiaste, et la leçon commença. Artos ne put s'empêcher de sourire en découvrant le talent évident du garçon de cinq ans. En quelques essais, il parvint à faire pivoter sept sphères sur le sol sablonneux.

– Je veux les faire voler, s'ambitionna le gamin.

– Ça, c'est plus difficile, lui expliqua le vieux mage. Demain, si tu...

– Maintenant ! exigea l'enfant en trépignant.

– Non !

– Oui ! s'entêta le garçon en haussant la voix.

– Jordan, je n'accepterai pas que tu..., le réprimanda Hodmar.

Il reçut les billes en plein visage. Irrité, le gamin avait pointé l'index et fait jaillir une force occulte désordonnée qui avait propulsé les projectiles. Hodmar tâta son arcade sourcilière qui enflait. Sa lèvre supérieure, fendue sous l'impact, l'élançait. Son expression hébétée se transforma soudain.

– Malédiction ! rugit-il en se jetant sur le fils d'Hμrtö.

Celui-ci s'était effondré et s'agitait dans la poussière.

– Respire ! ordonna le vieux mage en le retournant sur le dos.

Il avait immédiatement reconnu les symptômes du malaise. Quand des pouvoirs mal contrôlés se retournaient contre un magicien novice, ils explosaient dans son corps en provoquant des douleurs fulgurantes. Le dos de l'enfant s'arqua, ses dents s'entrechoquèrent et son teint s'empourpra. Ensuite, il retomba comme un pantin.

– Maman ! réclama le petit garçon dans une supplication déchirante.

Du sang coulait de son nez et de ses oreilles.

– Maman, je ne vois plus rien ! sanglota-t-il en gesticulant spasmodiquement.

Hodmar prévint Mauhna par la pensée. Ensuite, constatant que le gamin suffoquait, il détacha sa tunique. En apercevant la poitrine de Jordan, le vieux mage s'exclama :

– Par l'esprit des sphinx, qu'est-ce que cela ?

La chair saillait, comme si une pustule de la taille d'un œuf cherchait à percer la peau en sueur. C'est alors que Blanche surgit du néant.

– Jordan ! appela-t-elle, horrifiée par le supplice de son fils.

Ayant capté la détresse de son épouse, Hµrtö se matérialisa à son tour. En quelques mots, Hodmar raconta aux parents ce qui s'était produit. Pendant ce temps, Mauhna exposait le petit à la lumière curative de ses paumes. Malgré ces soins, la protubérance continuait de croître. Bientôt, elle perfora le derme. Étrangement, la plaie ne saignait pas.

– Il se révèle... J'aurais dû le comprendre plus tôt, s'écria Hodmar.

– Comprendre quoi ? s'alarma Hµrtö.

– Jordan possède un deuxième sphinx. Le rebond de ses pouvoirs désordonnés a provoqué la crise. Maintenant, elle accélère la révélation de cette Marque.

Le gamin gisait, inconscient, tandis qu'une créature sans poils ni plumes s'incrustait sur son torse. Une peau veinée recouvrait sa silhouette féline et ses ailes décharnées.

– Quelle espèce d'animal est-ce là ? s'inquiéta Le Gris.

– Ce n'est pas une bête, le détrompa Hodmar. C'est le fœtus d'un...

À cet instant, les convulsions de Jordan cessèrent. Il inspira bruyamment, toussa et ouvrit les yeux.

– Maman ! geignit-il en s'accrochant à elle.

– Tout va bien, mon chéri ! murmura Mauhna en le soulevant dans ses bras.

Puis, s'adressant à Hμrtö, elle dit :

– Je l'emmène à la maison.

– Je te rejoins immédiatement, promit le Loxillion.

Quand Blanche eut disparu, Le Gris pria Hodmar de compléter sa phrase interrompue.

– C'est le fœtus d'un sphinx ! expliqua celui-ci.

Un étonnement indicible se peignit sur le visage d'Hμrtö.

– Ça n'a pas de sens ! protesta-t-il. Les sphinx...

À des milliers de lieues de là, une voix spectrale fit écho à sa stupéfaction.

– Les sphinx n'ont pas besoin de protecteur ! se récria Artos.

✧

Le Cobra rompit la vision. Il lui fallut un bon moment avant de reprendre ses esprits.

– Cette seconde Marque est exceptionnelle, fit-il remarquer à Sotra.

Son ombre acquiesça.

– Mais ça demeure insensé ! enchaîna Artos. Les sphinx sont des demi-dieux. Ils n'ont besoin de la protection de personne. Encore moins de celle d'un enfant colérique.

Il se leva et fit les cent pas entre sa table de travail et la fontaine.

– Je dois découvrir ce qu'annonce l'incarnation inhabituelle de cette créature mythique.

Après quelques instants, le sorcier se figea. Une flamme de détermination illuminait son regard. Il lança une incantation qui le transporta devant un des temples de la cité.

« Pourquoi ont-ils octroyé leur Marque à ce garçon ? » se questionnait-il en sondant les portails.

Il franchit le premier, qui céda sous ses assauts occultes.

– Que fais-tu ? s'enquit Sotra.

– Je cherche des fresques, répondit l'élu. Je ne serais pas surpris que les sphinx aient dissimulé ce secret dans une œuvre picturale.

Le Cobra se figea devant la représentation animée d'une cérémonie mortuaire.

– Aide-moi et ouvre l'œil, exigea-t-il de son ombre.

✧

Deux jours plus tard, le sorcier découvrait le sens de La Marque de Jordan grâce à une fresque épique ornant la salle principale du Temple des Douze. Cet édifice majestueux, dressé en face du temple du savoir, possédait un chapiteau soutenu par douze statues de sphinx géants. À l'intérieur de ce sanctuaire dédié aux plus érudits de leurs ancêtres, les sphinx avaient multiplié les peintures murales. Au hasard de sa quête, Artos découvrit un trésor insoupçonné.

– Regarde ! s'écria-t-il à l'adresse de Sotra quand il remarqua la présence invariable d'une pyramide chiffrée à l'intérieur des scènes mouvantes.

Quel que soit le sujet de l'œuvre, même banal, le cône apparaissait toujours au même endroit. Il restait un moment, puis il se fondait dans les couleurs en attendant de refaire surface.

Le Cobra comprit bientôt que les nombres inscrits sur ces pyramides peintes correspondaient à des lettres. Une fois le mot de passe décodé, il suffisait de le prononcer, à voix haute, en utilisant le parler noir. Dès cet instant, la fresque disparaissait en révélant des enseignements secrets, préceptes que les prêtres sphinx avaient réservés à l'élite des mages.

– Ces enseignements surpassent même ceux des sections interdites du temple du savoir. Grâce à eux, je vais pouvoir accéder aux connaissances immémoriales des sorciers les plus terrifiants.

Depuis l'époque des affrontements fondateurs de l'univers, aucune créature vivante n'avait été aussi près de l'ultime maîtrise de la magie noire. À compter de ce jour de printemps, Malam se mit à scintiller d'une lueur surnaturelle. L'arme qu'avait forgée Artos pour devenir l'instrument de toutes ses guerres savait désormais que la main de son maître était bel et bien celle du seigneur des ténèbres.

– 19 –

Le pigeon messager livra sa missive à Shinon huit jours après l'enlèvement d'Oliana par Mayko de Beyrez. En pleurs, Fée quitta la volière et courut vers la maison. Aveuglée par ses larmes, elle franchit le seuil et appela Quatre-Mains. Quand le Dezmoghör surgit du boudoir, elle se précipita en brandissant la lettre.

– Il faut partir ! hoqueta-t-elle.

Incapable d'en dire davantage, elle laissa à son époux le temps de lire le récit de Nabi. Celui-ci se terminait par une requête désespérée.

✧

Quatre-Mains, Shinon et leurs fils quittèrent le monde des elfes-sphinx le surlendemain. Pour les Dezmoghör, ce départ marquait la fin d'un exil qui s'était prolongé pendant quinze ans.

Ils étaient tous réunis dans le jardin derrière la maison d'Hµrtö et de Mauhna. Par voyage-éclair, les maîtres de magie allaient reconduire leurs amis au cœur de l'ancien domaine de Lom'lin situé près de Corvo.

Ignorant ce qui les attendait là-bas, Quatre-Mains et Hµrtö avaient convenu qu'ils partiraient d'abord en éclaireurs.

Le Loxillion et le colosse au visage poupin se matérialisèrent au pied des fortifications. Une végétation sauvage avait envahi les jardins autrefois luxuriants. Les sentiers ayant disparu, les amis durent marcher dans l'herbe haute pour s'approcher de la demeure effondrée.

La porte à moitié arrachée de ses gonds grinça quand ils pénétrèrent dans le hall du manoir. Par endroits, les poutres du toit pendaient dangereusement. Des oiseaux avaient construit leur nid dans les vestiges du plafond et des encorbellements. Il y avait longtemps que, s'établissant en maîtres des lieux, les rongeurs avaient fait un sort aux tapisseries et aux tentures. Le mobilier avait disparu, probablement emporté par plusieurs vagues de pillage.

– Parfait ! L'endroit est abandonné, confia Lom'lin à Hµrtö après avoir inspecté toutes les pièces.

Le Loxillion choisit ce moment pour offrir à Quatre-Mains un petit miroir magique.

– Ainsi, nous pourrons communiquer l'un avec l'autre.

Ému, le géant déglutit et remercia son ami.

– Tu peux maintenant prévenir Mauhna, finit-il par dire.

✧

Assises sous le chêne, Blanche et Shinon discutaient avec Hodmar, tentant d'oublier que le moment des adieux approchait.

– Nous pouvons y aller ! annonça soudain la magicienne. Hµrtö vient de m'informer que la destination est sûre.

Elle remit alors à Shinon un arc fabriqué par un artisan Longs-Doigts.

– J'y ai mis un peu de magie, avoua-t-elle d'un air complice.

L'objet était magnifiquement sculpté. Fée ouvrit la bouche pour demander des précisions, mais Blanche hocha doucement la tête.

– Tu verras quand tu l'utiliseras ! fit-elle en guise de conclusion.

Ensemble, elles appelèrent les enfants. Âgés de huit ans, Aglaë et les jumeaux vivaient leur premier vrai chagrin. L'heure de la séparation étant venue, les petits enlacèrent leurs doigts pour une ultime ronde.

Shinon ajusta son arc et son paquetage pour qu'ils tiennent bien sur ses épaules pendant le voyage-éclair. Ensuite, elle s'approcha de Khar et de Dhar.

– Mauhna va vous emmener avec elle. N'ayez pas peur. Papa vous attend là-bas, expliqua-t-elle à ses fils.

– Et toi, maman ? s'inquiéta Khar.

– Je vais avec maître Hodmar.

D'un ton suppliant, Aglaë demanda un sursis. Sachant qu'il lui fallait se presser, elle défit les rubans qui nouaient ses nattes. Elle en donna un à chacun de ses amis.

– C'est si peu, déplora-t-elle.

Pourtant, les jumeaux parurent enchantés.

– Ce sera mon porte-bonheur, déclara Dhar en utilisant le sien pour nouer sa chevelure sombre sur sa nuque.

Son frère l'imita et Aglaë s'extasia de les voir ainsi coiffés.

– Quoi de mieux qu'une queue-de-cheval pour mes petits... cent... centaures.

La voix de la fillette se brisa. Pour la consoler, Blanche lui caressa la joue. Comme c'était devenu son habitude, la magicienne profita de ce contact pour s'assurer que le talisman qui protégeait sa petite était intact. D'une voix très douce, elle lui promit :

– Nous revenons dans quelques instants. Tu veux bien veiller sur Jordan pendant notre absence ?

– Oui, maman. S'il le désire, je lui lirai une histoire.

Jordan adorait ces moments privilégiés où son aînée l'accueillait dans sa chambre et lui laissait choisir un de ses livres de contes. Dotée d'une énergie débordante, le gamin s'apaisait pour la durée du récit. Il s'installait, les coudes sur les genoux, les joues dans les mains, les yeux rivés sur le visage expressif d'Aglaë.

– Merci ! Je suis fière de toi, ma grande, lui souffla Mauhna dans un dernier baiser.

Timidement, Aglaë embrassa ses amis. Les magiciens lancèrent leur incantation et la fillette se retrouva seule, au milieu du jardin.

✧

C'était l'occasion qu'attendait Le Cobra. Depuis son antre, il avait assisté au départ des Dezmoghör. Ce spectacle larmoyant l'avait ennuyé au plus haut point mais, maintenant, il était récompensé de sa patience.

– Enfin ! s'exclama-t-il en épiant la fille esseulée de ses ennemis.

La perspective de passer à l'action insuffla au sorcier une grisante énergie. Il sourit en songeant à sa prochaine campagne de séduction.

– J'ai débauché des femmes et des hommes, ricana-t-il en caressant Idris. J'ai entraîné dans le vice des épouses vertueuses, des maris dévots, des modèles de droiture... Voyons comment je parviendrai à abuser de l'ingénuité d'un enfant.

Artos donna ses directives à Idris.

– *As-tu bien compris ?* vérifia-t-il quand il eut terminé.

Les paillettes dorées qui ornaient la surface noire du miroir magique clignèrent.

– *J'ajuste ma puissance pour que tu apparaisses devant l'enfant,* confirma l'agate. *Si quelqu'un approche, je voile aussitôt ton image. Personne d'autre ne doit te voir.*

Le sorcier approuva d'un hochement de tête. Ensuite, ayant choisi avec soin son apparence, il dit à la pierre :

– *À mon signal !*

✧

Jordan s'amusait à empiler des blocs pour en faire des constructions précaires qu'il démolissait aussitôt érigées. Lors de la destruction de ses châteaux imaginaires – instant de jouissance extrême –, les cubes de bois volaient dans tous les sens. Le gamin accompagnait le délicieux saccage de grondements ravis.

– Badam ! Tam ! Boum ! lâchait-il d'une voix qu'il voulait tonitruante.

Il s'interrompit quelques instants au milieu de l'hécatombe pour savourer ce rare moment de plénitude. Ensuite, tout à son plaisir, il commença une nouvelle forteresse.

✧

– *Maintenant !* ordonna Artos.

✧

Jordan en était à sa troisième rangée de blocs quand une ombre le fit sursauter. Tournant vivement la tête, il aperçut un perroquet perché sur le dossier d'une chaise.

– Bonjour ! dit l'oiseau.

Apeuré par cette brusque apparition, le garçon recula dans un coin.

– Les oiseaux ne parlent que dans les contes, déclara-t-il, épiant à la dérobée le volatile au gai plumage.

Les griffes du perroquet cliquetèrent contre le bois quand il sauta sur le parquet et clopina vers le gamin.

– Qui es-tu ? questionna l'enfant, fasciné malgré lui par la progression de la bête.

– Je suis le roi d'un monde magique et j'ai choisi de me révéler à toi, et à toi seul, affirma l'oiseau d'une voix nasillarde.

– Pourquoi ? s'enquit le protecteur des hérissons.

Hésitant, le perroquet griffa le sol et pencha la tête sur le côté. Ses yeux ronds fixaient l'enfant comme s'ils voulaient déchiffrer ses pensées.

– Je ne peux pas tout te révéler, atermoya Artos. Tu dois d'abord me prouver que tu es digne de ma confiance et de mon amitié.

La flèche blessa la fierté du petit ; elle piqua aussi sa curiosité. Tout à coup, il avait envie de plaire à son nouveau compagnon.

– Si nous devenons des amis, resteras-tu toujours avec moi ? demanda Jordan avec empressement.

À ces mots, Le Cobra sut qu'il avait appâté l'enfant.

– Non, répondit le perroquet, mais je viendrai te voir souvent... Quand tu seras seul, car personne ne doit savoir.

– Pas même mes parents ?

– Le secret fait partie du pacte, pérora la bête.

– Pourtant, j'aimerais bien qu'ils te voient. Maman raffole des drôles d'oiseaux. Et ils font tellement rire mon père.

Les pupilles de Jordan s'illuminèrent. L'enfant évoquait avec bonheur les occasions où Hµrtö se transformait en créatures invraisemblables pour le simple plaisir de provoquer l'hilarité des siens. Le garçon regrettait que ces instants soient si rares.

« Si tu étais plus sage, si tu ne te fâchais pas à la moindre contrariété, papa ne te gronderait pas autant », lui rappelait souvent Aglaë.

Malheureusement, les intentions de bonne conduite du gamin ne duraient guère. Cela le désolait. Il aurait tant aimé prouver à son père qu'il n'était pas méchant. Il aurait tout donné pour chasser l'inquiétude qui troublait parfois les beaux yeux gris de sa mère.

Jordan tenta de toucher le perroquet mais ses doigts ne rencontrèrent que le vide. Peu à peu, il oubliait sa réserve et se débarrassait de sa gêne.

– Papa te construirait une jolie cage, annonça-t-il joyeusement.

Loin de là, dans son laboratoire, Artos tiqua. Dans son dos, le visage sombre de Sotra se fendit d'un rictus grimaçant.

– Tu sais, même s'il est un grand maître de magie, il sait bricoler avec ses mains, comme le font les gens sans pouvoirs, poursuivit le gamin avec admiration.

En dépit de leurs fréquents affrontements, Jordan révérait son père.

– Je l'aide parfois, car je suis très habile, ajouta-t-il pour impressionner son nouvel ami.

L'oiseau opina en silence.

– Je ne le dirai qu'à eux et à ma sœur, insista le jeune entêté.

– C'est interdit ! soutint le perroquet avec fermeté. Plus tard peut-être. Mais pour l'instant, tu dois jurer de garder notre secret.

Jordan cracha pour sceller son serment. Le sorcier prit alors l'apparence d'un petit singe qui ramassa un bloc pour le tendre au gamin. Ce geste, en apparence fort simple, exigeait de déplacer l'objet à une très grande distance, maîtrise que peu de sorciers avaient possédée avant Le Cobra.

– Quel est ton nom ? demanda Jordan.

– Je m'appelle Eglon, déclara le singe en exécutant une pirouette qui fit glousser et applaudir bruyamment le gamin.

Au moment où l'enthousiasme de Jordan se calmait, le sorcier entendit des pas ; quelqu'un approchait dans le couloir. Sitôt après, Aglaë ouvrit la porte et jeta un œil dans la chambre de son frère.

– À qui parles-tu ? demanda-t-elle, soucieuse.

– À personne ! marmonna Jordan tandis que, des yeux, il cherchait Eglon.

Où s'était donc caché le drôle de singe ?

– Je t'ai entendu parler, s'obstina la fillette. À qui...

Pressé de se retrouver seul, son frère l'interrompit.

– Je me racontais une histoire, mentit-il, le regard fuyant.

– Aimerais-tu que je t'en lise une ? proposa l'aînée.

– Pas maintenant, répondit un peu trop sèchement le garçon.

Sa sœur fronça les sourcils, étonnée de ce refus. Jordan se reprit aussitôt.

– Plus tard... Tu veux bien ?

Aglaë lui sourit avant de refermer la porte.

– Es-tu là ? chuchota Jordan, convaincu que l'intrusion de sa sœur avait suffi à chasser son ami.

Il réprima un cri de joie quand un chaton roux bondit hors d'un panier renversé.

– Eglon, c'est toi ? s'informa le gamin.

– Eh oui ! Je peux emprunter d'innombrables apparences. Oublies-tu que je suis le roi d'un monde magique ? ronronna le félin.

Jordan ajouta deux nouvelles rangées à son rempart de blocs. Il allait le démolir quand les moustaches du chaton frémirent. Quelque part dans la maison de ses ennemis, une porte avait claqué.

– Aglaë ! Jordan ! Nous sommes de retour, lança Hµrtö d'une voix forte.

Artos jugea alors qu'il s'était assez attardé.

– Je dois partir, annonça-t-il à Jordan.

– Reste encore un peu, le supplia le gamin.

– Je reviendrai bientôt, promit Artos comme s'il n'avait pas entendu le souhait de l'enfant.

Il disparut au moment où Mauhna ouvrait la porte de la chambre.

– Maman ! s'exclama joyeusement le protecteur des hérissons en s'élançant dans les bras de la magicienne.

Elle l'étreignit, l'embrassa et leur étreinte se transforma en bataille de chatouilles. Quand ils n'eurent plus de souffle, Blanche proposa à son fils de lui préparer une tartine.

– Puis-je aussi avoir du lait ?

– Bien sûr ! répondit Mauhna, étonnée de cette requête.

Habituellement, Jordan préférait le jus d'abricot. Le garçon apporta sa collation dans sa chambre. Quand il eut avalé la dernière miette de son pain beurré, il versa le lait dans sa petite assiette et cacha le tout sous son lit.

Le porteur du sphinx des sphinx attendait le retour de son mystérieux ami.

– 20 –

Quand il comprit que le jour était trop avancé pour entreprendre leur périple, Lom'lin choisit de s'installer, avec Fée et les enfants, dans le hall de son ancien manoir. Consciente que l'apparence délabrée des lieux décontenançait les jumeaux, Shinon leur promit :

– Nous ne resterons ici qu'une seule nuit.

La noirceur venue, Quatre-Mains alluma une bougie. Ensuite, profitant de la poussière accumulée sur le sol de marbre, il traça une carte rudimentaire.

– Nabi nous attend au sud, dans un village voisin de Beyrez, résuma-t-il pour Khar et Dhar.

Les frères siamois s'étaient approchés pour étudier le trajet dessiné par leur père.

– C'est un long voyage, estima Khar en notant la distance entre leur position et la destination.

– Et dangereux, n'est-ce pas ? présuma Dhar, avec son habituelle sagacité.

– En effet, les routes grouillent de brigands, admit le Dezmoghör en grimaçant.

Un frisson parcourut les ailes diaphanes de Fée ; elle et son époux avaient convenu de ne pas cacher aux enfants les dangers probables de leur voyage.

– Faudra-t-il se battre ? voulut savoir Khar, son tempérament fougueux lui faisant déjà serrer les poings.

– Sache, jeune homme, qu'hormis les armes et la force, il existe bien des moyens de déjouer les périls, répondit Lom'lin, volontairement énigmatique.

Ayant piqué la curiosité de ses fils, il leur fit signe de s'asseoir auprès de lui. Les yeux des garçons pétillèrent de plaisir : ils adoraient être traités comme des grands.

– Que ferons-nous pour déjouer les méchants ? demanda Dhar.

– Nous nous adjoindrons une troupe, chuchota Quatre-Mains, comme si les ruines qui les entouraient pouvaient lui voler son secret.

Du regard, les frères siamois interrogèrent leur mère.

– Notre troupe sera à nulle autre pareille ! assura Shinon en les gratifiant d'un clin d'œil complice.

L'ingéniosité du plan des Dezmoghör tenait à son originalité. Couchés sur un lit de branches de pin, les enfants en rêvèrent un long moment avant de s'endormir. Cette nuit-là, troublés par leur retour dans le monde hostile des hommes, Shinon et Lom'lin veillèrent sur le sommeil de leurs petits. Par les blessures du toit, ils virent scintiller les étoiles, décliner les trois lunes et poindre le jour.

Dès l'aurore, leur aventure commençait.

✧

Aux premières lueurs de l'aube, Quatre-Mains et Fée tirèrent une charrette encore utilisable parmi les mauvaises herbes des anciens jardins. Perdu au cœur du vaste espace, dissimulé dans les ronces, se trouvait un puits asséché. Lom'lin arracha les tiges épineuses, dégagea la margelle et s'assura que la pierre ne s'effritait pas. Quinze ans plus tôt, avant de quitter son domaine, il avait enfoui un trésor dans les profondeurs de cette fosse.

Après avoir vérifié la solidité de la corde, le Dezmoghör la noua sous les aisselles des jumeaux.

– Pas de précipitation, les prévint-il. Je laisse filer le câble et vous m'avisez lorsque vous touchez le fond.

Khar et Dhar opinèrent, la mine grave. Ils étaient très fiers de participer à l'entreprise. Il fallut plusieurs allées et venues pour extraire les monceaux d'or cachés par Lom'lin. Pendant ce temps, Shinon répartissait le trésor dans des paniers. Entassés sur la charrette, ils furent couverts de bâches.

Avant de partir pour Corvo, les Dezmoghör se vêtirent de manière à dissimuler les sabots des petits centaures, les pattes poilues de Shinon et les bras trop nombreux de Lom'lin. Fée eut un pincement au cœur en jetant une cape sur ses ailes repliées.

« Me voici redevenue La Bossue », songea-t-elle avec dépit.

Ils furent soulagés de constater qu'ils passaient inaperçus dans la foule bigarrée de la cité. Suivant leur plan, ils louèrent une maison qui possédait une immense cour intérieure et plusieurs bâtiments. En raison de l'or qu'ils dépensaient allègrement, Lom'lin et Shinon furent vite perçus comme des gens extravagants. Toutefois, ils étaient trop généreux avec leurs voisins et les nombreux commerçants qu'ils fréquentaient pour qu'on leur reproche leur allure singulière et leurs curieuses acquisitions.

Bientôt, leurs écuries abritèrent des chevaux de races variées : certains forts et robustes, d'autres agiles et élégants. Dans la cour, on entassa des voitures et des malles remplies d'étoffes et d'armes.

Vint ensuite le moment de constituer la troupe. Il ne fallut pas longtemps à Shinon et à Lom'lin pour convaincre des baladins d'abandonner leur misère pour les suivre. Qu'ils soient acrobates faméliques, bouffons fardés de crasse ou illusionnistes sans plus d'illusions, les Dezmoghör les abordaient dans les rues, là où, contre quelques piécettes, ils exécutaient leurs numéros solitaires. La Bossue et le colosse au visage poupin se présentaient à eux comme les propriétaires d'un cirque ambulant.

Dans leur tournée des bas-fonds de la cité, ils recrutèrent aussi des gens difformes qui gagnaient leur pain en affichant leur infirmité. En échange d'un honnête revenu, de repas réguliers et d'une paillasse bien à eux, ces indigents auraient accompagné leurs bienfaiteurs jusqu'au bout du monde.

Une fois embrigadés dans leur nouvelle communauté, les membres de la troupe s'appliquèrent à des tâches inattendues. Suivant les directives de Shinon, les uns confectionnèrent des costumes colorés et extravagants ; les autres décorèrent des chariots qu'ils peinturlurèrent d'annonces racoleuses et ornèrent de fanions, aidés par Khar et Dhar que cette animation réjouissait. On déguisa même les chevaux. Une intense fébrilité les habitait tous.

– Nous devons partir aussitôt que possible, leur rappelait Shinon en songeant au malheur de Nabi.

– Et la route sera longue jusqu'à notre destination, renchérissait Lom'lin.

✧

Grâce aux efforts concertés de tous, la bande fut prête en douze jours et la caravane des Dezmoghör se mit en branle. Amusés par ces gueux outrageusement attifés, les citadins de Corvo oublièrent de s'étonner des quatre bras de Lom'lin et de l'apparence des petits centaures. Ils jetèrent à peine un regard sur La Bossue ; après tout, le cirque était le cadre naturel des créatures monstrueuses et des femmes gibbeuses.

Le convoi ne s'arrêtait que le soir venu. Dans les villes et les villages où le cirque s'installait pour la nuit, les habitants accueillaient les nomades avec des rires et des applaudissements. Même les chasseurs d'esclaves restaient interdits devant autant d'adresse et de bonne humeur. L'espace d'une représentation, les hommes les plus endurcis et les femmes au cœur aigri redécouvraient leur candeur d'enfant ; tous s'émerveillaient des prouesses des saltimbanques et s'esclaffaient devant les pitreries des bouffons.

✧

Sans ralentir, la troupe descendit jusqu'au sud du Môjar. Quand le cirque atteignit la région de Beyrez, les bouffons annoncèrent les représentations avec une telle exubérance qu'aucun habitant ne voulut rater l'occasion de se divertir.

Pendant cinq jours, ils visitèrent autant de hameaux du comté. Ce soir-là, l'humidité tissait des voiles brumeux sur le scintillement des lunes. Le dernier spectacle venait de prendre fin et les époux Dezmoghör regagnaient leur roulotte plantée au milieu d'un champ. Ils sursautèrent quand une silhouette bondit en travers de leur chemin. Quatre-Mains dégaina.

– C'est moi, s'empressa de chuchoter l'intrus.

Une main sur les lèvres, Shinon étouffa son cri.

– Nabi !

Le métissé se jeta dans les bras de celle qu'il chérissait comme une mère. Ensuite, il étreignit Lom'lin. Attiré par l'attroupement des villageois, leurs exclamations et les battements de tambours, il s'était faufilé dans la foule et avait assisté, ébahi, à la fin du spectacle.

– Comment vous remercier... Vous avez répondu à mon appel ! s'émut-il en les contemplant comme s'il n'en croyait pas ses yeux. Tout ce chemin, ces risques... Et cette...

Les mots lui manquant, il désigna la caravane.

– Foire ! compléta Shinon en riant.

Elle et son mari avaient compté sur l'animation produite par le cirque pour conduire Nabi jusqu'à eux.

– Ne restons pas là, recommanda Quatre-Mains en guidant le fugitif vers leur logis ambulant.

Shinon alluma une bougie et détailla le visage de son ancien protégé : Nabi était toujours aussi séduisant, mais ses traits tirés et la crispation de sa mâchoire témoignaient de sa détresse.

– Assieds-toi et prends un peu de vin ! l'invita Fée dans un murmure.

Alerté par ce chuchotement, Nabi fronça les sourcils.

– Crois-tu qu'on nous espionne ? s'inquiéta-t-il.

– Ne crains rien, le rassura Shinon en désignant un coin obscur du chariot.

Blottis dans leur couchette, Khar et Dhar dormaient paisiblement.

– Tentons seulement de ne pas réveiller les jumeaux, recommanda-t-elle en jetant sur eux un regard attendri...

✧

Ils discutèrent jusqu'à l'aube. Toute la nuit, ils cherchèrent le meilleur moyen de sauver Oliana et les autres sang-mêlé. Pour ses amis, Nabi dessina des cartes, situant la capitale du Môjar et les autres régions où le souverain du pays possédait des châteaux.

– Il faudrait profiter d'un des déplacements de la cour pour attaquer les cohortes royales et libérer les captifs. Grâce à ton aide, Lom'lin...

– Même avec mon aide, ça ne réussira pas, le détrompa Quatre-Mains. Dans cette situation, la force du nombre sera toujours du côté de l'adversaire, décréta-t-il.

– Que suggères-tu, alors ? s'affligea Nabi. Je ne peux pas abandonner Oliana et...

– Qui parle de les abandonner ? l'interrompit le colosse. Je constate seulement que cette situation nécessite plus de ruse que de force.

Il laissa s'écouler quelques instants avant de se lever, l'air résolu.

– Je crois que j'ai un plan, annonça-t-il.

Puis, s'adressant à Shinon, il ajouta :

– Peux-tu faire confectionner des costumes supplémentaires ?

Fée acquiesça. Lom'lin plissait les yeux de contentement ; son idée lui plaisait et, plus il y songeait, plus elle lui paraissait prometteuse.

– Nabi, sais-tu te débrouiller avec des couteaux ?

✧

La bande repartit le lendemain, enrichie de cinq nouvelles recrues. Sous leurs fards et leur brocart, les saltimbanques prirent la route du nord-ouest car, à cette époque de l'année, la cour du roi du Môjar résidait dans la capitale.

Pendant leur périple, Nabi, Azpar et leurs compagnons Longs-Doigts perfectionnèrent un numéro qui devint le clou du spectacle. Montés sur des destriers, les sang-mêlé cavalaient en prenant des postures téméraires et en lançant des poignards. Jamais ils ne rataient leur cible, fut-elle lointaine ou mouvante. Les acrobates elfiques jonglaient avec plusieurs dagues, démontrant une adresse sans pareille.

– Nous sommes prêts, estima Quatre-Mains quand ils arrivèrent à destination.

Depuis la création du cirque, tous les membres de la troupe, qu'ils soient difformes, borgnes ou estropiés, avaient appris à manier une arme, une corde, un fouet ou un filet. Travestie en convoi bigarré, la caravane de Quatre-Mains dissimulait une redoutable milice.

- 21 -

Profitant de la douceur de cette soirée estivale, Hµrtö, Mauhna et Hodmar s'étaient installés dans le jardin. Fébrilement, ils attendaient Kurbi. Les mages avaient demandé au chef des Anciens des explications concernant La Marque exceptionnelle de Jordan. Que signifiait donc la présence d'un fœtus de sphinx sur la poitrine du garçon ?

Quand il se matérialisa, Kurbi déclara d'emblée :

– Les nouvelles sont mauvaises. J'en suis navré.

✧

Ces paroles attirèrent l'attention d'Artos. Il avait laissé Idris dans son coin, confiant à Sotra le soin de le prévenir si un incident digne d'intérêt se produisait chez ses ennemis.

– Viens vite ! lui confirma l'affidé.

Le sorcier se rua vers sa table et saisit l'onyx.

✧

Inconscient qu'un témoin malveillant l'épiait, Kurbi annonça :

– Le monde court un terrible danger. Et, selon les esprits que nous avons consultés, le péril vient de Korza.

– Je ne comprends pas, avoua Hµrtö. La déesse de cristal est endormie dans son volcan et emprisonnée par le pouvoir des clés d'argent, d'or et de platine.

– Juste, reconnut le chef des Anciens.

– Nous n'avons donc rien à craindre, raisonna le Loxillion.

Désolé de le contredire, Kurbi secoua la tête.

– J'aimerais le croire, mais ce message n'a rien de fortuit... Il nous est envoyé par les dieux.

– Qu'en déduisez-vous ? demanda Hodmar, les rides de son front accentuées par l'inquiétude.

– Même si cela nous paraît invraisemblable, il faut accepter qu'une force maléfique s'apprête à ranimer la pierre sacrifiée.

En dépit de la chaleur, Blanche frissonna.

– En quoi ces troubles concernent-ils notre fils ? s'alarma-t-elle.

– Il semble que le porteur du sphinx des sphinx ait un rôle à jouer dans le drame annoncé.

– Lequel ? parvint à articuler Hµrtö après avoir dégluti.

– Quand, comment ? questionna son épouse, interdite.

– Pour l'instant, je l'ignore, confessa Kurbi. Soucieux de ne pas interférer dans la destinée des vivants, les esprits ont refusé d'en dire davantage.

– Mais...

– Ils ont toutefois tenu à préciser qu'étant le porteur de leur Marque, Jordan a reçu un peu de sang des sphinx. Il s'agit d'un don inestimable. Si, au cours de sa vie, l'harmonie de votre fils se trouve compromise, aucun parasite ne pourra s'incruster dans sa chair. Jamais il ne sera atteint du grand mal.

Hµrtö était trop bouleversé pour apprécier cette consolation.

– Il existe un endroit où nous aurions une chance de découvrir quel est le lien entre Jordan et la déesse du mal, jeta-t-il, accroché à cette lueur d'espoir.

Un silence embarrassé s'installa sous le chêne du jardin.

– Les Anciens peuvent-ils interrompre l'ensorcellement de la Cité des sphinx ? se décida à demander clairement Mauhna, convaincue de connaître la réponse.

– Nous le pourrions, admit Kurbi, la mine contrite.

– Pourtant, vous ne le ferez pas. Vous ne prendrez pas ce risque, devina Hµrtö.

– Que nous connaissions ou non le sort dévolu à Jordan ne changera rien à son destin, argumenta Kurbi.

– Au moins, nous saurions si..., voulut objecter Mauhna.

Elle ravala d'elle-même son élan de protestation. Aussi cruelle que lui paraisse la décision des Anciens, elle savait que ceux-ci refuseraient de compromettre la sécurité des elfes-sphinx par une intervention importune. Ce comportement réservé, elle l'avait soutenu plus d'une fois au fil des siècles. Mais maintenant que son enfant était en cause, sa raison et son amour de mère se heurtaient furieusement.

La voyant perturbée, Kurbi s'approcha d'elle et lui rappela :

– Nous avons réveillé l'enchantement de la ville sacrée pour éviter que L'Autre s'y infiltre et qu'il dérobe les secrets de la magie noire. Nous ne devons pas lui faciliter la tâche. Il ne doit jamais accéder à la puissance maléfique suprême...

✧

– Trop tard ! s'esclaffa le proscrit.

– S'ils savaient ! s'exclama Sotra en riant avec son maître.

Une fois leur hilarité apaisée, Artos résuma la situation.

– Mes ennemis ont appris ce que La Marque présage. Par contre, l'information la plus importante leur échappe. Ils ne connaissent pas le rôle de Jordan. Contrairement à moi...

La fresque de la salle principale du Temple des Douze s'était avérée des plus révélatrices pour le sorcier.

« Nul ne peut détruire Korza hormis celui qui porte le sphinx des sphinx », avait-il interprété.

À la suite de cette découverte, Le Cobra avait compris qu'il lui fallait à tout prix empêcher Jordan de faire obstacle à l'avènement de son règne.

– Je ne laisserai pas cet enfant devenir le fléau de Korza.

✧

Les jours passèrent et Jordan respecta scrupuleusement son serment ; il ne parla à personne de son nouvel ami. En récompense de sa discrétion, il reçut plusieurs visites d'Eglon. Parfois, Artos abandonnait les apparences animales pour emprunter celle d'un garçon de treize ans.

– Je suis comme ton frère, disait-il à Jordan.

Celui-ci se montrait ravi d'avoir un grand pour modèle. À la moindre occasion, Le Cobra instillait son venin dans l'esprit malléable du gamin. Le sorcier notait que son influence s'accroissait peu à peu. Un matin, Jordan demanda :

– Eglon, qui sont tes parents ?

– Pffft, je n'ai ni père ni mère et j'en suis heureux ! siffla Artos. Les parents ne servent qu'à commander et punir... Ils veulent toujours qu'on se comporte selon leur désir.

– Et c'est mal ? s'enquit le protecteur des hérissons, fasciné par le caractère farouche de son aîné.

– Bah ! Pour ma part, je préfère agir à ma guise.

À la fin de l'été, Jordan était devenu plus secret et plus farouche avec les siens. Il ne se confiait plus aussi souvent à sa sœur, réservant ses confidences à Eglon. Quand Hµrtö le grondait, le protecteur des hérissons répliquait qu'il avait le droit d'*agir à sa guise*. Pour sa part, Mauhna s'inquiétait. Pourquoi son fils refusait-il de jouer avec les autres enfants ?

– Ils m'ennuient, prétextait Jordan avant de s'enfermer dans sa chambre où flottait parfois une entêtante odeur de lait aigre.

Artos avait atteint son premier objectif : dans le foyer de ses ennemis, les querelles anodines annonçaient l'escalade de la discorde.

– 22 –

Mayko de Beyrez avait préparé avec soin son retour à la cour du roi.

« Bÿron ne manquera pas d'accéder à mes désirs », tentait-il de se persuader tandis que son carrosse le conduisait vers le palais.

Pourtant, l'angoisse faisait perler de la sueur sur le front et le dos du seigneur. Une odeur âcre se dégageait de ses aisselles.

« Reprends-toi ! » s'adjura-t-il en fermant les yeux.

Depuis qu'il avait enlevé Oliana et les elfes-sphinx de sa communauté, le comte était sujet à des frayeurs incontrôlables. Souvent, la nuit, il rêvait que Nabi Jyn l'émasculait à l'aide d'un poignard.

Le comte se recroquevilla dans son siège et grimaça.

« Pourquoi mes hommes ne l'ont-ils pas tué ? Depuis ce temps, tout va de travers... »

Il essuya ses paumes moites sur ses cuisses et tâta sa braguette, presque étonné que ses testicules et son pénis se trouvent intacts dans sa culotte.

Quand il avait fui son comté, emmenant sur des fardiers ses nouveaux esclaves elfes-sphinx, il avait ordonné à son capitaine de foncer droit sur la capitale. À la première halte, ivre de désir, il avait ordonné qu'on lui amène Oliana.

Le souvenir de cette scène fit frissonner Mayko.

La belle épouse de Nabi avait été poussée à l'intérieur de la chambre du comte par un officier qui avait ensuite fermé la porte à clé. Mayko s'était attendu à trouver sa captive effrayée et brisée par l'humiliation. Mauvais calcul. Au contraire, Oliana s'était montrée arrogante. L'aristocrate avait immédiatement pris ombrage de son dédain évident.

– Que tu le veuilles ou non, tu vas m'obéir, avait-il attaqué pour vite la dominer.

– Que penses-tu faire... Me violer ? l'avait défié Oliana. Je te préviens que si tu essaies, tu n'en sortiras pas indemne.

– Je suis prêt à essuyer quelques coups de griffes pour te posséder, avait fanfaronné le seigneur en s'approchant, son caleçon à la propreté douteuse révélant l'érection qui le démangeait depuis trop longtemps.

La Longs-Doigts avait posé un œil méprisant sur l'excroissance. Quand elle avait relevé la tête, Mayko avait lu de la répulsion dans ses yeux, mais pas la moindre trace de crainte.

– Je ne m'abaisserai pas à te mordre ou à m'encroûter les ongles de ton sang, avait-elle répliqué. Le dommage que tu subiras sera bien pire... La Noble et Grande Mère l'a prédit : jamais tu ne me forceras.

Aveuglé par la colère, Mayko l'avait renversée sur sa couche ; elle ne s'était pas défendue. Quand, à genoux entre les jambes d'Oliana, il avait troussé ses jupes, elle s'était contentée de lui lancer un regard glacial. Il s'était alors affalé sur elle, la lippe baveuse, haletant devant la plénitude des formes de son corps, son parfum délicat et le satin de ses cheveux. Et là, tout avait basculé. Le sexe du comte avait misérablement fléchi. Il avait rétréci jusqu'à disparaître sous ses bourses, comme pour fuir le fantôme d'une lame vengeresse.

– Sorcière ! avait-il accusé en secouant furieusement le membre flasque dans l'espoir d'en réveiller l'ardeur.

Rien n'y fit. Quand un fin sourire s'était dessiné sur les lèvres d'Oliana, il s'était rué hors du lit.

– Je t'avais prévenu que tu n'en sortirais pas indemne, s'était moquée la Longs-Doigts.

Le comte avait frappé à deux poings sur la porte verrouillée, appelant son capitaine d'une voix stridente.

– Ouvre ! avait-il hurlé. Ouvre vite et débarrasse-moi de cette vipère !

La protectrice des sources avait poussé l'audace jusqu'à le saluer d'une révérence narquoise avant de quitter la pièce, la tête haute, intacte.

Mayko avait réessayé plusieurs fois de violer la femme de son ennemi : toujours sans succès. De plus en plus outré, il avait abusé de quelques chambrières pour se prouver que sa virilité n'était pas morte à jamais. Rassuré, il avait encore tenté le coup. En vain. Plutôt que de devenir fou, il avait renoncé à prendre Oliana de force.

✧

– Sorcière, répéta-t-il tandis que son carrosse roulait vers le palais royal.

La veille, Mayko avait enfin reçu une convocation de Bÿron. Dans sa lettre fort brève, le souverain invitait le comte à venir lui présenter ses hommages dans son palais de la ville de Tör. Ce soir-là, un bal aurait lieu pour saluer le début de l'automne.

Mayko se redressa sur son siège, gonfla la dentelle de son jabot et replaça son large chapeau. Il jugeait que les plumes rouges de cette coiffure lui donnaient du panache.

– Oui, s'exclama-t-il, j'ai préparé mon retour avec un soin exceptionnel.

Il soupira d'aise en pensant aux caisses remplies d'or qui alourdissaient trois chariots venant immédiatement derrière son équipage. Il lui tardait de les mettre en sécurité dans ses appartements du château royal. Il songea ensuite aux passagers entassés dans ses autres carrosses.

« Les trésors des colonies ne peuvent pas rivaliser avec ce que je vais offrir à Bÿron. À compter de ce soir, je serai rétabli à la cour. Quand Oliana découvrira à quel rang je me suis élevé, quand elle me verra traité à l'égal des princes, elle succombera. Je ne connais aucune femme qui sache résister au pouvoir et à la richesse. »

C'est un véritable cortège qui pénétra dans la salle des audiences quand le chancelier lança d'une voix vibrante :

– Le comte Mayko Vamdal, seigneur de Beyrez.

Celui-ci s'avança, suivi de laquais portant ses malles et ses coffres. Le cortège progressa majestueusement jusqu'à l'endroit où se trouvait le trône.

Le roi et la reine arrivèrent presque aussitôt.

– Mon très cher comte, le salua Bÿron, mettant dans l'emphase de cette appellation une pointe de raillerie.

– Mes hommages, Altesse, fit Mayko en s'inclinant bien bas.

Un sourire ironique se dessina sur les lèvres du souverain. L'homme était grand et osseux. Dans son visage austère, brillaient des yeux très mobiles ; rien ne semblait échapper à son regard pénétrant. Sa tenue était à la fois riche et sobre. Il se dégageait de ce personnage une aura de brutalité.

À ses côtés, la reine paraissait à peine pubère. Rousse, menue et effarouchée, elle restait coite, se conformant ainsi aux exigences de son époux.

– J'ai un présent incomparable à offrir à vos Majestés, pavoisa le comte en désignant les métissés qui l'accompagnaient. Vingt-quatre Longs-Doigts pour accroître votre cheptel d'esclaves.

Mayko jubilait en songeant à Oliana. Parmi les autres femmes asservies, elle assistait à l'événement qui allait assurer la gloire du comte. Pendant ce temps, Bÿron détaillait les captifs.

– À n'en pas douter, mon très cher comte, il s'agit d'un cadeau inestimable, déclara-t-il, le visage impénétrable.

Derrière ses paroles apparemment affables, le souverain dissimulait une vive irritation.

« Pourquoi ce fourbe a-t-il voilé les femmes ? » se demandait-il, méfiant.

– Mon seul désir est de vous plaire. En cela je suis, encore et toujours, votre humble serviteur, assura Mayko en s'inclinant derechef.

Les yeux du roi restaient posés sur les elfes-sphinx. Certains d'entre eux pleuraient d'être soumis à une telle indignité. Soudain, les sourcils de Bÿron se froncèrent.

– Mon très cher comte, grinça-t-il, un bon serviteur ne tente pas de tromper son maître.

Le ton tranchant ébranla l'interpellé.

– Je n'essaierais jamais de... de..., bredouilla-t-il.

Son inquiétude se manifesta aussitôt par une importante sudation.

– Ils ne sont pas vingt-quatre mais vingt-cinq, affirma Bÿron d'une voix dangereusement basse.

– C'est que...

Mayko comprit qu'il avait commis une bêtise. S'il n'avait pas tant souhaité qu'Oliana assiste à son triomphe, le nombre d'esclaves aurait été exact. Naïvement, il avait cru que le roi ne prendrait pas la peine de les compter.

– Je souhaite garder une des femmes pour moi... Une sur le lot, c'est peu, plaida-t-il nerveusement.

Contrarié, Bÿron quitta son siège et s'approcha des sang-mêlé.

– Retirez vos voiles, ordonna-t-il aux femmes.

Jugeant qu'elles n'obtempéraient pas assez vite, il circula parmi les Longs-Doigts, arrachant les étoffes qu'il laissait tomber sur le sol. Quand il eut décoiffé Oliana, il s'arrêta.

– C'est celle-ci, n'est-ce pas ? lança-t-il à Mayko sans même le regarder.

Le roi n'avait d'yeux que pour la protectrice des sources. Il fallut bien que le seigneur de Beyrez confirme ce que le souverain avait deviné.

– Oui, Altesse ! admit-il en triturant son mouchoir.

Un lourd silence plana dans la salle d'audience.

– Très bien ! décréta tout à coup le roi, plongeant Mayko dans un mélange de stupéfaction et de soulagement.

Lorsque Bÿron contourna Oliana pour compléter son inspection, le seigneur de Beyrez recommença à respirer. Toutefois, sa quiétude fut de courte durée.

– Mon très cher comte, lança le souverain en abusant avec malice de l'appellation narquoise.

Il s'était rendu à l'arrière du cortège. Avec curiosité, il observait l'entassement des malles et des coffres de son invité.

– Puisque vous désirez conserver cette femme pour votre propre commodité, je vais vous la vendre pour la somme de deux mille pièces d'or, reprit le roi d'un ton railleur.

Mayko crut qu'il allait suffoquer : l'étalage ostentatoire qu'il avait fait de ses richesses jouait maintenant contre lui. Il était piégé. Tout autour, les gens de la cour chuchotaient. Derrière leur éventail, les dames ricanaient. Les favoris se gaussaient allègrement de celui que le monarque défiait. Le comte n'avait pas d'autre choix : pour prouver sa loyauté, il devait céder.

« Sauvons la face », s'adjura-t-il intérieurement.

Il gonfla le torse, afficha un air confiant et alla rejoindre le roi. Là, d'un geste théâtral, il ouvrit un premier coffre, guettant l'ébahissement du souverain devant son trésor. Contre toute attente, il vit les traits de Bÿron se décomposer : plutôt que d'exprimer la convoitise, ils se crispèrent de colère.

– Qu'est cela ? tonna-t-il. Sais-tu ce qu'il en coûte de ridiculiser ton roi ?

Mayko baissa alors les yeux sur le contenu de son coffre. Saisi de tremblements convulsifs, il vérifia toutes ses caisses. Elles ne contenaient que des galets.

✧

Ce soir-là, Oliana fut conviée dans les appartements du roi. Quand, un peu plus tôt, Mayko de Beyrez avait été jeté dans un cachot pour avoir offensé les souverains du Môjar, la protectrice des sources avait été enfermée avec les autres femmes de sa communauté. Les enfants avaient été séparés de leur mère et les hommes menés, sous bonne garde, dans une aile reculée du château.

Oliana fut introduite dans une bibliothèque. Un âtre gigantesque réchauffait l'endroit, les flammes dessinant des ombres mouvantes sur les murs et le mobilier. De part et d'autre s'ouvraient des pièces en enfilade.

Bÿron était assis à un pupitre et écrivait. Il finit de rédiger une lettre avant de s'intéresser à sa visiteuse. Celle-ci ne se faisait pas d'illusion ; l'homme qui la dévisageait ne se laisserait pas impressionner aussi aisément que Mayko.

D'un geste, le souverain signifia à la Longs-Doigts de s'asseoir. Celle-ci fit mine de ne pas comprendre l'ordre tacite. Elle baissa les yeux et attendit.

– Madame, vous serez sans doute heureuse d'apprendre que le comte de Beyrez a été décapité au crépuscule.

Oliana redressa la tête et soutint le regard du monarque.

– Je ne serai plus digne de vivre le jour où je me réjouirai de la mort d'un homme, répondit-elle. Aussi abject soit-il...

Sa voix, habituellement cristalline, avait perdu son timbre mélodieux.

– Votre grandeur d'âme vous honore, déclara le roi en se levant.

Pour Bÿron, il ne s'agissait pas d'un compliment mais d'un simple constat.

– Vous devinez sans doute ce que j'attends de vous, lança-t-il en s'approchant d'Oliana.

Celle-ci opina avant de répliquer :

– Je vous préviens que vous n'étreindrez qu'une catin inerte.

– Vous vous méprenez sur mes intentions, parut soudain s'émouvoir cet homme glacial. Je ne songerais jamais à vous abaisser au rang d'une courtisane. Votre beauté est celle d'une reine. Je n'apprécie pas la souveraine. Elle est sotte, laide et maigre. Remplacez-la.

La stupéfaction coupa le souffle de la métissée.

– Jamais.

– Ce n'est pas à vous de décider.

Bÿron retourna vers sa table et saisit la lettre qu'il venait de terminer.

– Par cet avis, je répudie la fille que le roi de Lombre m'a donnée en mariage. Acceptez de vous donner à moi et je signe ce document.

Terrifiée, Oliana abandonna l'attitude altière qu'elle avait d'abord empruntée. Prête à tout pour susciter la compassion du monarque, elle s'agenouilla à ses pieds.

– Majesté, je vous implore de comprendre que je ne peux pas accepter. J'ai un époux... Je l'aime. Je ne veux pas le trahir.

Bÿron lui tendit la main et la força à se relever. Ensuite, il l'entraîna vers la porte close de la bibliothèque. Oliana crut qu'il allait la congédier. Il n'en fit rien. Il s'appuya plutôt contre le chambranle. Les bras croisés, il fixait la Longs-Doigts. Des coups discrets se firent entendre ; on cognait à la porte. Le roi s'écarta, impassible.

– Entrez ! ordonna-t-il.

Une dame à la mine sévère apparut, accompagnée de Cora et de Dona.

– Maman ! s'écrièrent les fillettes en se ruant dans le giron de leur mère.

– Réfléchissez bien, murmura Bÿron sans l'ombre d'un sourire.

À cet instant, Oliana découvrit à quelle bête le souverain ressemblait. Avec ses membres osseux et gainés de noir, il lui rappelait une araignée sur sa toile. Un homme muni d'un sabre pénétra dans la pièce.

– Maintenant, madame, vous devez choisir, annonça le roi. Que préférez-vous sauvegarder, votre loyauté envers votre mari ou la vie de vos filles ?

La cadette s'agrippa à la jupe de sa mère.

– J'ai peur ! geignit-elle.

– N'aie crainte, ma chérie, tenta de la rassurer Oliana. Je suis là.

– Mais où est papa ? sanglota Cora.

Sachant que rien ne ferait fléchir ce roi impitoyable, la métissée baissa la tête, vaincue.

– Ne faites pas de mal à mes petites. Je vous en supplie.

– Vous serez donc à moi ?

– Je le serai.

– Très bien ! s'exclama le souverain, répétant les mots qui, quelques heures auparavant, avaient condamné Mayko de Beyrez à la hache du bourreau.

Le comte avait été décapité pour avoir attisé la colère du roi du Môjar. Plus tard dans la nuit, Oliana fut déshonorée pour avoir enflammé la passion du même homme couronné.

- 23 -

Le cirque de Quatre-Mains s'était établi dans la capitale de Tör. Attendant impatiemment une invitation à se produire devant la cour du roi, Quatre-Mains, Shinon et Nabi avaient fignolé les détails d'une représentation extraordinaire. Les trois amis avaient fait preuve d'une grande imagination pour maquiller leurs véritables desseins sous l'apparence de tours d'agilité ou de prestidigitation. Ensuite, il leur avait fallu entraîner les saltimbanques, artistes et acteurs. Tout se devait d'être parfait, car ce spectacle ne serait présenté qu'une seule fois.

Lom'lin et Shinon avaient grassement payé le prévôt de la ville pour installer la caravane sur la plus vaste esplanade, celle qui accueillait les paysans les jours de marché.

Discrètement, le Dezmoghör avait soudoyé plusieurs favoris du roi pour qu'ils vantent les mérites de leur spectacle. Nombreux étaient les baladins qui espéraient paraître devant la noble assistance. De plus, on disait Bÿron austère et peu enclin à ce genre de divertissement. Ne les qualifiait-il pas de futiles ?

Au début de l'hiver, à force de persévérance et de pots-de-vin, Quatre-Mains revint du palais avec une invitation.

– Le dixième jour des lunes de givre, on nous convie à présenter quelques numéros. Le tout ne devra pas dépasser une heure et nous ne pourrons être que quinze en piste, annonça-t-il à Fée et à Nabi.

Celui-ci renâcla.

– Ce n'est pas suffisant. Oublies-tu qu'il faudra détourner l'attention, pénétrer dans le château, fouiller tous les recoins pour dénicher les Longs-Doigts, les faire sortir de là ?... Impossible ! Tu dois insister pour...

– Non, c'est parfait ainsi, le contredit Lom'lin en lui couvrant fraternellement l'épaule. Ça nous permettra de nous familiariser avec les usages et les lieux.

Shinon se leva en se frottant les mains.

– Cette représentation sera déterminante, déclara-t-elle. Elle doit être si prodigieuse que la cour réclamera un spectacle intégral. Au travail !

Ils passèrent plusieurs nuits blanches à sélectionner les numéros et à répéter les enchaînements. Ils mirent au point une finale exubérante et fort ingénieuse. La veille de l'événement, saisi d'appréhension, Nabi se confia à Shinon.

– Qu'adviendra-t-il si notre plan échoue ?

La Dezmoghör lui sourit.

– Nous en inventerons un autre. Aie confiance ! Nous libérerons ton épouse et tes filles.

Pour accueillir la cour, un chapiteau fut dressé dans le parc du domaine royal. Les soirées étant déjà froides en cette époque de l'année, on installa des braseros qui réchauffèrent l'enceinte et, en prime, donnèrent des allures féeriques à l'endroit.

Douze carrosses déversèrent une foule élégante et parfumée. Tous ces personnages parlaient haut, s'interpellant pour échanger des propos qu'eux seuls comprenaient. Ils prirent place sur les estrades tandis que des miliciens encerclaient le chapiteau.

Derrière un rideau, Nabi observait les spectateurs. Témoin de son angoisse, Shinon lui murmura à l'oreille :

– Ne t'en fais pas, tout ira bien !

Une autre vague de gens raffinés afflua mais, au milieu de l'estrade, les fauteuils réservés aux souverains restaient vides.

– Le roi semble avoir décidé de bouder le spectacle, ronchonna Quatre-Mains. Si tel est le cas, nous aurons beaucoup de mal à obtenir une seconde représentation.

Soudain, des hommes en livrée écartèrent la toile de l'entrée et annoncèrent :

– Le roi !

La cour se leva et s'inclina d'un même mouvement empressé.

– La reine !

Derrière la tapisserie, Nabi sentit ses jambes se dérober sous lui.

– C'est impossible ! s'étrangla-t-il en reconnaissant Oliana.

Livide, les yeux éteints, elle marchait à côté du monarque, la main posée sur son poignet osseux.

Lom'lin dut le retenir pour éviter qu'il ne se précipite vers les nouveaux venus.

– Ressaisis-toi, chuchota le colosse d'un ton ferme. Ne gâche pas notre chance de la sauver.

– Bÿron a pris ma femme, se scandalisa Nabi.

Les yeux de Quatre-Mains s'accrochaient aux siens et exprimaient toute sa compassion.

– Raison de plus pour la tirer de là, intervint Fée.

Elle nota que Nabi tremblait.

– Regarde-moi, exigea-t-elle en lui touchant gentiment la joue.

Luttant contre le torrent d'émotions qui le paralysait, le beau Longs-Doigts lui obéit.

– Le salut d'Oliana va dépendre de ton sang-froid, déclara Shinon.

À ces mots, Nabi parut sortir de sa torpeur.

– Écoute-moi bien, reprit la Dezmoghör. J'entre en piste dans quelques instants, alors je compte sur toi pour tout prendre en main. Tu dois donner de nouvelles instructions aux artistes du numéro final, ajuster la mise en scène et préparer un message pour Oliana. Est-ce que tu peux faire ça ?

Nabi acquiesça en silence. Tout à coup, il se remémora le présage de Shahana, la Noble et Grande Mère. Comment avait-il pu négliger cette mise en garde ? N'avait-il pas été prévenu qu'un malheur surviendrait par la faute de Mayko de Beyrez ?

Le protecteur des zèbres et des pigeons inspira et fit signe à ses amis que le spectacle pouvait commencer.

Lom'lin enfila ses deux paires de gants, couvrit ses épaules d'une cape de velours et embrassa Shinon.

– À nous de jouer, dit-il à tous ceux qui se préparaient à entrer en scène.

Quand il parut devant son majestueux public, une rumeur étonnée s'éleva. Quatre-Mains devinait les commentaires qu'échangeaient ces hommes et ces femmes tandis qu'ils examinaient ses quatre bras, ouverts dans un geste d'accueil plutôt théâtral. Il promena son regard sur eux et, au passage, capta celui d'Oliana. La stupéfaction de la Longs-Doigts s'accordait à celle des autres spectateurs, mais pas pour la même raison.

« C'est Lom'lin... Que fait-il dans cet accoutrement ? »

Ayant gagné l'attention de tous, le maître du cirque entreprit de faire son boniment. Trop bouleversée pour entendre, Oliana examinait fébrilement le rideau derrière Quatre-Mains.

« Shinon est-elle avec lui ? se prit-elle à espérer. Peut-être même que Nabi... »

Rendue là, elle baissa la tête, submergée par la honte. Elle se sentait indigne, impure.

– Ma chère, êtes-vous souffrante ? lui demanda le roi. Si vous préférez, nous pouvons nous retirer.

Oliana se redressa vivement. Ses joues livides avaient subitement rougi.

– Non, non, je vais très bien, s'empressa-t-elle de le détromper.

Pinçant les lèvres, Bÿron s'adressa à Lom'lin d'une voix sèche.

– Trêve de bavardages ! Faites votre numéro, qu'on en finisse.

Les équilibristes ravirent les spectateurs par leurs prouesses. On applaudit avec chaleur les exploits qu'accomplissait La Bossue avec son arc, cadeau enchanté par les soins de Mauhna. Propulsées par cette arme, les flèches atteignaient une telle vitesse qu'elles pourfendaient les objets visés. Cette puissance alliée à l'adresse indéniable de l'archère impressionna même le roi.

Quand vint le moment de la finale, un illusionniste s'approcha du couple royal. Après avoir fait apparaître un bel anneau d'argent pour le roi et un pendentif pour la reine, il souleva sa cape. Comme par enchantement, il en extirpa une cage dorée qu'il offrit à Oliana.

– À quoi cela sert-il ? s'enquit Bÿron que les présents avaient un peu déridé.

– Vous verrez, se contenta de souffler mystérieusement le prestidigitateur.

Il s'inclina au moment où cinq cavaliers surgissaient dans le bruissement rythmé des sabots de leur monture. Complètement vêtus de noir, ils portaient des masques argentés. Dès cet instant, Oliana sut lequel était Nabi. Aucun autre homme ne possédait un corps si harmonieux, une chevelure si lustrée. De plus, le colosse qui jonglait avec lui ne pouvait être qu'Azpar.

– Vous voilà fort émue, fit brusquement remarquer Bÿron.

Dans son trouble, Oliana avait appuyé sa main contre sa poitrine palpitante. Il lui fallait vite détourner les soupçons du souverain.

– Tous ces couteaux qui fendent l'air... J'avoue que je suis fascinée par la témérité des acrobates.

Au mot *couteau*, le roi sourcilla. Cette exhibition n'était-elle pas contraire aux consignes de sécurité ? Il allait donner l'ordre d'interrompre le spectacle quand les armes tourbillonnantes convergèrent vers une immense sphère de soie suspendue au faîte du chapiteau. L'étoffe fendue libéra une nuée de pigeons. Chacun portait en son bec une rose. Les fleurs se mirent à pleuvoir sur la foule ébahie.

– Merveilleux ! s'exclamaient les spectateurs, les yeux levés vers la voûte de toile.

À cet instant, un oiseau noir et blanc vint se poser sur les genoux de la reine. Elle comprit aussitôt ce que signifiait cet ultime présent. Elle saisit le pigeon et l'enferma dans la cage. Personne ne la vit glisser dans sa manche le parchemin plié que lui avait apporté le messager à plumes.

Pendant que les artistes saluaient la cour et que celle-ci les applaudissait, Bÿron fulminait. Il se leva et fit signe à Quatre-Mains de s'approcher.

– Comment osez-vous ? Avec ces poignards, vous auriez pu...

Lom'lin avait tout prévu. Il ramassa un des couteaux qu'il tendit à un officier pour qu'il l'examine.

– Altesse ! Tout l'art du cirque réside dans l'illusion, déclara le Dezmoghör. Croyez-vous que les jongleurs s'exposeraient à un pareil danger ?

Le militaire confirma que la dague, parfaitement imitée, ne possédait qu'une lame de bois.

– Impossible ! Ce jouet ne peut pas avoir déchiré la soie, argumenta Bÿron.

– Évidemment ! s'exclama Lom'lin. La sphère comporte des panneaux qui s'ouvrent au moment opportun. N'avez-vous pas remarqué le saltimbanque juché sur le mât ? Il lui a suffi de tirer sur une corde pour libérer les oiseaux... Illusion, vous disais-je !

Le souverain regarda la voûte du chapiteau, les lambeaux de soie qui pendaient, le poteau à peine visible dans un coin sombre. À bon escient, aucun brasero n'avait été placé à cet endroit. Le voyant encore soucieux, Quatre-Mains agita le faux couteau.

– Vous pouvez vérifier les autres, proposa-t-il en affichant une confiance paisible.

– Ce ne sera pas nécessaire ! conclut le roi en lui tournant le dos.

Vexé d'avoir été dupé, il sortit promptement. Oliana resta derrière, prenant tout son temps pour confier la cage et l'oiseau à une de ses dames de compagnie.

– Venez, l'intima le roi en revenant sur ses pas. Pourquoi traînez-vous là ?

Les gens de la troupe s'inclinèrent pour saluer le départ des souverains. Quand Nabi se redressa, Oliana réussit à croiser son regard. Leurs yeux se mouillèrent. Pour l'un et pour l'autre, la nuit s'annonçait pleine de tourments.

✧

Dès qu'elle fut enfin seule, Oliana déplia le message.

Ma bien-aimée,

Si tu lis cette lettre, c'est que la première étape de notre plan a réussi. Il est impératif pour votre salut que le roi consente à une deuxième représentation. Au cours de celle-ci, nous tenterons de vous libérer, toi, les filles et les autres Longs-Doigts. Ensuite il faudra fuir et nous serons en très grand danger. Pourtant, il faut prendre ce risque.

Je tremble pour toi, Cora et Dona. Crois-tu qu'un jour, nous pourrons chasser le souvenir de ce malheur ? Je n'ai pas cessé de penser à toi et à nos petites. Vous êtes mon unique trésor. Prends courage et reviens-moi.

Je t'aime plus que tout.

Nabi

La protectrice des sources pleura longuement en serrant la missive contre son cœur. Comment répondre à celui qu'elle aimait ? Devinait-il les dommages irréparables que la tyrannie de Bÿron avait infligés à son corps et à son âme ?

Depuis qu'elle était devenue l'esclave du roi, Oliana était contaminée par un sphinx-parasite : une algue avait proliféré dans la source qui coulait sur son ventre et avait rendue glauque l'eau autrefois si pure. Cette constatation accroissait la certitude qu'avait la Longs-Doigts d'être irrémédiablement souillée.

Quand elle parvint à sécher ses larmes, elle écrivit :

Mon aimé,

Te savoir ici, entre les murs de la cité, a fait renaître mes espérances. Grâce à toi, cette infamie va bientôt prendre fin. J'ai attendu avec impatience le moment où tu viendrais à notre secours. Je savais que tu ne nous abandonnerais pas. Depuis le moment où nous avons été séparés, je me répète les paroles de La Noble et Grande Mère : Tu devras être forte et ne jamais perdre confiance en Nabi. Il t'aime et te le prouvera.

Mon amour pour toi ne périra jamais. Il nourrit mon courage.

Oliana

Elle confia le parchemin au pigeon, ouvrit la fenêtre et le regarda s'éloigner dans la nuit.

✧

Au matin, l'oiseau était de retour. Perché sur le bord de la fenêtre, il roucoulait en attendant sa récompense. Oliana prétexta une migraine pour se débarrasser de ses dames de compagnie. Puis, fébrile, elle déplia le message.

Ma tendre compagne,

Tu seras bientôt dans mes bras, je t'en fais le serment. Rappelle à Cora et à Dona que je les aime. Sans vous, j'ai cru devenir dément. Je n'étais plus qu'impuissance, rage et souffrance. Maintenant que je vous sais saines et sauves, je ne veux plus m'épuiser à entretenir des rêves de vengeance. Je n'ai qu'un seul désir : vous libérer au plus tôt et vous amener loin d'ici.

Ma chérie, j'ai besoin de ton aide. Bÿron refuse de nous accorder une seconde représentation. Tu dois le faire fléchir et insister pour qu'il te laisse assister au spectacle. Nos petites et nos amis métissés devront être avec toi. Par tous les moyens, tu dois convaincre le roi de revenir sur sa décision. Le succès de votre évasion en dépend.

Je t'aime.

Nabi

✧

Bÿron était étendu auprès d'Oliana. Sa main squelettique reposait sur la cuisse de la reine.

« Une main de propriétaire », songea la Longs-Doigts avec aigreur.

Tentant de surmonter sa répulsion, elle se tourna vers le souverain et s'appuya sur son coude replié.

– Je sais que vous jugez cette demande puérile, voire capricieuse. Pourtant, si vous y accédez, je vous jure que je serai reconnaissante.

Un sourire sceptique tordit la bouche du roi.

– Je me méfie des gens qui prétendent payer leurs dettes seulement après avoir reçu les faveurs qu'ils sollicitent.

Déterminée à obtenir gain de cause, Oliana soutint son regard et attendit. Cette attitude butée de la Longs-Doigts étonna le roi.

– Qu'avez-vous à gagner à ce divertissement ? s'impatienta-t-il, néanmoins curieux de découvrir la raison de l'obstination de sa favorite.

– La santé.

– Vous vous moquez de moi, rétorqua sèchement Bÿron.

– Pas du tout. Voyez mon sphinx. Admettez que l'eau est plus limpide depuis quelques jours. Les gens de ma race ont besoin de distraction pour conserver leur harmonie. Plusieurs de mes compagnons Longs-Doigts dépérissent depuis qu'ils sont en captivité.

Bÿron claqua la langue avec mépris.

– Des numéros de cirque comme remèdes à la mélancolie. J'aurai tout entendu !

Oliana continua de le défier, l'air grave mais serein.

– C'est dans votre intérêt. Rappelez-vous que, si vous privez vos précieux esclaves elfes-sphinx de ce qui nourrit leur équilibre, ils mourront, assena-t-elle comme ultime argument.

Ébranlé par cette assurance, Bÿron jeta un œil sur le ventre de son épouse. Il devait reconnaître que la source semblait beaucoup plus vive et salubre depuis le spectacle de cette troupe.

– C'est bon, céda-t-il après un moment de réflexion.

– Cora et Dona viendront aussi, exigea la reine.

– Comme vous voudrez, mais passons à autre chose, trancha le roi. Cette discussion a déjà trop duré.

Oliana paya sur l'heure la faveur qui lui était accordée.

Le lendemain, elle trouva un peu de réconfort quand un pigeon lui apporta la confirmation de Nabi.

> *Tu as réussi. Quatre-Mains a reçu une invitation officielle. Le second spectacle aura lieu dans dix jours. Il me tarde de te retrouver. N'oublie pas que je t'aime.*
>
> *Nabi*

– Dix jours... Une éternité ! soupira la protectrice des sources en baisant le parchemin.

D'ici là, combien de fois devrait-elle subir les assauts du roi, sa perversité, sa brutalité ?

Malgré le froid, Oliana alla à la fenêtre et l'ouvrit. En tombant, la première neige s'était accumulée sur le bord du toit de la tourelle. La belle captive se dénuda et frotta son corps frissonnant à l'aide des flocons immaculés. Tandis qu'ils fondaient sur sa peau, ruisselant vers la source de son ventre, Oliana priait :

– Noble et Grande Mère, libérez-moi de ma souillure.

Elle recommença jusqu'à ce que l'onde de son sphinx déborde, formant une large flaque autour de ses pieds.

– Noble et Grande Mère, purifiez-moi. Faites que je puisse encore me donner à Nabi... Mon seul époux, mon seul et grand amour.

– 24 –

Dès que Jordan ouvrit les yeux, il aperçut son ami. Celui-ci semblait avoir attendu son réveil.

– Que fais-tu au lit à cette heure ? demanda Artos en s'appuyant nonchalamment contre le mur.

Pour l'occasion, il avait choisi l'apparence d'un adolescent. Jordan se redressa, frotta ses yeux larmoyants et renifla. En ce jour des lunes de givre, le soleil déclinait déjà tandis que le vent hurlait aux fenêtres.

– J'ai pris froid. Maman a insisté pour que je fasse une sieste avant la...

Soudain, Jordan repoussa ses couvertures ; il avait dormi tout habillé.

– Va-t-en ! ordonna-t-il au sorcier.

Celui-ci resta pantois. Jamais, auparavant, il n'avait été éconduit de la sorte par le fils des maîtres de magie. Le gamin retira sa tunique froissée.

– Va-t-en ! répéta-t-il, l'air surexcité. Je n'ai pas le temps de jouer avec toi... Aujourd'hui, c'est mon anniversaire.

Il entreprit de chercher frénétiquement dans le fouillis de la pièce. Quand sa quête le conduisit sous sa couchette, Artos se transforma en furet et le suivit.

– Je peux t'aider si tu me dis...

– Je veux ma tunique brodée sur le col et les poignets, toussota le gamin. Il va y avoir une fête : des glaces, des gâteaux, des cadeaux... Ah ! La voici ! lâcha-t-il en mettant la main sur son vêtement fétiche.

– J'ai un sortilège très amusant à te...

Jordan repoussa l'animal en sortant de sous le lit.

– Je n'ai pas le temps, répliqua-t-il avec humeur. Tu reviendras demain. De toute façon, avec toi, on ne joue pas, on fait de la magie. C'est comme à l'école et ça m'ennuie à la fin.

À ces mots, Artos tiqua. Il s'offusquait d'être soudain déclassé par des plaisirs aussi triviaux que des sucreries et des présents.

– Puisque je t'embête, je m'en vais. Toutefois, ne t'étonne pas si tu ne me revois plus jamais, jeta-t-il pour ébranler le garçon.

Les yeux brillants de Jordan émergèrent du col de sa tunique et se posèrent sur Eglon.

– Tu reviendras, présagea-t-il d'une voix nasillarde. Tu reviendras, parce que tu as besoin de moi... Tu n'as pas d'autre ami, ajouta-t-il avec candeur.

Inconscient d'avoir énoncé une terrible vérité, il fit un geste de la main pour lui dire au revoir.

En se précipitant vers le laboratoire-cuisine de la maison, le gamin heurta sa sœur.

– C'est mon anniversaire ! J'ai six ans, chantonna-t-il. Aga, que vas-tu m'offrir en cadeau ?

Aglaë le recoiffa d'une main assurée. Elle ne craignait pas les épines du hérisson ; le premier sphinx de Jordan s'était depuis longtemps habitué aux caresses de la fillette.

– Si je te le dis, ce ne sera plus une surprise, raisonna-t-elle avec son habituelle sagesse.

À l'aide de sortilèges, Mauhna rangeait le festin d'anniversaire dans un petit panier.

– Jordan, ne t'agite pas comme ça, sinon ta fièvre va remonter, intervint-elle en observant le rouge un peu trop vif des joues de son fils.

Hµrtö apparut peu de temps après. Il embrassa Blanche et Aglaë, leur chuchota quelques secrets à l'oreille, puis vint vers Jordan, un sourire mystérieux sur les lèvres.

– Est-ce que tu devines où nous t'emmenons pour célébrer tes six ans ?

– Dans la forêt enchantée ? misa le garçon, rempli d'espoir.

Quand Le Gris acquiesça, Jordan se jeta dans ses bras.

– Tu es le meilleur papa du monde !

L'évidente sincérité du gamin combla de joie le Loxillion. Pendant le reste des préparatifs, Jordan s'amusa avec Aglaë. Soudain, une pensée dérangeante surgit dans l'esprit du porteur du sphinx des sphinx.

« Eglon ne m'a rien offert... Pas même des vœux. »

Sans comprendre pourquoi, cette négligence troublait l'enfant.

– J'aimerais bien que tu me lises un conte, réclama-t-il à sa sœur, souhaitant oublier cette déception qui risquait de gâcher son plaisir.

Par voyage-éclair, Hµrtö et Mauhna conduisirent les enfants dans une caverne aménagée par les mages de l'ordre des transformations. L'endroit était moins vaste que la grotte qui abritait le village du collège. Dans ce boisé intérieur, vivaient de nombreuses bêtes fantastiques : licornes, phénix des plaines, insectes luminescents, reptiles colorés, singes espiègles. La forêt comptait aussi plusieurs arbres complaisants qui aidaient les petits à grimper jusque sur leurs plus hautes branches, les accueillaient dans des cabanes perchées et les rattrapaient au vol quand ils perdaient pied.

Contrairement à La Grotte, la forêt enchantée n'accordait pas son décor au cycle extérieur des saisons. Dans cet endroit féerique, l'été ne finissait jamais.

– Cette brise est un véritable délice, se réjouit Mauhna en humant l'odeur végétale des sous-bois.

Tandis qu'Hµrtö et les enfants jouaient à épier les licornes, à courir les lézards et à rivaliser d'adresse avec les singes, Blanche s'installa pour lire près d'un ruisseau, heureuse de savourer un rare moment de détente.

– On mange, annonça-t-elle quand elle s'aperçut que la respiration de Jordan devenait sifflante.

Le garçon goûta à peine aux gâteries préparées en son honneur. Exacerbée par la course et les jeux, sa fièvre était revenue, plus intense qu'au début du jour.

– Rentrons, décida Mauhna, la main sur le front brûlant de l'enfant.

Hµrtö le porta jusque dans son lit, l'aida à se dévêtir et à enfiler sa chemise de nuit. Ensuite, à la demande de son fils, il posa les nouveaux jouets sur un coffre près de sa couchette.

– Demain, râla Jordan en les lorgnant avec dépit.

Il y avait un tambour et ses baguettes, des blocs de bois peints pour remplacer ceux qu'il avait égarés, des pinceaux et des couleurs ainsi qu'un petit lion rembourré, offert par Aglaë.

– Tu veux qu'il dorme avec toi ? demanda Hµrtö.

Trop épuisé pour parler, Jordan tendit les bras. Il serra le lion et s'assoupit en murmurant :

– Eglon !

Attendri, Le Gris borda le petit et le regarda dormir un moment. Le magicien avait aidé sa fille à confectionner le lion. Il sourit en se remémorant les heures passées avec Aglaë à fabriquer le jouet, leurs conversations, leurs rires, le plaisir du secret partagé. Avant de quitter la chambre, il s'assura que le talisman invisible enveloppait bien le corps de Jordan. Rassuré, il retourna dans le boudoir. En compagnie d'Aglaë, Blanche s'était installée devant l'âtre. Le feu avait été attisé.

– La nuit est très froide, lança Mauhna en frissonnant.

Elle regrettait d'avoir dû abandonner si tôt la tiédeur de la forêt enchantée.

À la lueur des flammes, Aglaë lisait.

– Jordan aime le lion, lui confia son père.

Il l'embrassa sur la tempe et ajouta :

– Il lui a même donné un nom.

– Sans doute l'a-t-il appelé Eglon. Est-ce que je devine bien ? s'enquit Aglaë.

– Oui... Comment le sais-tu ? s'étonna Hµrtö.

Interdite, Blanche dévisagea son aînée.

– C'est le nom que Jordan donne à son ami imaginaire. À travers le mur qui sépare nos chambres, je l'entends parfois lui parler, annonça Aglaë avant de se replonger dans sa lecture.

Elle ne remarqua pas le regard anxieux que ses parents échangèrent.

✧

En entendant cela, Artos ordonna à Idris de rompre la vision.

– La petite peste ! maugréa-t-il. Je vais devoir me méfier d'elle et de ses allures ingénues.

Il se leva et commença à arpenter son laboratoire.

– Jordan l'aime beaucoup trop. Dès que possible, je sèmerai la discorde entre elle et son frère, raisonna-t-il tout haut.

Au bout de quelques instants, Sotra sortit d'un coin d'ombre pour se glisser sur le mur, entre deux étagères. Il avait suivi le fil des pensées de son maître et voyait poindre une idée qu'il jugeait téméraire.

– Tu ne devrais pas, intervint-il. Tu commences à peine à étudier l'art complexe de la possession.

– Ce n'est pas si difficile, protesta le sorcier. Il suffit d'atteindre l'état de transe adéquat.

Ayant accès aux pressentiments de son maître, l'affidé s'entêta.

– L'enfant n'est pas prêt. Il vaudrait mieux attendre qu'il soit plus mature.

Le Cobra arrêta son va-et-vient et affronta son double.

– Au contraire, le moment est propice. La fièvre le rend réceptif... Il suffit qu'il soit dans une phase de sommeil profond.

– C'est risqué et tu le sais, ronchonna l'ombre rabrouée.

– De toute façon, pour cette première tentative, je ne resterai pas longtemps, argumenta Artos.

Sur le mur de roc, la silhouette haussa les épaules. À quoi bon s'obstiner. Le rebelle n'en ferait qu'à sa tête, méprisant, une fois de plus, ce que lui dictait son instinct.

– Eh bien, vas-y ! Prends possession de Jordan ! éructa Sotra. Mais ne viens pas te plaindre si les choses tournent mal.

Sotra n'était peut-être qu'un séide, une créature soumise à la volonté du Cobra, mais il refusait d'être le complice de sa téméraire entreprise.

– On sait bien, c'est toujours à moi de jouer les rabat-joie, maugréa-t-il en pénétrant dans l'obscurité de la bibliothèque ovale.

Du coup, il se retrouva dans un univers surnaturel, là où disparaissent les ombres quand dominent les ténèbres.

– 25 –

Sous les rafales enneigées des lunes de givre, la troupe dressa son plus grand chapiteau. Les meilleures places avaient été attribuées aux gens de la cour. Les souverains trônaient parmi eux tandis que les esclaves Longs-Doigts étaient installés en retrait, sur les derniers gradins de l'estrade. De part et d'autre des invités, se tenaient vingt gardes armés, l'épée au fourreau mais la dague à la main.

Quand Quatre-Mains apparut dans sa parure flamboyante, les métissés retinrent leur souffle. Oliana n'avait pu leur transmettre qu'un avertissement mystérieux par le biais d'un valet du roi.

> *Ce soir, vous êtes conviés à un spectacle qui ne manquera pas de vous surprendre. Soyez prêts à suivre les maîtres de la fête et à profiter du vent de liberté que cet événement unique nous procurera. Puisqu'il s'agit d'une faveur du roi, ne commettez pas l'imprudence de décliner l'invitation. Évidemment, les enfants devront vous accompagner.*

Quatre-Mains et Shinon vinrent présenter leurs hommages aux souverains. Bÿron les remercia froidement et donna le signal du début de la représentation.

Les numéros défilèrent, certains vertigineux, d'autres amusants. À tout moment, les nains bouffons grimpaient dans les estrades. Affichant des mines gaillardes, ils comptaient fleurette aux dames, disparaissaient dans l'amas de leurs jupes et jupons, provoquaient les gentilshommes en duel et brandissaient des épées trop longues qui finissaient invariablement par fléchir mollement. Alors les lutins folâtres passaient au cou des favoris le ruban de la victoire et liaient leur poignet à celui de la dame conquise. Les galants souriaient, n'osant protester de crainte d'offenser leur compagne.

Pendant que les funambules accomplissaient leurs prouesses sur un fil tendu loin au-dessus du sol et que les saltimbanques utilisaient des fouets pour s'accrocher à des poutres, personne ne s'étonnait que les bouffons aillent également taquiner les Longs-Doigts. Perdus parmi les nains, Khar et Dhar exécutaient des cabrioles. Dans une roulade, ils aboutirent sous l'estrade et entreprirent leur mission.

Un doigt sur les lèvres, ils incitèrent les métissés à la discrétion.

– Continuez de regarder le spectacle, leur ordonna Khar.

– Que les enfants nous rejoignent sous les bancs, exigea Dhar.

À l'abri des regards, six jeunes métissés, incluant les filles de Nabi et d'Oliana, furent vêtus de costumes bigarrés, vêtements que les frères siamois avaient dissimulés sous les gradins avant l'arrivée des spectateurs.

– Faites comme nous, les convièrent les jumeaux en retournant vers la scène.

Les bouffons étaient si nombreux et les acrobaties de haute voltige si distrayantes que personne ne remarqua les nouveaux venus. En un rien de temps, ils s'éclipsèrent derrière les rideaux pour faire place aux cavaliers masqués.

Cette fois encore, les jongleurs émerveillèrent la cour. Les dagues volaient, toujours plus haut, toujours plus loin. Bientôt, des chariots légers attelés de chevaux blancs vinrent croiser les étalons, formant sur la piste une ronde démente. Les acrobates bondissaient d'un char ou d'une monture à l'autre. Parmi eux, La Bossue circulait, l'arc dressé comme une déesse de la chasse.

Soudain, une grande cible suspendue fut glissée sur la droite du chapiteau. Dans un synchronisme parfait, les jongleurs lancèrent quelques poignards qui se fichèrent jusqu'à la garde en plein centre du disque de bois. Il fallut un moment aux gens de la cour pour comprendre la portée de cette démonstration. Bÿron tressaillit.

« Cette fois, ce ne sont pas des jouets. »

À cet instant, un tintamarre de tambourins et de violes retentit, assourdissant les spectateurs. Sur la piste, tous les artistes s'étaient figés en position de combat. Armés de leurs dagues, les cavaliers et le géant aux quatre bras tenaient les soldats en respect tandis que l'archère visait la tête du roi.

Dès qu'il fit le geste d'agripper son page pour l'utiliser comme bouclier, Bÿron se trouva empêtré. De leur position surélevée, les funambules avaient jeté des filets sur lui et les dames de compagnie de la reine, laissant Oliana libre de s'élancer vers Nabi.

– À l'aide ! s'écria le roi dans le vacarme bien orchestré.

Ses appels se révélèrent d'autant plus vains que les musiciens avaient reçu des renforts. Tous les bouffons de la troupe s'étaient joints à eux pour battre du tambour avec frénésie. Les soldats, qui veillaient à l'extérieur du chapiteau, maugréèrent :

– Les voilà qui dansent... Pendant ce temps, nous, on se gèle les pieds !

D'un coup de fouet, les saltimbanques perchés désarmèrent les gardes. Quand ceux-ci voulurent se saisir de leur épée, ils découvrirent que leurs fourreaux avaient été détroussés. Au gré de leurs pitreries, les bouffons avaient subtilisé leurs armes ainsi que celles des favoris du souverain. D'autres filets tombèrent, prenant les militaires au piège.

Les gentilshommes tentèrent alors de secourir leur roi. À leur grand désarroi, ils découvrirent que les rubans à leur cou et à leurs poignets se resserraient. Dans un assemblage complexe de nœuds, les nobles spectateurs se retrouvaient liés les uns aux autres et rivés à leur banc. Plus ils se démenaient, plus leurs liens les entravaient.

Les opposants potentiels étant maintenant maîtrisés, Lom'lin projeta ses poignards sur les cordes qui tenaient la cible suspendue. La masse rigide bascula entre les gradins et la piste, formant, à l'usage des métissés, une passerelle légèrement inclinée. Les Longs-Doigts ne perdirent pas de temps ; ils l'empruntèrent pour courir vers les chariots de leurs libérateurs. Avant de grimper dans les voitures, ils se couvrirent des capes et des chapeaux fantaisistes que leur fournissaient les cochers.

Nabi avait déjà aidé son épouse à se hisser, devant lui, sur son étalon qu'il montait à cru. Il lui tendit un masque et une longue mante de soie.

– Où sont les filles ? s'inquiéta Oliana en observant la débandade autour d'elle.

Elle avait dû hurler pour dominer le tumulte des tambours.

– Les enfants sont entre bonnes mains, répliqua Nabi d'une voix forte. À cet instant, Cora et Dona sortent déjà de l'enceinte du domaine royal.

Il fallait fuir, et vite. Il guida son cheval vers la sortie.

« Désormais, nous sommes des hors-la-loi », songea-t-il en refermant un bras protecteur sur la taille de son épouse.

Lom'lin et Shinon prirent la tête du convoi. Dès qu'ils quittèrent le chapiteau, ils se dirigèrent vers le poste des officiers.

– La représentation est terminée, annonça Quatre-Mains. C'est maintenant l'heure du bal et du banquet. Demain, nous reviendrons chercher notre matériel.

– Vous ne restez pas pour la fête ? se moqua le plus haut gradé.

La mine fort courroucée, La Bossue lâcha :

– Il semble que nous ne soyons pas assez bien pour cette compagnie... Le roi nous a congédiés.

L'homme se gaussa.

– Madame, au pays de Môjar, il faut savoir tenir son rang. Disparaissez, puisque telle est la volonté du roi.

Les airs entraînants résonnèrent encore longtemps dans la nuit. Pendant que les musiciens jouaient à tue-tête et imitaient les voix des gens enivrés, les nains eurent tout le loisir de bâillonner le roi, les soldats de sa garde ainsi que les gens de la cour. Ensuite, les bouffons et les maîtres de musique s'éclipsèrent par petits groupes, se faufilant sous les panneaux de toile du chapiteau, leurs oripeaux remplacés par des manteaux sombres.

Les soldats de la garde extérieure ne commencèrent à s'étonner que lorsque le calme devint complet.

– Si la fête est finie, pourquoi les laquais ne font-ils pas venir les carrosses ?

✧

Au cœur de la nuit, une garnison fut dépêchée sur l'esplanade du marché pour fouiller les roulottes encombrées de costumes et d'accessoires Comme ils s'y attendaient, les soldats ne trouvèrent pas âme qui vive. Le cirque de Quatre-Mains avait disparu, la troupe était dissoute. Aucun applaudissement n'avait salué le succès de son dernier numéro.

– 26 –

Artos patienta jusqu'au milieu de la nuit avant d'entamer le processus de possession. Depuis la suprématie des sphinx, seuls quelques rares sorciers noirs avaient acquis assez de connaissances et de pouvoirs pour introduire leur esprit dans le corps d'un être vivant et le dominer. Le défi était de taille.

Grâce à Idris, Le Cobra parvint à se plonger dans une profonde méditation. Le rythme de son souffle et les battements de son cœur ralentirent, sa chair devint froide. Assis dans son fauteuil, le regard éteint, il ressemblait à un homme surpris par la mort.

D'abord, son esprit erra dans un néant obscur. Au cœur des ténèbres, il guettait le fil argenté qui reliait l'âme de Jordan à son enveloppe charnelle. Sa concentration sur l'image du garçon devait lui permettre de retrouver ce lien unique parmi tous les autres. Quand un éclat ténu trancha le vide, le sorcier formula une incantation qui comprima son corps astral et le fit pénétrer dans cette déchirure.

Le choc fut brutal : Artos eut l'impression que mille feux le brûlaient, puis il se mit à suffoquer. Il allait renoncer quand il ouvrit les yeux sur un décor familier. Il reconnaissait ces murs, ce mobilier, ce désordre.

« J'ai réussi », songea-t-il, à la fois ravi et inquiété par la sensation d'étouffement qui l'étreignait.

Il se souvint alors que Jordan avait pris froid. Son nez était obstrué et il avait du mal à respirer.

« Pas de panique », se conjura-t-il en remuant doucement.

Les membres du garçon lui obéirent sans mal. Il s'assit sur la couche humide de sueur et resta immobile, le temps de surmonter l'étrangeté de la situation. Dans ce corps d'enfant, il se sentait à l'étroit. Il tâta avec curiosité la poitrine rachitique, les bras maigrichons, le sexe minuscule. Enfin, il se glissa sur le bord du lit qui lui parut très haut. Le parquet glacé provoqua un frisson sur sa peau moite.

Pour éprouver sa dextérité, il referma ses doigts sur la corde du tambour, la lâcha et empoigna un des bâtons qui reposaient sur la peau tendue de l'instrument. Soudain, il aperçut le lion. Tombé sur le sol, l'animal rembourré semblait le toiser.

« Empoisonnons les relations entre le frère et la sœur », se proposa le sorcier en cassant la baguette.

Quand il obtint une pointe acérée, il éventra le lion et l'éborgna. Ensuite, il se rendit à la porte qu'il ouvrit, impressionné de la trouver si large, si grande.

✧

Aglaë se réveilla en sursaut. Quelqu'un marchait tout près ; son pas était mal assuré.

« Un intrus », s'affola la fillette.

Elle remonta ses couvertures sur sa tête et se figea, à l'écoute du moindre craquement. Le promeneur nocturne semblait hésitant.

« Ne sois pas idiote », se gronda tout à coup Aglaë en abandonnant sa cachette dérisoire.

Sur la pointe des pieds, elle alla jeter un coup d'œil dans le couloir. Elle reconnut immédiatement son frère. Le petit se dirigeait vers la chambre de ses parents.

« Encore son mauvais rêve », déduisit Aglaë, compatissante mais impuissante.

Lorsque les cauchemars de Jordan le tourmentaient, personne ne pouvait l'apaiser, hormis sa mère. Pressée de retrouver la chaleur de son lit, Aglaë s'apprêtait à reculer quand son frère se figea.

Dans le corps de Jordan, Artos pivota. Bien que satisfait de son succès, il venait de décider de ne pas prolonger sa première prise de possession ; il connaissait la précarité de son état et aspirait à réintégrer sa propre enveloppe charnelle.

« J'ai besoin de respirer librement », songeait-il, embarrassé par le mucus qui bouchait le nez du gamin.

Il allait retourner vers la pièce qu'il venait tout juste de quitter quand l'expérience se transforma en cauchemar.

- Non ! protesta en vain Le Cobra.

Entre les murs rapprochés du couloir, la voix enfantine résonna de façon spectrale, frappant Aglaë de stupeur.

– Non ! râla Artos.

L'esprit de Jordan avait commencé à s'activer, entraînant, dans ses méandres, la volonté du sorcier : le garçon rêvait.

Aglaë vit apparaître des lueurs terrifiantes dans les yeux de son frère. Elle se recroquevilla dans un coin d'ombre, comme si elle craignait d'être foudroyée. Ses précautions s'avérèrent inutiles ; Jordan ne voyait que ses chimères. Il fit volte-face, tituba vers la chambre des maîtres de magie, poussa la porte et disparut.

✧

Jordan détestait ce songe qui, depuis quelque temps, revenait trop souvent. Il avançait dans une forêt très sombre. Dans la nuit, des bêtes l'épiaient. Il ne les distinguait pas, mais il devinait leur présence à leur souffle haletant.

✧

Incapable de rompre sa transe et de revenir à lui, Artos assistait au rêve de Jordan. Le sorcier savait qu'il devait se concentrer. Pour se libérer, il fallait qu'il retrouve et prononce des incantations complexes, mais ses pensées s'égaraient, emmêlées à celles du petit.

✧

Comme toujours, les arbres étaient tordus, noueux. Plusieurs d'entre eux gisaient sur la mousse, tels des géants abattus. Dans leur chair pourrie, poussaient des champignons nauséabonds. Subjugué par une force incontrôlable, Jordan avançait vers le ruisseau. Pourtant, il redoutait l'instant où l'homme-tronc apparaîtrait. Comme par magie, il fut là. Tel un cadavre, gris et raide, il était étendu sur la rive. Un visage se dessinait dans l'écorce de l'arbre effondré : un visage d'ogre.

« Je dois le faire », se répétait Jordan en guettant le colosse endormi.

À la place des yeux, l'homme-tronc avait deux bubons proéminents. Les masses roulaient sous une taie, comme les yeux d'un rêveur. Leur texture spongieuse dégoûtait le gamin mais, malgré tout, il ne pouvait s'empêcher de se pencher sur les globes laiteux et tachés de noir.

✧

Artos se sentait oppressé. Il traquait désespérément le fil argenté qui pouvait le ramener à son corps abandonné. Son seul désir était de se retrouver lui-même, quelque part dans la Cité des sphinx. Il lui fallait échapper au délire de Jordan.

✧

Une fine déchirure s'ouvrit au centre du bubon de gauche.

« Je dois le faire », s'enhardit Jordan en notant que son poing était crispé sur un bout de bois acéré.

Il le brandit au-dessus du visage de l'ogre.

✧

Un cri strident retentit.

✧

Hµrtö et Mauhna s'éveillèrent aux hurlements d'Aglaë. Le Gris agrippa vivement le poignet de Jordan ; un instant de plus et la baguette effilée que tenait l'enfant aurait crevé l'œil de son père.

– Jordan ! s'effraya Blanche.

– Réveille-toi ! ordonna Hμrtö.

✧

Dans son cauchemar, Jordan se débattait. Une racine lui emprisonnait le bras.

– Trop tard, geignit-il.

La chair du bubon explosa et libéra une coulée de sangsues. Celles-ci grouillaient en produisant de petits bruits mouillés. L'autre pustule se fendit à son tour. De celle-ci émergea une nuée d'araignées. Les deux sources se mélangèrent pour enfanter un serpent. D'abord, le reptile s'enroula autour des chevilles du garçon. Ensuite, il grimpa pour l'emprisonner dans l'étau de son corps couvert d'écailles. Quand la tête de la bête fut à la hauteur du visage du gamin, le serpent ouvrit sa gueule et libéra sa langue fourchue.

✧

Mauhna se précipita hors du lit et saisit Jordan à bras le corps.

– Il faut faire descendre sa fièvre, lança-t-elle en l'emportant, étroitement serré contre sa poitrine.

✧

Coincé dans le corps immature de Jordan, Artos sentait le parfum de Mauhna, sa peau soyeuse, ses seins sous sa chemise de nuit. Le sexe du gamin était tendu, douloureux. Une souffrance intolérable venait de cette pulsion virile que l'enfant ne pouvait pas évacuer.

« Le fil d'argent », suppliait Artos en tentant de se remémorer la formule magique.

✧

Quand Blanche eut quitté la pièce, Hµrtö vint étreindre Aglaë. Restée sur le pas de la porte, la fillette tremblait.

– Qu'est-ce qu'il a, Jordan ? Est-ce qu'il va mourir ?

– Non, ma chérie ! Maman le soigne.

– As-tu vu les lueurs dans ses yeux ? sanglota la petite.

Le Loxillion embrassa le front de son aînée et dit :

– La fièvre, sans doute...

– Il a tenté de te blesser avec son bâton, hoqueta Aglaë.

Le Gris refusait de penser à ce qui se serait produit si sa fille n'avait pas été là pour l'éveiller.

– Tu sais, Jordan est somnambule parfois, expliqua-t-il pour dissiper son malaise et celui d'Aglaë.

– Il avait l'air si effrayant, insista la fillette.

Le magicien la conduisit à son lit. Quand elle fut bien au chaud, il lui donna un dernier baiser sur la joue.

– Tu ne dois pas t'en faire, recommanda-t-il d'une voix douce. Quand il est dans cet état, ton frère n'est pas lui-même.

Aglaë opina.

– Tu as raison, papa. Dans ces moments-là, Jordan ne s'appartient plus. Comme s'il était possédé...

En entendant ces mots, Hµrtö frissonna.

✧

Mettant inconsciemment Artos au supplice, Mauhna dévêtit Jordan et lui frictionna le corps avec de l'eau-de-vie. Ses gestes étaient à la fois efficaces et enveloppants. Par moments, ses cheveux décoiffés caressaient la peau dénudée du garçon. Entre ses paupières entrouvertes, le petit laissait voir au sorcier le visage de sa mère, sa gorge gracieuse, ses seins qui bougeaient au gré de ses mouvements. Le proscrit rêvait de glisser les doigts dans le décolleté, de tâter la chair, de pincer les mamelons provocants.

– Ça ne va pas ! commença à s'impatienter la guérisseuse.

Pressée de réduire la fièvre, inquiétée par le délire et les spasmes croissants de son petit, elle se résigna à utiliser un traitement plus radical.

Au moment où Blanche plongea l'enfant dans un bain froid, Artos vit enfin apparaître la ligne scintillante. Son esprit pénétra dans cette brèche qui devait le ramener à son enveloppe charnelle. La torture s'intensifia. Le sorcier crut que son être allait éclater comme les bubons véreux du cauchemar de Jordan.

Quand le rebelle réintégra son corps, ses doigts se crispèrent sur les bras de son fauteuil et sa tête heurta violemment le dossier. Il hurla. Secoué par un orgasme fulgurant, il éjacula.

– 27 –

Dès que les fugitifs avaient dépassé le poste de garde des officiers et franchi les grilles du domaine royal, ils avaient lancé les chevaux au galop, souhaitant s'éloigner aussi vite que possible du palais, du chapiteau et des captifs fulminants. Ils n'oubliaient pas que, parmi eux, se trouvait Bÿron. Ils devinaient que les rêves de vengeance du roi devaient avoir la couleur du sang.

Les Dezmoghör et les Longs-Doigts métissés gagnèrent en hâte leur retraite provisoire située dans un des vieux quartiers de la capitale. Là, dans une masure semblable à des centaines d'autres, les enfants avaient déjà trouvé refuge. Placés en sentinelles dans la ruelle, deux hommes attendaient l'arrivée des derniers fuyards.

– Vous voilà enfin ! lança Odam en accueillant Quatre-Mains et Nabi.

Odam était un jeune pâtre des montagnes. Bercé par les illusions de son âge, il avait quitté ses parents, son hameau escarpé et ses troupeaux pour venir à la ville. Ses espoirs de vie facile, de richesse et de gloire avaient vite tourné court. Shinon l'avait recueilli alors qu'il traînait dans les rues, affamé et l'air menaçant. La bonté de Fée avait fait fondre sa façade hargneuse et, depuis, il lui vouait respect et loyauté.

– Est-ce que tout est prêt ? demanda Shinon en entraînant les elfes-sphinx à l'abri du froid et des indiscrétions.

– Nous avons suivi vos instructions, confirma Vidal, le meilleur ami d'Odam.

Ils ne restèrent à l'intérieur du taudis que le temps d'expliquer aux rescapés comment ils allaient s'évader de la capitale fortifiée.

– Très bientôt – si ce n'est déjà fait –, Bÿron mettra ses hommes à nos trousses. Dans sa fureur, il sera impitoyable. Notre survie dépend de notre célérité et de la discipline de chacun d'entre nous.

– Je compte sur vous, conclut Nabi en donnant le signal du départ.

Enfin entouré de sa famille, le protecteur des zèbres et des pigeons semblait revenir à la vie. Son regard se posait avec tendresse sur Cora et Dona. Sa main ne quittait pas celle d'Oliana. Malgré la présence rassurante de son époux, la Longs-Doigts tremblait ; une angoisse insoutenable la tenaillait.

– As-tu le document ? lui demanda Nabi.

– Oui ! souffla-t-elle en fouillant dans la poche de son manteau pour en retirer un parchemin et un sceau.

Nabi embrassa ses lèvres livides, inquiet de l'immense tristesse qui noyait les yeux de sa bien-aimée. Il lut le texte du faux laissez-passer, puis examina le sceau.

– Je l'ai volé, avoua Oliana en frissonnant. Peut-être nous sera-t-il encore utile.

– Tu es très brave, la complimenta Nabi en espérant lui arracher un sourire.

En vain.

– Allons-y ! commanda-t-il, conscient que le moment ne se prêtait guère aux retrouvailles.

Des chariots attelés à des ânes les attendaient dans la cour où se mêlaient des odeurs d'écurie, de chou et d'épices. Chaque voiture était équipée d'un porte-fanal et d'un curieux encensoir. Khar et Dhar se bouchèrent le nez ; la fumée qui montait des cassolettes répandait des parfums de poivre brûlé.

Les fugitifs furent séparés en deux groupes. Se conformant aux directives reçues plus tôt, ils s'étendirent sur les plateaux des chariots et furent recouverts de bâches. C'est un convoi lugubre qui emprunta les rues pour gagner la porte ouest de la capitale. La nuit était fort avancée quand Odam, menant la première voiture, arriva en vue de la guérite du rempart occidental. L'officier des gardes le héla d'une voix agressive.

– Tu sais bien que personne ne doit sortir de l'enceinte avant le lever du jour, grogna-t-il, la main sur la poignée de son épée.

Le jeune pâtre retira son bonnet d'un air humble.

– Pardon, mon cap'taine ! Il le faut pourtant.

Il souleva le fanal accroché au poteau derrière lui et désigna une marque tracée à la chaux sur le dessus des bâches et les flancs des tombereaux. Odam eut beau tendre son laissez-passer, l'officier recula, les yeux horrifiés.

– La peste ! cracha-t-il, incapable de détacher son regard du symbole funeste.

Il fallut pourtant qu'il s'approche pour saisir le document que lui présentait le cocher. Oliana avait préparé cet ordre en spécifiant que les cadavres devaient être enterrés avant l'aube et en secret. Elle avait falsifié la signature du roi et utilisé le sceau dérobé dans son coffre.

– Voulez-vous voir les corps ? s'enquit Odam en feignant l'obligeance.

Conduisant le second fardier, Vidal lança :

– Ils ne sont pas beaux à voir, mais le pire, c'est la puanteur.

Le capitaine n'hésita pas longtemps : aucune alerte n'avait été donnée depuis la fermeture au crépuscule, la nuit était calme et les patrouilleurs n'avaient signalé aucun trouble.

– Sortez et emportez ces charognes loin des murs de la ville, ordonna l'officier. Brûlez tout : les chariots et les bâches.

Il tenait le document du bout des doigts comme si le vélin pouvait le contaminer.

« Les ordres sont les ordres », songea-t-il avec dégoût.

– Je dois le garder, annonça-t-il à Odam en pliant le faux pour le ranger dans son aumônière.

Il ordonna qu'on ouvre le portail et les tombereaux sortirent de la cité de Tör.

✧

Tout le temps qu'avait duré sa captivité sous les filets et les entraves, Bÿron avait eu le loisir de préparer sa riposte. Chaque recoin de la ville fut fouillé. On incendia les voitures de la caravane des Dezmoghör ainsi que leur contenu. Les soldats promirent les pires supplices aux aubergistes s'ils donnaient asile aux criminels. Après tout, les fuyards avaient porté atteinte à la sécurité et à la dignité de leur roi.

– J'ai été menacé par une archère bossue, abandonné par mes gardes, ligoté comme un malfrat, tempêta Bÿron devant son chancelier.

Celui-ci peinait à transcrire la longue liste des ordres qu'il recevait de son maître.

– On m'a volé ma femme et mes esclaves les plus précieux, poursuivit le roi, incapable de dominer son courroux.

Quand il devint évident que les fugitifs avaient quitté la cité, les officiers responsables des sentinelles furent convoqués. C'est ainsi que Bÿron apprit que ses soldats avaient été dupés par une autre mascarade.

– Des pestiférés, éructa-t-il en déchirant le laissez-passer qu'il n'avait jamais signé.

Quand le chancelier lui annonça que son sceau avait disparu, il n'eut plus aucun doute : la reine n'avait pas été enlevée contre son gré, elle l'avait quitté, elle l'avait déshonoré.

– Que mes garnisons se dispersent, exigea le souverain outragé. Retrouvez-moi cette traînée. Sillonnez toutes les routes. Au besoin, engagez des mercenaires. Qu'on ratisse le pays en entier. Ces traîtres ne doivent pas passer les frontières. Ramenez-les vivants. Je veux les voir pendus, même les enfants.

Malgré le désir des troupes d'obéir à ces ordres, malgré les promesses de récompenses qui les motivaient, les forces du roi de Môjar furent mises en échec. À peine lancés sur la piste des criminels, les hommes de Bÿron se heurtèrent à un adversaire aussi impitoyable qu'inattendu.

✧

Par des chemins peu fréquentés, Odam et ses amis conduisirent le convoi vers l'ouest. À l'ombre des montagnes, ils atteignirent un village perdu où les paysans vivaient dans l'ignorance des tumultes de la capitale. Quant aux citoyens de Tör et à leur roi, ils se souciaient comme d'une guigne de ces rustres montagnards ; ils n'avaient rien à offrir parce qu'ils étaient pauvres, et ne demandaient rien parce qu'ils étaient fiers.

Odam et Vidal y connaissaient des gens fiables. Après plusieurs heures de route à grelotter dans les chariots, les évadés pénétrèrent avec reconnaissance dans une auberge vétuste. Deux âtres réchauffaient la pièce centrale où les métissés et les Dezmoghör s'attablèrent. Le potage, le pain de seigle et les fromages qui leur furent servis leur parurent dignes d'un festin, tant ils étaient affamés. Toutefois, les fugitifs et leurs libérateurs ne se leurraient pas : ils étaient encore trop près de Tör et de Bÿron pour être à l'abri de ses représailles.

Après le repas, ils s'étendirent sur le sol. Emmaillotés dans leur manteau, ils se blottirent les uns contre les autres, comme au temps des persécutions de Mayko de Beyrez.

Dans un coin, Lom'lin, Nabi et Oliana étudiaient une carte de la région.

– Que faisons-nous maintenant ? demanda Quatre-Mains au protecteur des zèbres et des pigeons.

– Odam et Vidal proposent de nous héberger dans leur hameau natal. L'endroit se trouve au-delà des cols, sur l'autre versant des massifs. Ils croient peu probable que les troupes s'aventurent sur les sommets pour nous pourchasser... Du moins, pas avant le printemps.

Leur plan semblait réalisable ; pourtant, Quatre-Mains s'inquiétait.

– Si nos poursuivants retrouvent notre trace avant l'aube, ils forceront le pas pour nous rattraper avant la première gorge.

– Et tu crois qu'ils y parviendraient ? le questionna Nabi.

– C'est certain ! Avec les enfants, nous ne pourrons pas gravir les flancs escarpés aussi rapidement que des militaires bien entraînés.

Oliana referma frileusement ses bras sur sa poitrine ; à la lumière des bougies, son visage paraissait creux, ses yeux trop brillants. Elle était visiblement affolée à l'idée d'être capturée de nouveau et livrée à Bÿron. D'une voix anxieuse, elle renchérit aux remarques du Dezmoghör.

– Il nous faut du temps... Nous avons besoin de prendre de l'avance.

À ces mots, le visage poupin de Lom'lin s'illumina.

– Excusez-moi un moment. Je vérifie quelque chose et je reviens, dit-il en prenant congé des Longs-Doigts.

Il rejoignit Shinon qui venait d'endormir Khar et Dhar. Là, il employa toutes ses mains pour fouiller fébrilement dans son paquetage.

Profitant de cette interruption, Nabi couvrit les épaules d'Oliana d'une couverture et l'entraîna près du feu. Les époux ne s'étaient pas retrouvés seuls depuis la nuit d'été où Mayko avait enlevé les métissés.

– Ne veux-tu pas un peu de bouillon ? s'informa Nabi, la mine compatissante. Tu n'as rien mangé au repas...

Oliana refusa en secouant la tête.

– Qu'y a-t-il ? lui demanda doucement Nabi en l'attirant contre lui.

La belle se mit à pleurer et le repoussa, sans brusquerie mais fermement.

– Jure-moi que tu me tueras plutôt que de me laisser reprendre par Bÿron, lâcha-t-elle dans un sanglot.

– Nous lui échapperons, promit Nabi.

– Jure-le-moi, insista Oliana.

La Longs-Doigts le suppliait du regard. Soudain, son courage parut l'abandonner. Elle tomba à genoux, accrochée à Nabi. Incapable de la redresser, celui-ci s'assit sur le dallage. Cette fois, il refusa de se laisser repousser par sa bien-aimée. Oliana pleura longtemps, en silence, comme si son chagrin lui-même la couvrait de honte. Enfin, elle murmura :

– Nuit après nuit, cet homme m'a violée. Il a fait de moi sa putain.

– Ma chérie, ne dis pas cela, l'implora Nabi.

Sa blessure se réveillait ; maintenant, il ne pouvait plus occulter la vérité. La détresse de sa bien-aimée lui apparaissait dans toute son horreur.

– Je t'aime. Rien n'est changé entre nous, assura-t-il en soulevant le menton de sa compagne.

La protectrice des sources baissa les yeux pour échapper à son regard.

– Tu ne comprends pas.

– Tu as sans doute raison. Je...

– Tu ne comprends pas, répéta Oliana. J'attends un enfant.

D'abord, Nabi resta interdit. L'idée devait faire son chemin dans son esprit avant de descendre jusqu'à son cœur. Après un moment, il obligea Oliana à s'étendre et se lova près d'elle. Il la berça jusqu'à ce qu'elle s'endorme, rompue de chagrin et de fatigue.

✧

Quand le souffle d'Oliana devint profond et régulier, Nabi la borda et sortit rejoindre Quatre-Mains. Dehors, le Dezmoghör contemplait la silhouette des montagnes dans la nuit hivernale. Dès que Nabi fut plus près, le colosse lui montra un petit objet plat logé au creux de sa paume. Le miroir reflétait le ciel étoilé.

– Tout est arrangé, annonça Lom'lin, sans autre préambule.

– Que veux-tu dire ?

– Grâce à ce miroir magique, j'ai parlé à Hµrtö.

– Que peut-il pour nous ? Il est à l'autre bout du continent, s'étonna le Longs-Doigts.

– Certes ! Mais c'est un maître dans l'art de contrôler les éléments, rappela Lom'lin. Écoute bien... Entends-tu ce sifflement ?

Intrigué, Nabi tendit l'oreille. Un souffle ténu mais distinct lui parvenait.

– On dirait que ça vient du nord, fit-il remarquer.

– Une tempête incroyable va s'abattre sur le pays. La neige va bloquer les routes, le blizzard va balayer l'ensemble des territoires du Môjar. Ça durera cinq jours.

– Nous ne serons pas plus avancés si nous sommes également pris dans les congères, rétorqua Nabi.

– Voilà pourquoi Hµrtö épargnera les montagnes pendant les deux premiers jours. Ensuite, la glace effacera toute trace de notre passage.

Nabi contempla le firmament dégagé. Pour l'instant, rien ne présageait pareil déchaînement.

– La nuit est si calme.

Lom'lin rangea le miroir et tapota l'épaule de son ami.

– Nous partirons aux premières lueurs de l'aube, précisa-t-il. Bÿron ne nous retrouvera jamais.

✧

Hµrtö réalisa un prodige. Les premières garnisons du roi furent coincées dans les villages voisins de la capitale. Les autres troupes ne réussirent même pas à quitter l'enceinte de la cité. Aucun messager ne put porter les ordres de Bÿron pour obtenir les renforts nécessaires à une chasse dans tout le pays.

Le roi resta cinq jours à scruter le ciel dans l'espoir d'une éclaircie. Jamais le continent n'avait connu une telle tempête. Après l'accalmie, il fallut un long moment avant que les activités reprennent et que les hommes puissent emprunter les routes rétrécies par l'accumulation de neige et de glace.

Quand commença le cycle des lunes de neige, le roi du Môjar comprit qu'il était vain de s'entêter. Ses plans avaient été déjoués : en souveraine absolue, la nature l'avait vaincu.

✧

L'ascension des massifs s'avéra pénible pour les sang-mêlé et les Dezmoghör. Sans l'aide d'Odam et de Vidal, ils se seraient perdus dans les méandres des pentes et des cols.

L'arrivée d'autant d'étrangers sema quelque émoi dans le hameau isolé, mais bientôt les nouveaux venus furent traités comme des amis et ils se sentirent chez eux dans ce décor à flanc de montagne.

Tout leur rappelait leur existence à Beyrez : la vie simple, les chèvres, les brebis, le lait tiré pour fabriquer les fromages, le filage de la laine, le tissage. En échange de l'hospitalité des montagnards, Shinon leur révéla ses secrets, sachant que ces mêmes connaissances avaient autrefois bâti et consolidé la prospérité de son propre bourg.

L'hiver passa. Malgré le plaisir qu'ils éprouvaient à vivre en ces lieux, les fugitifs savaient qu'ils devaient quitter leur refuge. Jamais ils ne seraient en sécurité sur le territoire du Môjar. Ils redoutaient surtout d'attirer les foudres de Bÿron sur ceux qui les avaient hébergés.

✧

La veille de leur départ, Nabi persuada Oliana de l'accompagner pour une promenade. Son épouse n'avait pas retrouvé ses forces ni sa gaieté. Sa grossesse, maintenant apparente, lui rappelait cruellement les outrages qu'elle avait subis. Souvent, elle rêvait que son ventre se rebellait et rejetait ce fruit illégitime. Mais ce n'était que fausses espérances : l'enfant s'accrochait à la vie.

Nabi tentait de réconforter sa bien-aimée. Toutefois, il ne se résignait pas à partager sa couche, son corps refusant d'étreindre l'enfant de Bÿron pour aimer Oliana. Cette distance les faisait souffrir l'un et l'autre.

– Viens, insista-t-il. J'ai une surprise pour toi.

Son désir était si ardent de rétablir leur intimité et leur complicité qu'il avait entrepris une quête. Avec humilité, il avait ouvert ses yeux et son âme. Son instinct lui avait montré la voie.

– Où me conduis-tu ? questionna Oliana, étonnée de la direction qu'il avait prise.

– Derrière cet amas de pierres, répondit Nabi en l'aidant à franchir un repli de roc.

– Mais..., voulut protester la Longs-Doigts.

Elle s'interrompit devant le spectacle d'une source cristalline qui scintillait dans les rayons du soleil.

– Noble et Grande Mère, appela Nabi, je vous implore d'accueillir votre fille et de la bénir. Aidez-la dans sa détresse.

Le flot devint plus abondant et le visage de la déesse apparut dans l'onde.

– Ta foi m'a émue, déclara Shahana en regardant le protecteur des zèbres et des pigeons. Ton amour est puissant même si tu le juges imparfait.

Oliana toucha l'onde en pleurant.

– Ma bonne marraine, je me sens défaite. La joie me fuit, ma source se tarit. Son eau est souillée, comme moi...

– Bois, se contenta d'ordonner la divinité.

Ensuite, elle demanda à Nabi de dévêtir sa femme. Dans le creux de ses mains, l'époux puisa l'eau saine de la source pour la mélanger à celle du sphinx d'Oliana. Il répéta le geste neuf fois en proclamant :

– La pureté soulage ton âme. Par elle, l'enfant innocent est absous des péchés de son père. Les larmes, débarrassées des venins, nettoient tes yeux et les miens. Je te reconnais enfin, toi, mon aimée. Et toi, renaîtras-tu à notre amour ?

– J'y renaîtrai, car mon cœur et mon corps seront bientôt apaisés, enchaînait Oliana après chaque itération.

La Noble et Grande Mère s'éclipsa avant la fin du rituel. Son sourire attendri se fondit dans l'onde quand les époux commencèrent à ponctuer leurs serments de baisers et de caresses. Bientôt, Oliana sentit que ses muscles se dénouaient.

– Je t'aime ! dit Nabi, les mains posées sur le ventre arrondi. Je t'aime telle que tu es.

À ces mots, la souffrance quitta enfin l'âme d'Oliana. Convaincue qu'elle ne serait pas rejetée, elle dévêtit son bien-aimé, émerveillée de sa beauté et de la pureté de son désir.

Dans le décor alpin, étendus sur un lit de mousse, les amants redécouvrirent la douceur de leurs étreintes. Leur passion retrouvée célébrait la vie et peu leur importait qu'elle ait été donnée par un roi cruel. L'enfant grandirait désormais dans un creuset de tendresse.

– 28 –

Le petit garçon se rapprocha de la fillette vêtue de bleu. Elle ne le voyait pas encore et il anticipait avec excitation le moment où il la ferait sursauter. Depuis sa cachette, il contemplait la frimousse un peu grave de la jeune demoiselle. Le gamin rêvait de lécher ses lèvres rondes et roses pour enfin savoir si elles goûtaient la cerise.

Tel un chat, il sauta par-dessus la botte de foin, bien décidé à voler un baiser à la belle enfant. Sa proie lui échappa de justesse et s'élança dans le pré.

– Tu ne réussiras pas à me rattraper, défia-t-elle le garçon en riant.

Ainsi se déroulait leur jeu favori. Qu'il était grisant pour le petit de courir dans le pâturage fleuri, de sentir le soleil sur son visage et la caresse de la brise sur sa peau. À ce moment de la course, deux autres garçons quittaient leur cachette pour se joindre à lui ; ensemble, ils pourchassaient la fillette qui les narguait en filant comme le vent.

– Je l'aurai, s'enhardit le gamin en redoublant d'efforts.

Mais il trébucha. Sous ses pieds, la terre semblait se liquéfier. Il se releva et tenta de s'extirper de la fange dans laquelle il était tombé. La vase lui montait jusqu'aux mollets et continuait de l'engloutir. Il tressaillit quand des mains surgirent du sol boueux. Au bout de leur bras long et souple, elles s'ouvraient et se refermaient comme les pinces d'un crabe. De plus en plus nombreuses, elles s'agrippaient aux jambes du garçon. Les mains s'introduisaient sous sa tunique noire et le touchaient de façon impudique.

– À l'aide ! supplia l'enfant.

Il voyait s'éloigner la fillette et ses poursuivants. Emportés par l'ivresse de leur course, ils n'entendaient pas l'appel de leur ami pris au piège.

Terrifié à l'idée d'être enseveli, il mordit les paumes crasseuses, cassa les doigts, brisa les tiges charnues et parvint à quitter la mare de sable mouvant. Couvert de boue et d'écorchures, il marcha pesamment jusqu'à l'orée de la forêt. Là, il retrouva la jeune demoiselle encadrée des vainqueurs qui lui tenaient fièrement le bras.

– Tu as perdu, le railla Mauhna.

✧

Sotra glissa sur la voûte du plafond pour observer son maître. Le sorcier avait gémi dans son sommeil. L'ombre se pencha, interdite : Artos pleurait. L'hiver précédent, Le Cobra avait pris possession du corps de Jordan. L'expérience avait dérapé et, depuis ce temps, le proscrit était hanté par des cauchemars.

✧

Dans son rêve, ils étaient tous enfants. Blanche, Hµrtö et Jordan se moquaient de la tunique et des genoux lacérés de leur camarade. Artos cherchait en vain les mots pour leur décrire sa mésaventure et la frayeur qu'il avait ressentie. De dépit et de frustration, il pleurait. Cette fois encore, il était exclu. Une fois de plus, il était condamné à la solitude.

Dans un sursaut de fierté, il essuya ses larmes et marcha vers les bois. Sa bravade produisit la réaction attendue.

– Ne fais pas ça ! l'implora Mauhna en se précipitant vers lui.

Elle lui saisit le poignet et tira pour l'obliger à revenir sur ses pas. Pendant quelques instants, la fillette fut si proche qu'il aurait pu l'embrasser. Mais, dominé par sa colère, Artos n'aspirait plus à la saveur d'un baiser mais à celle de la vengeance. Il se dégagea et s'éloigna dans les fougères.

– Je vais la réveiller, annonça-t-il d'un ton provocateur.

Effrayé par la folle témérité de son frère de sang, Le Gris voulut le raisonner. Ses protestations restant sans effet, il menaça son ami rebelle d'aller prévenir leur maître.

– Hodmar va te punir, présagea Blanche, accablée.

L'entêté les ignora.

– Jordan, viens avec moi ! proposa-t-il au plus jeune de la bande.

– Non ! tenta de s'interposer Hµrtö.

– Ne commets pas la bêtise de le suivre, conseilla Mauhna au protecteur des hérissons.

Artos cracha dans la direction des deux trouble-fêtes.

– Vous n'êtes que des lâches ! siffla-t-il.

Trop fier pour supporter d'être traité de froussard, Jordan rejoignit l'aventureux garnement et ils s'enfoncèrent sous le couvert des arbres.

✧

Le Cobra remua sur sa couche. Il secoua la tête comme s'il cherchait à s'éveiller, mais sa conscience échoua à repousser le rêve.

✧

– Qui veux-tu réveiller ? demanda Jordan dans le sillage de son guide.

– Tu le sauras bientôt, promit Artos à ce compagnon qui lui ressemblait comme un jumeau.

Le cœur battant, les gamins avancèrent encore un moment dans les bois silencieux. L'endroit était sombre. Peut-être la nuit était-elle venue. Tout à coup, les arbres disparurent et les enfants descendirent au creux d'un vallon ténébreux. Au fond de cette coupe, la lave formait une mare bouillonnante qui teintait le décor de rouge. Sur un îlot de granit, au centre de la pierre en fusion, une gigantesque statue de verre se dressait.

– Voici Korza, la déesse de cristal ! s'extasia Artos.

Dans son rêve, l'enfant sorcier était fasciné par la volupté de l'idole nue. Sur son corps transparent se reflétaient les lueurs de la lave embrasée. Envoûté, le jeune rebelle n'avait plus qu'un désir : toucher la déesse.

Pour la rejoindre sur son île, il fallait sauter de roche en roche, au risque de glisser dans la vase brûlante. Artos bondit sur la première pierre, puis sur la suivante. Dans un équilibre parfois précaire, il parvint enfin au pied de la statue.

– Réveille-toi ! commanda-t-il en caressant le galbe de la cheville colossale de Korza.

Pendant ce temps, Jordan reprenait le parcours de son complice.

– Attends-moi ! geignit-il, irrité qu'Artos tente de briser seul le sommeil de la déesse.

Il s'indignait en pure perte car Korza refusait de répondre aux invocations d'Artos. Au comble de l'exaspération, voulant hâter sa progression, Jordan devenait imprudent.

– Ce n'est pas juste ! se lamenta-t-il en s'écrasant maladroitement sur une pierre plate située à mi-chemin entre la berge et l'îlot.

Ayant atterri sur le ventre, il se mit à quatre pattes et découvrit, juste sous son nez, un amas de galets. Il en saisit un et le lança de toutes ses forces à la figure de la déesse du mal.

– Que fais-tu là ? s'insurgea Artos.

– Je vais la détruire ! As-tu oublié que je suis le porteur du sphinx des sphinx..., le fléau de Korza ?

Le cristal se fendilla un peu sur la joue de la déesse. Sa tête fut parcourue de brefs scintillements, mais l'effet disparut aussitôt, laissant le verre inerte. Encouragé, Jordan jeta encore deux pierres.

– Attention ! hurla soudain Artos.

Trop tard. Déséquilibré par le mouvement de son bras, le protecteur des hérissons bascula et chuta dans la lave. Supplicié, son corps flambait comme une torche. Alors une voix terrible fendit la nuit :

– Seule la pureté sacrifiée pouvait me libérer de mon sommeil.

À cet instant, la déesse de cristal ouvrit les yeux.

✧

Brusquement réveillé, Le Cobra se leva et s'efforça de reconstituer la trame de son rêve. Sotra tournait la tête à gauche puis à droite, pour suivre le va-et-vient fébrile de son maître.

Après un moment, Artos se figea, prêt à lancer l'incantation de son voyage-éclair.

– Ah non ! rechigna l'ombre qui avait lu, dans ses pensées, les intentions du mage noir.

– Cesse de maugréer et viens. J'ai besoin de ton aide pour accélérer les recherches.

– Mais pourquoi la tournée des fresques ? C'est ennuyant à la fin, rouspéta l'affidé.

– Connais-tu un meilleur moyen de découvrir ce sortilège ? Tant que je n'aurai pas les clés d'or, d'argent et de platine, je ne pourrai pas libérer Korza de son volcan. Par contre, rien ne m'empêche de la tirer de son sommeil. J'aurais dû y penser avant ce songe...

– Ses effets maléfiques seront limités, fit remarquer l'affidé d'un ton boudeur.

– Ce sera mieux que rien, soutint Artos.

Il disparut pour se matérialiser devant le temple dédié à la déesse de cristal.

– Si je trouve par quel enchantement les sphinx ont endormi Korza, je pourrai inverser le processus.

Le sorcier l'ignorait encore, mais il allait ajouter à sa liste une autre raison d'accroître son emprise sur la volonté de Jordan. Le fils de ses ennemis représentait à la fois la plus grande menace pour ses projets et l'arme la plus redoutable pour les accomplir.

– 29 –

Il fallut six jours aux fugitifs pour descendre le versant ouest des montagnes et atteindre la vallée où s'étalait l'immensité étincelante de plusieurs lacs. Odam les conduisit dans un bourg paisible où Quatre-Mains acheta des péniches.

Le pâtre resta longtemps sur la berge, à saluer ses amis qu'il ne reverrait sans doute jamais. Le cœur serré, il vit disparaître les barques vers le sud. Par cette voie toujours vierge, les sang-mêlé et les Dezmoghör allaient quitter le Môjar. Par cette route qu'aucun chasseur ne pouvait pister, ils espéraient traverser le pays de Gohtes et atteindre les rives de l'océan.

✧

La crue printanière gonfla les eaux, favorisant le déplacement rapide des esquifs et leur passage dans les rapides. Azpar se révéla un pilote émérite. Il menait la première barque, sondant les profondeurs et repérant les écueils.

Ils vécurent sur les embarcations, ne les quittant que pour se ravitailler. Toujours gantés, les métissés faisaient leurs achats à la hâte et repartaient aussitôt. Ils avaient compris qu'au pays de Gohtes, comme ailleurs sur le continent, les elfes-sphinx constituaient une rareté qui attisait la convoitise des chasseurs d'esclaves.

Bientôt, les rives s'éloignèrent. Devenu fleuve, le courant subit l'effet des marées.

– Nous sommes dans un estuaire, expliqua Azpar. Si nous poursuivons, nous aboutirons à l'océan.

Les péniches n'étant pas construites pour naviguer au large, ils longèrent les berges d'une baie, à la recherche d'un endroit isolé où jeter l'ancre. Au bout d'un certain temps, ils dénichèrent le refuge idéal : une plage en forme de croissant. L'étendue de sable était délimitée par des falaises caverneuses et encadrée, par des chutes vertigineuses qui se jetaient dans la mer.

– Personne ne pourra venir nous surprendre par les terres, fit observer Lom'lin, satisfait de cet abri naturel. Néanmoins, nous établirons des tours de garde pour surveiller la mer.

Ses yeux fixaient l'horizon. Il resta quelques instants silencieux avant de lancer :

– Il nous faut un navire.

– Un navire ? s'étonna le protecteur des zèbres et des pigeons.

– Oui, acquiesça Azpar qui avait suivi le regard de Quatre-Mains. Tant que nos ennemis seront vivants, nous ne serons pas en sécurité sur le continent.

– Suggérez-vous que nous partions pour les colonies ? s'enquit Oliana qui arrivait, accompagnée de Shinon.

La grossesse de la Longs-Doigts arrivait à son terme. Depuis que la métissée avait purifié son sphinx et son âme, son corps s'était renforcé, ses traits s'étaient épanouis et sa voix était redevenue cristalline.

Lom'lin leva une de ses mains et pointa l'océan du doigt.

– Inutile de s'exiler aussi loin, déclara-t-il en réponse à la question d'Oliana. Tentons notre chance là-bas.

La brume voilait par moments la silhouette de l'île.

– Il nous faut un navire, répéta Nabi, soudain fébrile à l'idée de mettre un bras de mer entre lui et le monde des humains.

Ils tombèrent vite d'accord : ils iraient explorer l'endroit et, s'il ne leur semblait pas assez sûr, ils s'éloigneraient pour toujours d'Anastavar, traverseraient l'océan et commenceraient une nouvelle existence dans les colonies.

✧

L'exécution de leur plan dut attendre quelques jours.

– Il vient, annonça Oliana au milieu de la nuit.

Les premières contractions l'avaient réveillée en sursaut. Elle s'était levée discrètement pour ne pas alerter inutilement les membres de la communauté.

« Peut-être que ça passera », s'était-elle dit en quittant la grotte où ils s'étaient installés pour s'abriter des orages des lunes douces.

Mais les douleurs devenant régulières et plus intenses, elle était revenue auprès de Nabi et l'avait doucement secoué.

– Le bébé..., haleta-t-elle, quand il ouvrit les yeux.

À l'aube, sous les rayons obliques d'un soleil orangé, Oliana mit au monde deux garçons.

– Des Longs-Doigts ! précisa Fée en emmaillotant les nouveau-nés.

Le premier avait le crâne couvert d'un duvet blond qui rappelait la chevelure de sa mère. Robuste, il démontra, par ses pleurs insistants, que sa soif était aussi impérieuse que sa volonté de vivre.

On avait du mal à croire que le second bébé était son jumeau. La tête hérissée de mèches noires, il remuait à peine, comme si un poids insupportable lui écrasait le cœur. Sur son front, une petite tache décolorée dessinait la forme parfaite d'une étoile. Oliana tenta en vain de nourrir l'enfant. Le petit refusait de boire. À la tombée du jour, il mourut sans avoir émis une seule plainte.

Après avoir recouvert le bébé d'un linceul, Nabi et Oliana l'emportèrent à l'extrémité ouest de la plage. Là, l'eau tumultueuse de la cascade fendait les flots marins. Le décor semblait faire écho aux sentiments confus qu'éprouvaient les époux métissés.

– Pauvre petit ! s'apitoya Oliana en retenant, contre l'assaut du vent, le voile qui recouvrait le cadavre décharné.

Nabi pensait au nourrisson, à sa chevelure sombre, à son visage étroit. L'enfant à l'étoile s'était-il sacrifié pour effacer la faute de son père ? Avait-il offert sa vie en échange du salut de son frère ?

– Physiquement, il aurait ressemblé à Bÿron, affirma le protecteur des zèbres et des pigeons. Par contre, son jumeau a hérité de ta grâce.

Ils contemplèrent la chute et la brume de gouttelettes qui vacillait dans les lueurs du soleil couchant.

– Devons-nous garder le survivant ? demanda la Longs-Doigts en dévisageant son époux.

– La décision t'appartient. Si tu le veux, cet enfant deviendra notre fils, lui confia Nabi. Mais toi, sauras-tu le chérir ? Réponds sincèrement.

En prenant soin de ne pas glisser sur les pierres humides, les deux sang-mêlé s'approchèrent encore plus de la chute. Sans surprise, ils virent apparaître les traits de Shahana, La Noble et Grande Mère. Bientôt, derrière elle, la figure virile du dieu de la terre se découpa à même le roc de la falaise.

– Regarde ! s'exclama tout à coup Nabi en désignant l'océan sur sa gauche.

Une silhouette aqueuse surgissait des vagues marines ; le personnage colossal portait une couronne de corail et un trident.

– Oliana, les dieux sont témoins de ton dilemme, assura Shahana. Quel que soit ton choix, ils t'aideront à l'assumer.

Alors la protectrice des sources secoua la tête.

– Je ne saurai pas aimer ce petit. J'ai beau pressentir qu'il ne deviendra pas aussi cruel que Bÿron, je n'y peux rien. C'est trop me demander.

La déesse opina. Silencieuse, elle attendait la suite.

– En ce cas, que ferons-nous de l'enfant ? questionna Nabi.

Oliana pleurait.

– La seule chose qui soit juste pour cet être innocent, dit-elle. Nous le rendrons à son père.

Inconsciemment, la Longs-Doigts serrait contre son sein le corps inerte du jumeau à l'étoile. Avec une douceur infinie, Nabi lui reprit le bébé sans vie.

– Et celui-ci sera rendu à la mer, murmura-t-il pour consoler son épouse.

Il avança sur un rocher battu par les vagues et présenta aux dieux le fils du roi du Môjar.

– Voici l'enfant à l'étoile. Par esprit de justice et par amour pour son frère, il a sacrifié sa vie. Lui accorderez-vous le repos ?

L'eau de la chute dévia alors de son cours pour se marier à une vague. Quand l'eau douce et l'eau salée se rencontrèrent, elles formèrent une main surnaturelle. Sur la paume gigantesque, Nabi déposa le bébé.

– Paix à ton âme, petit prince ! le bénit Nabi.

Les doigts des dieux se refermèrent délicatement sur l'offrande et l'emportèrent dans les remous.

– Tu as écouté ton cœur... Ton choix est sage, assura Nabi en rejoignant sa compagne sur la berge.

Celle-ci se réfugia dans ses bras. Quand elle eut séché ses larmes, son mari lui fit une promesse.

– Dès que possible, j'irai confier l'enfant survivant à quelqu'un qui s'assurera de le rendre à son père.

La Longs-Doigts acquiesça.

– Je mettrai le sceau de Bÿron dans le berceau du petit et, à compter de ce moment, je tirerai un trait sur cet épisode de ma vie. Dès lors, toi et moï, nous serons vraiment libres de quitter le continent, affirma-t-elle avec ferveur.

Dans l'onde de la chute, La Noble et Grande Mère sourit à la protectrice des sources.

– Nous irons vers une nouvelle existence, conclut Oliana en lui rendant son sourire.

La première lune se levait, tandis que le soleil jetait ses feux rougeoyants sur la surface de la mer. Le disque de l'astre du jour disparaissait à moitié à l'horizon quand Nabi écarquilla les yeux. Une vague gigantesque courait sur l'océan et se dirigeait vers le rivage.

Au moment de s'abattre sur la plage, le déferlement se fendit en deux et ouvrit ses torrents comme les portes d'une forteresse. Émergeant des embruns, marchant sur les flots, un superbe étalon s'avança. Il était complètement noir, à l'exception d'une étoile blanche ornant son chanfrein.

– Nabi, les dieux t'offrent ce présent en récompense de ta foi, annonça Shahana. Minuit appartient à une race aussi noble qu'ancienne. Il possède des pouvoirs incomparables, incluant celui de longue vie.

Le cheval bondit sur la berge. Majestueusement, il baissa la tête et martela le sol d'un coup de sabot pour saluer son maître.

– Merci, réussit à balbutier Nabi, malgré l'émotion qui lui contractait la gorge.

Le dieu de la mer disparut dans les flots. Celui de la terre s'enfonça dans la paroi de la falaise. Avant de les suivre dans l'univers éthéré des esprits, Shahana ajouta :

– Honore Minuit et il te rendra ton respect et ton affection.

✧

Trois jours plus tard, Nabi et Shinon s'apprêtèrent dès l'aube. Avant de confier à Fée le fils survivant de Bÿron, Oliana pria pour que le petit prince reçoive ailleurs la tendresse qu'elle se sentait incapable de lui accorder.

– Sois digne du sacrifice de ton frère, murmura-t-elle en baisant tristement le front de l'enfant mal aimé.

Au plus proche village, Nabi loua une voiture. Ayant repris l'apparence de La Bossue, la Dezmoghör alla frapper à la porte d'un seigneur de la région. Bien qu'elle et Nabi soient des étrangers, le maître des lieux les reçut avec courtoisie. Il s'agissait d'un baron ayant la réputation – Nabi s'en était assuré au préalable – d'être bienveillant. Refusant de s'enrichir aux dépens de ses sujets, cet homme débonnaire et sa noble famille vivaient modestement dans un manoir qui avait grand besoin d'un nouveau toit.

– Il est magnifique, s'extasia la baronne, en contemplant le nourrisson endormi dans son couffin.

Sans détour, Shinon raconta à ses hôtes l'histoire de l'enfant. Elle insista sur son ascendance royale et termina avec le marché qu'elle leur proposait.

– Nous vous donnerons la somme que vous exigerez, précisa-t-elle en devinant que son offre arrivait à point nommé pour le seigneur désargenté.

L'hésitation du baron et de son épouse fut brève. L'entente étant conclue, ils firent le serment de prendre soin du nourrisson et de l'emmener aussi vite que possible dans la capitale du pays voisin.

– Voici le sceau du roi du Môjar. Rendez-le au souverain en même temps que l'enfant, expliqua Nabi. Dès lors, vous aurez accompli votre devoir et le sort du petit reposera entre les mains de son père.

– Qu'arrivera-t-il si le roi ne reconnaît pas l'enfant pour le sien ? s'inquiéta le baron.

– Le bébé ressemble tellement à sa mère que la chose serait étonnante.

– Malgré tout, si le souverain rejette son fils, pourrons-nous le garder ? demanda la maîtresse du manoir, déjà séduite par la grâce du bébé.

Shinon opina.

– Son sort serait sans doute plus doux ici, auprès de vous, confessa-t-elle. Malheureusement, ni vous ni moi n'avons le droit d'en décider, déplora-t-elle.

✧

Pendant que Shinon et Nabi s'acquittaient de cette tâche, Quatre-Mains, Azpar et les autres fugitifs naviguaient, en péniche, jusqu'à une ville portuaire. Il fallut que Lom'lin se déleste des barques et d'un véritable trésor pour acquérir un bateau capable de prendre la mer. Le temps que durèrent ces tractations, les métissés achetèrent suffisamment de vivres pour remplir les cales du navire.

Azpar ramena le bateau et la troupe dans le havre de la baie qu'ils avaient quitté quelques jours auparavant. Là, ils attendirent avec impatience le retour de Fée et de Nabi. Dès que les fugitifs furent réunis, Azpar leva l'ancre. Le navire prit le large, toutes voiles déployées, salué par les lueurs de l'aube.

– La mer est paisible et le ciel sans nuages, observa le capitaine, satisfait.

– Combien de temps nous faudra-t-il pour atteindre l'île ? demanda Nabi à son ami.

– Deux ou trois jours, si les vents nous sont favorables, estima Azpar en sondant l'horizon du regard.

Au loin, la silhouette de l'île se dessinait. Minuscule point à l'horizon, cette tache sombre sur l'azur représentait l'espoir des fugitifs. Là-bas, ils comptaient retrouver une existence paisible, protégés contre les oppresseurs, les outrages et l'humiliation.

- 30 -

Tandis qu'ils approchaient de leur destination, une tempête s'abattit sur l'océan. Accroché à la barre, Azpar hurlait des ordres. Les voiles avaient été descendues, le pont libéré de tout objet mobile. Les métissés et les Dezmoghör se cramponnaient aux mâts, aux câbles, au bastingage, guettant les vagues, toujours plus hautes, qui faisaient durement tanguer le navire.

Les soubresauts étaient si violents que personne ne voulait rester à l'intérieur. Là, le ballottement et l'air confiné devenaient insupportables. Sur le pont, enfermé dans une stalle de fortune, Minuit hennissait. Le cheval mythique ajoutait au vacarme en ruant contre la cloison de son abri.

Chacun tentait de se conformer aux directives d'Azpar, comptant sur son expérience pour vaincre la fureur des éléments. Quand le capitaine aperçut une vague colossale qui menaçait de déferler sur la proue, il cria à ses amis de retourner dans le ventre du bateau.

– Au risque de vous vomir les tripes, réfugiez-vous dans la cale !

Devant l'imminence du danger, les métissés obéirent promptement.

– Va, je m'occupe des jumeaux, lança Lom'lin à Shinon.

Pour plus de sécurité, le Dezmoghör avait noué une corde autour de la taille de ses fils. Le câble avait ensuite été attaché à un mât. À une dizaine de pas du poteau, malmenés par l'agitation du navire, les frères siamois s'agrippaient à une lisse. Quatre-Mains entreprit de défaire les nœuds, mais le chanvre mouillé résistait à ses efforts. Sans plus attendre, il dégaina sa dague.

– Vite ! le supplia Shinon, déjà engagée dans sa descente vers la cale.

Les pieds sur le cinquième barreau de l'échelle, elle voyait Lom'lin et les petits centaures se débattre avec la corde. Derrière eux, la vague sombre s'enflait, semblable à une montagne en mouvement.

Avant même que Quatre-Mains ait pu couper le câble, celui-ci se détendit et se mit à pendre mollement dans sa main. À l'autre bout, Khar avait devancé son père. Avec un canif de poche, il avait rompu le lien.

– Non ! protesta en vain Lom'lin.

« Comment vais-je les retenir si un flot soudain les happe ? » s'affola-t-il en s'élançant vers les jumeaux en péril.

Trop tard. La vague s'étant cassée, la trombe s'écrasa avec fracas sur le bateau. Quatre-Mains fut englouti. Quand la corde lui fouetta la joue, il s'en saisit, évitant ainsi d'être emporté par le courant. Tout à coup, sous l'eau, il vit battre les sabots des garçons. Dans le bouillonnement aveuglant des remous, il attrapa une cheville et tira. Il eut beau lutter, un tourbillon violent lui fit lâcher prise. Quand l'eau se retira, le Dezmoghör se retrouva affalé sur le pont. Crachant de l'eau, il se mit péniblement à quatre pattes.

– Khar ! Dhar ! appela-t-il d'une voix démente avant de s'effondrer de nouveau.

– Où sont-ils ? hurlait Shinon, dégoulinante.

Elle s'était désespérément accrochée à l'échelle, espérant attraper la main de Khar ou celle de Dhar. La dame ailée se hissa et se précipita vers le bastingage, cherchant les jumeaux dans la mer déchaînée. Alertés par ses sanglots, les métissés remontèrent de la cale.

– Que se passe-t-il ? s'inquiéta Nabi en aidant Quatre-Mains à se relever.

Lom'lin avait failli se noyer. Pourtant, il repoussa vigoureusement son ami pour rejoindre son épouse. C'est alors que Minuit enfonça la porte de sa stalle. Enfin libéré, l'étalon courut sur le pont, prit son élan, sauta par-dessus la rambarde et se jeta dans les flots.

Bien que bouleversé, Azpar se força à secouer sa torpeur. Une autre vague pointait au loin. S'il voulait éviter d'autres drames, il fallait qu'il se montre ferme. La survie de ses amis dépendait de son sang-froid.

– Nabi ! Oblige-les à descendre et reviens me prêter main-forte.

– Mais... Les enfants... Il faut tenter de...

– Nous ne pouvons rien pour eux. Si vous ne voulez pas tous périr, obéissez-moi, ordonna le gaillard, luttant pour contrôler la barre qui tressautait sans cesse.

Les métissés obtempérèrent à contrecœur, entraînant avec eux les Dezmoghör en état de choc. Quand Nabi revint, il resta bouche bée. Cette fois, c'était un véritable raz-de-marée qui menaçait le navire.

– Tiens le gouvernail dans cette position, exigea le capitaine dès qu'il aperçut son ami à travers les embruns. Et si tu peux, prie...

– Nous n'en réchapperons pas, présagea le protecteur des zèbres et des pigeons, atterré.

Au mépris du danger, Azpar se rendit vers la proue et jeta des amarres dans le vide.

– Que fais-tu ? s'étonna Nabi.

Sa voix se perdit dans la tourmente. Tout à coup, il vit la mer se fendre entre le bateau et la vague. Dans un jaillissement d'écume, la tête d'un monstre marin émergea. Bientôt, la créature surnagea et s'approcha de la coque. Nabi eut alors l'occasion d'apercevoir le museau fuselé de l'hippocampe géant et sa queue recourbée.

La bête referma sa gueule sur un cordage. Mais, plutôt que de tirer le navire à l'écart du raz-de-marée, le monstre fila directement vers son centre, apparemment inconscient du danger. Azpar revint prendre la barre.

– Maintiens le cap, réclama-t-il, en désignant une bande d'eau lumineuse qui commençait à se découper sur les vagues sombres.

– Qu'est-ce que c'est ? s'alarma Nabi.

– Un fleuve sacré. Un fleuve que les dieux dissimulent dans l'océan, expliqua Azpar.

– Comment le sais-tu ?

– Un rêve... Depuis que nous avons quitté le village d'Oman, je rêve de ce courant et une voix me conjure de le suivre. De toute façon, si nous ne tentons rien, nous serons engloutis par la prochaine lame de fond.

– Que dois-je faire ? s'informa Nabi, en s'accrochant pour résister au tangage.

– Aide-moi à garder le navire sur cette voie.

Lentement, l'étroit cours d'eau parut ouvrir un sillon dans la mer. Les vagues s'élevaient de part et d'autre, telles des falaises liquides, toujours déchaînées, mais impuissantes à submerger le navire qui paraissait pourtant si frêle. Entre ces remparts de plus en plus vertigineux, le bateau suivait une pente douce et paisible.

L'hippocampe géant les entraîna au-delà de la vague monstrueuse et de toutes celles qui la suivirent. Ils avancèrent un long moment dans ce couloir ténébreux. Le ruban d'eau cristalline éclairait la voie qui s'enfonçait dans les abîmes océaniques.

Étonnés de la soudaine stabilité du bateau, imitant Oliana, les passagers quittèrent, à tour de rôle, l'abri de la cale pour venir observer le phénomène. Dévastés, Quatre-Mains et Shinon les rejoignirent à l'instant où un disque éclatant apparaissait dans le lointain. Le fleuve menait droit au centre de ce cercle de lumière.

– Où allons-nous ? s'inquiéta Lom'lin.

Shinon restait blottie entre ses bras, les yeux gonflés, l'air hagard. Oliana s'approcha de ses amis. Compatissante, elle caressa la joue de Fée et releva la tête pour plonger son regard dans celui de Quatre-Mains.

– Au pays des dieux, lui révéla-t-elle.

✧

Une paix indicible envahit l'âme des voyageurs quand ils pénétrèrent dans le cercle de lumière dorée. Même le chagrin des Dezmoghör leur parut moins lourd. Curieusement, cet apaisement révolta Shinon. Elle avait perdu ses enfants. Il ne lui restait d'eux que ses souvenirs et son chagrin. Comment osait-on la priver de sa douleur ? Pourtant, elle ne pouvait pas résister. La force mystérieuse contenue dans l'aura éblouissante était trop puissante pour être repoussée.

Le navire semblait voguer dans la lumière. Les yeux à demi clos, Nabi percevait à peine la haute silhouette de l'hippocampe qui continuait de haler le navire. Soudain, ils furent au-delà de ce portail éclatant. Le fleuve poursuivait son cours qui descendait en pente douce pour se jeter dans le vide.

– Le bout du monde... Nous avons atteint le bout du monde, dit Nabi, surpris de n'éprouver aucun effroi devant une fin inéluctable.

De part et d'autre, le fleuve argenté était brodé de rives sablonneuses qui sombraient aussi dans le néant. Les passagers du bateau se regroupèrent, souhaitant affronter la mort comme ils avaient vécu, réconfortés par leur affection mutuelle et leur solidarité.

Quand l'hippocampe atteignit le précipice, défiant le courant qui aurait dû le jeter dans le vide, il s'arrêta. Tout se figea autour de la bête fabuleuse. Le fleuve cessa de couler et le bateau resta immobile sur l'onde inerte.

– Regardez ! souffla Oliana.

Sur la berge de droite, un colosse d'apparence humaine venait à leur rencontre. Sa tête était celle d'un faucon.

Shinon hoqueta en songeant à ce qu'auraient dit ses fils s'ils avaient été témoins de cette apparition.

– Un Dezmoghör géant, se serait réjoui Khar.

– Non. Il s'agit d'un ancêtre Ghör, l'aurait contredit Dhar.

L'un et l'autre auraient eu tort.

– Je suis Montou, dieu de la paix, se présenta la créature.

Montou fut bientôt rejoint par d'autres divinités : Thot, avec son long bec d'ibis ; Seth, portant fièrement la tête d'un chacal ; Hatmehyt, la déesse-poisson.

– Nous avons été délégués pour vous accueillir, annonça cette dernière, tandis qu'une multitude de personnages divins se matérialisaient sur l'autre rive.

– Mais vous ne resterez pas dans ce nirvana bien longtemps, précisa Seth avec une hargne non dissimulée.

– N'aie crainte, intervint Montou, nous les retournerons d'où ils viennent dès que le pendule reprendra son mouvement.

Le dieu de la paix savait que son frère méprisait les êtres mortels. Shahana se matérialisa alors auprès de Seth.

– Nous avons tous convenu que nous devions sauver ces gens, rappela-t-elle au dieu-chacal.

Celui-ci claqua la langue, mécontent.

– Certes. Mais qu'en est-il du tribut ? questionna-t-il brusquement.

– Ils le paieront. Cela va de soi... D'autant qu'il a fallu arrêter le pendule, rétorqua La Noble et Grande Mère sans être impressionnée par le ton agressif de Seth.

Puis, s'adressant aux Longs-Doigts et aux Dezmoghör, elle ajouta :

– Les dieux ont consenti à cet intermède pour vous arracher à la mort. Toutefois, leur clémence a un prix.

Thot s'avança, une plume d'ibis à la main et un rouleau de parchemin dans l'autre. Avant de prendre la parole, il observa quelques instants les minuscules étrangers sur leur navire.

– Dans notre univers, le balancier du fleuve sacré mesure le temps en siècles. L'interruption de son mouvement vous paraîtra brève. Pourtant, elle aura provoqué un pli dans le cours temporel de votre monde, lequel entraînera une rupture dans vos existences. Cette perte sera votre châtiment, expliqua-t-il.

Ensuite, ayant trempé sa plume dans le fleuve enchanté, Thot pencha son bec pointu vers la page et écrivit la sentence.

– Pour avoir pénétré dans le monde sacré des immortels, soixante-dix mille Râ ! décréta le dieu scribe.

Shahana et les autres divinités acquiescèrent. Dès cet instant, l'hippocampe manœuvra pour faire pivoter le navire sur l'onde immobile. Ensuite, tel le fléau d'une balance, le fleuve inversa la pente de son cours, permutant l'amont et l'aval. L'eau reprit son lent mouvement et le bateau retourna vers le cercle de lumière.

– J'ai agi au mieux pour vous sauver. Le monde des hommes et des elfes a encore besoin de vous, affirma la Noble et Grande Mère avant de leur dire adieu.

– Et mes enfants ! supplia Shinon, les mains tendues vers les divinités.

« Et Minuit ! » songea tristement Nabi.

Le navire avançait. Bientôt, les passagers seraient loin des rives du nirvana. Hatmehyt regarda Fée avec compassion.

– Ayez foi en nous, recommanda la déesse-poisson. Suivez l'hippocampe et...

Shinon n'entendit pas la suite de la recommandation. Déjà, la lumière du portail l'éblouissait. Libérée de la paix de Montou, elle retrouva la souffrance du deuil de ses petits. Sachant cela, Seth sourit ; le tribut aux dieux serait payé.

– 31 –

Pendant neuf ans, Artos consolida son emprise sur l'esprit malléable du fils de ses ennemis. Désireux de s'adapter aux goûts de l'adolescent, le sorcier avait cessé d'emprunter l'apparence d'animaux ou de personnages fantaisistes pour le visiter sous son vrai visage, celui qu'il avait à dix-sept ans. Leur ressemblance physique plaisait au garçon, qui considérait son énigmatique ami comme son frère aîné.

– Qui es-tu vraiment ? demanda un jour le protecteur des hérissons.

– Je suis l'envoyé des sphinx, mentit Le Cobra.

– Allons donc, ils sont morts depuis des millénaires, riposta le jeune sceptique.

– Mais leur esprit vit toujours, le contredit Eglon. Depuis l'au-delà, ils préparent un destin glorieux pour le porteur de leur Marque...

– Pour moi ? s'étonna Jordan.

– Ils t'ont désigné pour servir leurs desseins dans le monde des êtres mortels.

– Quels desseins ? commença à s'irriter le garçon.

Il détestait qu'on le traite comme un enfant en le laissant dans l'ignorance.

– Tu le sauras en temps opportun. D'ici là, il faut que tu te montres digne de leur confiance, répondit Eglon, les sourcils froncés pour inciter Jordan à contenir son exaspération.

– Quel est ton rôle dans cette histoire ? voulut néanmoins savoir le porteur du sphinx des sphinx.

– Pour accroître tes pouvoirs, tu as besoin d'un maître. Je suis ce maître.

Il fallut qu'Artos réponde à plusieurs autres questions pour endormir, grâce à une panoplie de mensonges, les suspicions de Jordan. Une fois convaincu, l'adolescent de quinze ans devint un disciple rigoureux et assidu. Sous la férule de son guide, il apprit nombre de sortilèges interdits. En secret, il pratiquait la magie grise, connaissance essentielle pour combattre les maléfices des ennemis des elfes-sphinx. C'était, du moins, ce que lui enseignait Eglon.

– Il sera bientôt prêt, présageait Artos en frissonnant d'appréhension.

Depuis le sixième anniversaire de Jordan, le sorcier n'avait pas tenté de reprendre possession du corps du protecteur des hérissons. L'expérience avait mal tourné parce que Jordan n'était alors qu'un enfant, sujet immature et difficile à maintenir dans la transe particulière que requérait un tel envoûtement.

– Je t'avais prévenu, s'était plu à rappeler Sotra quand le supplice de son maître avait pris fin, le laissant dévasté et repentant.

Mais le terrain était maintenant fertile pour une récidive : le fils d'Hµrtö devenait un homme.

– Si je veux empêcher le porteur du sphinx des sphinx de devenir le fléau de Korza, je dois réussir à dominer son enveloppe charnelle, se répétait Artos pour surmonter sa hantise d'un nouvel échec.

À compter de ce moment, sous de faux prétextes, Artos entraîna Jordan à plonger dans un profond état d'hypnose.

– Dors, Jordan ! *Ibis dilato !* ordonnait-il pour provoquer ce sommeil exceptionnel.

Quand il lui sembla qu'il maîtrisait enfin la sujétion de son disciple, Le Cobra fit une première très brève tentative de possession. Pendant toute une saison, avant de se risquer à prolonger ses intrusions, le sorcier réitéra ses essais furtifs. Bientôt, il se félicita de son succès.

Déjouant les barrières dressées pour contrer son retour dans le monde des elfes-sphinx, le proscrit éprouvait un plaisir pervers à circuler parmi eux, tel un damné revenu d'outre-tombe. Entre ces incarnations dénaturées, le seigneur des ténèbres décida d'initier son disciple aux arts jumeaux de la séduction et de la mystification.

– Il s'agit d'une arme indispensable pour démasquer les traîtres et déjouer leurs méfaits, prétexta-t-il pour persuader l'adolescent de suivre ses recommandations.

Il le convainquit même de se joindre à une troupe de théâtre. En quelques cycles des lunes, Jordan se transforma. Il apprit à contenir son irritation pour sourire à ses camarades et à ses professeurs. Tout à coup, les membres de la communauté des elfes-sphinx découvraient la nature généreuse que dissimulait son tempérament épineux.

Mauhna et Aglaë se réjouissaient de cet heureux épanouissement. Mi taquine, mi sérieuse, sa sœur lui rappelait que les jeunes filles préféraient les garçons affables et rieurs.

Pour sa part, Hµrtö accueillait ce changement comme une véritable bénédiction. Ses discussions avec Jordan étaient devenues captivantes depuis qu'il ne s'emportait plus à la moindre contradiction. Quant à Hodmar, il ne pouvait qu'applaudir la soudaine maturité de son élève.

– Tu as raison d'être fier, dit le vieux mage à Hµrtö quand celui-ci exprima sa crainte de manquer de discernement avec ses enfants.

Après quinze années de tumulte, une existence sans cris ni pleurs semblait enfin possible dans la demeure des maîtres de magie. Hµrtö n'en demeurait pas moins soucieux.

Un soir d'été, il tentait de chasser ses tracas en savourant la tiédeur de la brise. Peine perdue. Le chêne du jardin sous lequel il avait pris place lui rappelait la forêt ancestrale et ses arbres empoisonnés. Il soupira. Assise en face de lui, Mauhna lisait.

– Qu'y a-t-il ? lui demanda-t-elle en fermant son grimoire.

– Si la dégradation de notre rempart se poursuit à ce rythme, tôt ou tard, les dommages deviendront irréversibles, l'informa Hµrtö.

Il massa un moment ses tempes douloureuses.

– Crois-tu vraiment que les perturbations proviennent de dimensions voisines ? demanda-t-il à sa compagne.

– Nos cristaux le confirment. Malgré la virulence de la dévastation, ils ne détectent aucune empreinte de magie noire, soutint la guérisseuse.

– Nous luttons sans relâche mais nous ne sommes pas assez nombreux. La forêt est trop grande. Pendant que nous soignons les arbres dans un secteur, le mal frappe ailleurs. Nous sommes complètement dépassés, déplora Le Gris. Je rage de me sentir si impuissant. J'aimerais tellement riposter à ces agressions.

– Tu sais très bien qu'une attaque contre les mondes surnaturels serait fatale au nôtre, lui rappela Blanche pour la énième fois. Les forces qui gouvernent les autres dimensions ignorent le chaos que leurs ondes provoquent chez nous et...

– Je sais, je sais. Et toute intervention belliqueuse de notre part déclencherait des représailles auxquelles aucune créature mortelle ne survivrait.

Hµrtö soupira.

– Je n'aurais jamais cru dire cela un jour, mais je préférerais que les univers étrangers ne soient pas en cause, avoua-t-il. Si ce saccage était l'œuvre d'un sorcier, nous pourrions contre-attaq...

Le Loxillion resta figé, les lèvres entrouvertes. Son regard semblait braqué sur une vision monstrueuse, située quelque part au-dessus de la tête de son épouse. Le voyant blêmir, elle se leva et fit volte-face.

– La soirée s'annonce exquise, ne trouvez-vous pas ? les salua innocemment Jordan.

Mauhna détailla l'allure à la fois élégante et extravagante de son fils. Déroutée, elle reporta son attention sur Hμrtö qui avait cessé de respirer.

✧

Par le pouvoir d'Idris, Artos épiait cette scène qu'il avait soigneusement préparée.

– L'illusion est parfaite, lui souffla Sotra.

Sur la face de l'ombre, un sourire se dessina, exprimant la cruelle satisfaction qu'éprouvait Le Cobra.

✧

Jordan crut que son père allait défaillir. Il se précipita vers lui, effrayé de son teint livide.

Sur les conseils de son maître, l'adolescent avait revêtu un manteau brodé et souligné ses yeux de khôl. À l'aide d'un sortilège, il avait coiffé sa chevelure de telle sorte qu'une masse de minuscules nattes blondes encadrait son visage.

La main sur le cœur, Le Gris haletait. Son premier réflexe avait été de foudroyer l'apparition.

« Mon fils ressemble tellement à L'Autre... Damnation ! J'ai failli le tuer. »

Bouleversé, il rugit :

– Par tous les esprits, que fais-tu dans cet accoutrement ?

Le ton agressif de son époux fit sursauter Blanche.

– Mon chéri, inutile de crier.

Puis revenant à Jordan, elle demanda :

– Te rends-tu à une mascarade ?

Étant née cinq siècles après Hµrtö et Artos, Mauhna n'avait pas connu le rebelle au temps de sa jeunesse. Elle ne pouvait donc pas comprendre pourquoi l'apparence singulière de son fils provoquait un tel trouble chez Hµrtö.

– C'est pour notre pièce de théâtre, se justifia Jordan, déconfit. Dans la tragédie que nous interprétons, je joue le rôle d'un humain décadent. Je croyais que c'était plutôt réussi...

Hµrtö se leva péniblement et, sans ajouter un mot, il se dirigea vers la maison.

– Qu'y a-t-il ? Pourquoi est-il furieux contre moi ? se désola Jordan.

Son désarroi était tel que Mauhna lui serra tendrement le bras en guise de réconfort.

– Ton père n'est pas fâché. Il est fatigué et soucieux, voulut-elle excuser son mari.

Jordan opina, tout de même désemparé d'avoir provoqué une réaction aussi violente. Quand il remarqua que le soleil commençait à décliner, il embrassa précipitamment la joue de sa mère.

– Je dois y aller, sinon la troupe va m'attendre, lança-t-il avant de la quitter en courant.

– Ne rentre pas trop tard, lui rappela Blanche.

– Compte sur moi, répondit-il, déjà loin.

Au détour du chemin, Artos lui apparut.

– Viens !

– Ce n'est pas le moment, tenta de protester l'adolescent.

– Tu dois m'obéir, répliqua Eglon, autoritaire.

En silence, il fit signe à son disciple de le suivre. Bientôt, ils approchèrent d'une rivière. Le jeune homme entendait le ruissellement de l'eau vive.

– Que fait-on ici ? maugréa Jordan, furieux d'être retardé.

Le sorcier désigna la berge jonchée de galets. Des vêtements avaient été jetés à l'écart de l'onde. Se croyant seule, une jeune femme se tenait debout dans le courant. L'eau se fendait contre ses cuisses délicatement hâlées.

– N'aimerais-tu pas te rafraîchir aussi ? chuchota le maître.

En sueur sous son manteau trop chaud pour la saison, Jordan admirait les fesses rebondies de la demoiselle. Enivré par le spectacle de cette beauté offerte à sa contemplation indiscrète, il avait vite oublié la répétition de sa pièce de théâtre.

Du bout des doigts, la jeune femme effleurait la surface de l'eau. Le vent tourna et Jordan découvrit qu'elle chantonnait. Il rêvait de se glisser dans l'onde quand Le Cobra lui saisit le coude.

– Dors, Jordan ! *Ibis dilato !* commanda Eglon.

– Non !

– *Ibis dilato !* ordonna de nouveau Artos.

La volonté du seigneur des ténèbres était plus impérieuse que celle de son disciple. Contre son gré, le fils d'Hµrtö sentit ses paupières s'alourdir. Quand il rouvrit les yeux, une flamme rougeâtre incendiait ses iris.

Dans le corps de Jordan, Artos vibrait de désir. Depuis quand n'avait-il pas possédé une femme ? Son isolement dans l'enceinte de la Cité des sphinx l'avait trop longtemps privé des plaisirs que réclamait sa chair. Il dénuda le corps de son disciple et glissa sans bruit dans l'onde. Toutes ses pensées se concentraient désormais sur le sexe dressé du jeune homme et sur l'image affriolante de l'insouciante nymphe.

✧

Les parents de la protectrice des roseaux pleurèrent longtemps leur fille disparue. Attachée par les chevilles à un rocher des fonds vaseux, elle flottait, telle une algue blême, dans les eaux glauques d'un étang. Son corps violé subit pendant des jours les caresses impudiques des anguilles. Puis il ne fut plus qu'un amas de pourriture.

- 32 -

Au terme d'une éprouvante équipée qui leur avait paru durer deux jours, les passagers virent leur navire émerger entre les falaises aqueuses. L'hippocampe géant lança un cri pour saluer Azpar, puis il disparut dans les profondeurs marines. Peu de temps après, le ruban argenté du fleuve sacré se dissipa dans l'immensité de l'océan. Les fugitifs avaient l'impression de s'éveiller d'un curieux rêve. Avaient-ils véritablement importuné les divinités dans leur nirvana, encourant ainsi un mystérieux châtiment ?

« Soixante-dix mille râ », se répétait Oliana en étreignant ses filles pour les protéger contre ce qu'elle interprétait comme une malédiction.

Il ne subsistait aucune trace de la tempête. La mer les berçait doucement. Le soleil brillait dans le ciel libre de tout nuage. Azpar reprit la barre et mit le cap sur l'île qui se profilait non loin de leur position. Sans attendre, Quatre-Mains et Shinon se rendirent à la proue ; là, de leurs yeux rougis, ils entreprirent d'inspecter les flots apaisés.

« Peut-être les jumeaux ont-ils réussi à s'accrocher à une épave », songeait Lom'lin, sachant que son souhait avait bien peu de chances d'être exaucé.

Quand ils furent plus près, les métissés et les Dezmoghör purent scruter les plages vierges. Par-delà ces étendues de sable et de roches, ils observèrent l'anneau des montagnes. Ils devinaient que ces murailles naturelles enfermaient les terres et les protégeaient des tempêtes venues du large. Les falaises du bord de mer accueillaient plusieurs espèces d'oiseaux. Les eaux environnantes regorgeaient de poissons et de crustacés. Malgré toute cette vie, rien ne trahissait la présence d'habitants.

Après avoir fait le tour de l'île, les voyageurs conclurent qu'il n'existait qu'une seule voie pour y accéder. Ayant repéré le meilleur endroit pour jeter l'ancre, Azpar proposa de mettre un canot à la mer et d'envoyer un groupe d'éclaireurs sur la rive. Il fut convenu qu'il accompagnerait Lom'lin et Nabi dans cette mission d'exploration.

– Sois prudent ! recommanda Oliana à son époux en lui tendant ses armes.

Shinon tint des propos identiques à Quatre-Mains avant qu'il glisse le long d'un câble pour descendre dans la barque.

– Prends garde, je n'ai plus que toi ! souffla-t-elle, pitoyable.

Azpar ayant guidé le canot jusqu'au rivage, Quatre-Mains sauta dans l'eau peu profonde et saisit l'amarre lancée par Nabi. Une fois l'embarcation hissée sur la grève, les trois compères marchèrent en direction de la brèche naturelle qui constituait l'unique passage vers le centre de l'île. La verdure des champs sauvages apparaissait dans le lointain, cernée, de part et d'autre, par le rempart des falaises. Entre ces deux piliers, un fleuve coulait, porteur de l'eau des sources des montagnes. L'endroit leur sembla féerique.

Enhardis par la quiétude de l'île, ils franchirent le portail colossal et aboutirent aux abords d'une vallée fertile. C'est là qu'ils furent assaillis par une horde hurlante. Des créatures agiles bondirent devant eux, brandissant des lances ou des arcs. D'autres guerriers surgirent, des haches et des dagues à la main ; barbus, courts et trapus, ils ressemblaient à des nains.

Azpar, Lom'lin et Nabi dégainèrent leurs armes. Dos à dos, ils guettaient les attaquants qui les encerclaient. Soudain, des cavaliers arrivèrent au galop. Vêtus de voiles irisés, ils maniaient des sabres et criaient des imprécations visant à effrayer les étrangers.

Ils furent bientôt près d'une centaine à menacer les trois amis. En signe de capitulation, Lom'lin remit son épée et ses poignards dans leur fourreau et leva ses quatre mains. Nabi et Azpar l'imitèrent.

– Nous ne vous voulons aucun mal, hurla Nabi pour dominer le vacarme du martèlement des sabots.

Les attaquants continuèrent de se rapprocher des trois intrus, resserrant autour d'eux un piège hérissé de piques. Derrière les assaillants, les cavaliers excitaient leurs montures, prêts à prendre en chasse quiconque tenterait de s'échapper. Tout à coup, le cercle de la cavalcade se brisa. Un hennissement furieux retentit, répercuté par les falaises voisines. Un étalon noir fendit les rangs des cavaliers, puis, s'étant approché de son maître, il inclina sa belle tête étoilée.

– Minuit ! s'exclama Nabi, éberlué.

Sa stupéfaction ne s'arrêta pas à l'étonnante présence de son cheval. L'animal mythique était monté par deux colosses à l'allure farouche. Ils sautèrent à bas de leur monture et se ruèrent d'un même mouvement vers Quatre-Mains.

– Père ! s'écrièrent de concert les frères siamois.

C'est alors que Nabi saisit toute la portée de la sentence de Thot. Il lui semblait que c'était le jour précédent que la tempête s'était abattue sur le navire. Pourtant, voyant Khar et Dhar devenus des gaillards encore plus robustes que Lom'lin, il fallait comprendre que leur périple au pays des dieux leur avait volé plusieurs années de vie.

« Soixante-dix mille râ... Ce ne sont pas des ans, tout de même ! Auraient-ils compté en nombre de levers du soleil ? De jours alors ? »

Sous le choc de cette révélation, Quatre-Mains vacilla. Il lui fallut un bon moment avant de parvenir à bredouiller :

– Nous vous avons... cru... morts.

Les jumeaux le soutinrent.

– Nous aussi, lui répondit Khar, ému.

– Et maman ? Comment va-t-elle ? Est-elle..., s'informa aussitôt son frère.

– Elle ira beaucoup mieux quand elle saura que vous...

Lom'lin appuya ses paumes sur les joues rugueuses de ses fils.

– Par tous les esprits, quel âge avez-vous donc ?

Interdits, les jumeaux se dévisagèrent avant de répondre.

– Cent quatre-vingt-dix-huit ans... Il y a maintenant presque deux siècles que la tourmente nous a séparés. Ne le sais-tu pas ? s'étonna Khar.

– Minuit nous a repêchés dans l'eau avant de nous emmener ici, précisa Dhar.

Quatre-Mains écarquillait les yeux pour mieux contempler ses fils, tentant de reconnaître dans leurs traits virils la frimousse de ses garçons de dix ans.

– Impossible ! C'était hier... Je n'ai pas réussi à vous retenir !

Dhar s'inquiétait visiblement pour son père. Il lui tendit une gourde.

– Tu parais complètement désemparé. Bois un peu. Ça te fera du bien.

Quand, dans un geste affectueux, Minuit quêta une caresse de Nabi, celui-ci secoua enfin sa torpeur.

– Nous avons beaucoup de choses à vous raconter... Et vous aussi, il me semble, lança-t-il aux jumeaux.

Les siamois acquiescèrent.

– D'abord, qui sont ces gens qui nous menacent ? questionna Nabi.

Khar et Dhar firent signe aux guerriers qui les entouraient d'abaisser leurs armes.

– Ils sont avec nous, leur certifia Khar.

Azpar jeta un œil furtif sur les archers en retrait et les gaillards portant des lances. Aussi dissemblables qu'ils soient les uns des autres, les membres de la horde portaient tous un tatouage, sur le dos de la main, sur la tempe, sur le bras ou sur la cheville. Les cavaliers voilés présentaient aussi ce stigmate reconnaissable entre tous, cette cicatrice laissée par le fer rouge : la marque des esclaves.

Ayant recouvré sa contenance, Quatre-Mains les toisa. Puis il étreignit ses fils en songeant au bonheur de Shinon.

« Ils sont vivants », se répétait-il, à la fois euphorique et incrédule.

Mêlées à sa joie, surgissaient toutefois des pointes de déception amère.

« Je ne les ai pas vus grandir... Ils sont devenus des hommes loin de moi, sans moi ! »

Tel était le tribut exigé par les dieux.

– Je crois qu'il vaudrait mieux s'installer et discuter calmement, proposa-t-il aux insulaires. Mais d'abord, nous devons aller chercher les nôtres à bord du navire.

✧

Khar et Dhar étreignirent Shinon, mêlant leurs larmes à celles de leur mère. Mais c'est au moment de saluer Oliana que les frères siamois furent à leur tour abasourdis.

– Comment est-ce possible ? s'exclama Khar quand il vit Cora et Dona.

Les petites filles étaient inchangées, comme si elles avaient échappé au passage de presque deux siècles. Timidement, les fillettes essayaient de comprendre par quel miracle leurs anciens compagnons de jeu étaient devenus des géants.

Dans l'émotion de ces retrouvailles insolites, Nabi eut une soudaine révélation. Il s'approcha de Quatre-Mains et lui dit :

– Le châtiment des dieux n'aura pas eu que des effets négatifs.

Intrigué, Lom'lin le dévisagea.

– Explique-toi.

– Eh bien, depuis combien de temps crois-tu que Bÿron a trépassé ?

Les traits du Dezmoghör se détendirent à l'instant.

– Nous sommes délivrés de notre oppresseur.

Nabi acquiesça.

– Nous pourrons retourner sur le continent quand nous le voudrons.

✧

Les heures qui suivirent confirmèrent ce qu'avait soupçonné Nabi. Les rebelles qui l'entouraient avaient disparu du continent après s'être soustraits aux griffes de leur propriétaire humain. Il y avait parmi eux des elfes-iva, gracieux et éthérés, entraînés à manier javelots et arcs, des elfes-ubu, robustes et vindicatifs, capables de couper un homme en deux à l'aide de leur hache et de leur dague. Particulièrement avides de liberté, plus agressifs que leurs cousins, les elfes-jibi avaient pris la tête de la communauté des insoumis. Il ne fallait pas se laisser abuser par l'apparence inoffensive de ces créatures hermaphrodites. Sous leurs voiles, ils dissimulaient des poignards meurtriers et des bras musclés capables de les enfoncer dans le crâne d'un éléphant.

Les elfes réfugiés dans l'île avaient autrefois été torturés, violés et humiliés par leurs maîtres. Au gré des outrages répétés, ces esclaves avaient perdu le tempérament naturellement clément de leurs ancêtres.

Le chef de la communauté était un hermaphrodite imposant. En dépit de sa corpulence, il se déplaçait avec grâce. Sa voix bien timbrée vibrait quand il racontait les souffrances subies par les peuples elfiques. Par-dessus l'ourlet de son voile, ses yeux fardés brillaient de détermination et de fierté. Il s'appelait Kamel. C'est lui qui avait soigné Khar et Dhar quand Minuit les avait conduits, presque noyés, sur la plage de l'île. Il était devenu leur protecteur, leur maître d'armes ; leur père et leur mère, en quelque sorte.

Kamel et sa communauté accueillirent les Longs-Doigts métissés et les Dezmoghör comme des membres de leur famille. Le navire des nouveaux venus étant plus gros et plus robuste que les embarcations qu'ils possédaient, les insulaires aidèrent Azpar à le mettre en rade dans une baie discrète. Bientôt, il leur serait très utile.

Nabi, Oliana, Lom'lin et Shinon avaient enfin trouvé un clan et une mission. De concert avec leurs hôtes insoumis, ils entendaient préparer la première grande révolte des elfes.

– 33 –

À trois reprises, les habitants de l'île retournèrent sur le continent dans l'espoir d'entraîner les elfes dans une ambitieuse insurrection. Malheureusement, la dispersion des esclaves sur l'étendue du territoire d'Anastavar rendait quasi impossible un soulèvement général. Quant aux tentatives isolées de sédition, elles étaient vite réprimées par les forces militaires locales.

– Seul un mouvement à l'ampleur du continent pourra renverser le fondement de l'économie des hommes, se désolait Quatre-Mains, après chacune de ces missions avortées.

La libération des races elfiques semblait une utopie, mais les fugitifs refusaient de déposer les armes.

✧

C'était un soir des lunes des vents. D'épais nuages avaient plongé la cité royale d'Oz'Garanz dans un crépuscule brumeux. Une pluie abondante et glacée faisait grelotter Nabi, Kamel et Quatre-Mains tandis qu'ils pataugeaient dans l'eau des caniveaux débordants. Le visage dissimulé par les rebords de leur capuchon détrempé, ils longeaient les ruelles pour atteindre le lieu de leur rendez-vous : un bouge pareil à tous ceux qui prolifèrent dans les quartiers miséreux des grandes cités.

Le trio pénétra dans l'auberge et se dirigea vers la table où les attendaient cinq personnages vêtus comme des voyageurs. Nabi se chauffa un peu devant l'âtre avant de prendre place sur un banc, entre Quatre-Mains et Kamel. Il salua respectueusement les cinq esclaves qui lui faisaient face.

– Merci d'être là ! dit-il à ceux qui, par leur talent ou leur beauté, avaient mérité les faveurs des souverains du continent.

– Doit-on attendre la représentante du pays de Laphadëys ? demanda Lom'lin.

Un nain barbu secoua la tête après avoir fini d'ingurgiter une pleine chope de bière.

– Kera est tombée en disgrâce. D'après mon informateur, la reine Yana ne la trouvait plus assez... hmmm... fraîche ! éructa-t-il en empoignant un pichet pour remplir son gobelet.

Connaissant les ascendances cannibales de la souveraine de Laphadëys, devinant le sort qu'avait sans doute subi leur malheureuse complice, les conjurés se turent un long moment.

« Voilà pourquoi je ne recevais plus de missives en provenance de cette contrée pourrie », songea Nabi, à la fois triste et dégoûté.

– Brave Kera ! souffla-t-il en guise d'oraison funèbre.

Grâce à ses pigeons messagers, et ce depuis qu'il séjournait parmi les insoumis, le Longs-Doigts métissé entretenait une correspondance séditieuse avec quelques espions influents. Quel que soit le monarque qu'ils servaient, ces esclaves de haut rang avaient en commun leur désir d'affranchir les races elfiques. Gravitant autour du pouvoir, ils recueillaient des informations stratégiques. Leur position était périlleuse. Comme Kera, ils risquaient leur vie.

Le premier à rompre le silence fut Maïr, un cousin hermaphrodite de Kamel qui était attaché à la cour de Gohtes. Noxad, le roi borgne de ce pays, raffolait des chevaux et Maïr avait un flair incomparable pour dénicher des bêtes dignes de ses écuries.

– D'ici cinq ans, le Traité des Six arrivera à son terme, déclara Maïr. Les nations du continent se préparent depuis des générations à ce moment qui va menacer l'équilibre des pouvoirs et déplacer les frontières. Déjà, Noxad rapatrie ses armées, entasse ses richesses et accroît son cheptel d'esclaves.

Les espions acquiescèrent pour confirmer que leur souverain respectif prenait des mesures identiques.

– Croyez-vous qu'après la répartition des territoires, les souverains seront assez sages pour conclure une nouvelle entente de paix ? questionna Quatre-Mains.

– C'est peu probable, lui répondit une splendide elfe-iva prénommée Alfi.

Maîtresse du roi d'Yzsar, elle était venue jusqu'à Oz'Garanz sous prétexte d'acquérir des joyaux pour son souverain. Les orfèvres de cette ville étant réputés pour être les meilleurs du continent, le roi avait accepté de confier cette mission à sa favorite. Alfi possédait des goûts raffinés et le souverain désirait que sa nouvelle couronne rende hommage à sa puissance. Le maître d'Alfi était un lointain descendant de la lignée des géants. À demi humain, il était plus petit que ses ancêtres, mais pas moins féroce. Son peuple l'appelait Gröhn Le Terrible.

– Le roi d'Yzsar préférera la guerre à n'importe quel traité favorisant le Môjar, poursuivit Alfi. Et qui dit guerre, dit carnage pour les esclaves. Lors des affrontements, ils seront plantés en première ligne...

Le cousin de Kamel opina gravement. À ses côtés, le buveur de bière essuya pensivement la mousse accrochée à sa barbe.

– Les esclaves du Môjar ne feront pas exception ! déplora-t-il.

Cet elfe-ubu s'appelait Zorba. Grâce à son talent pour exploiter les gisements des mines, les coffres du roi du Môjar contenaient des myriades de pierres rares et précieuses.

Depuis la mort de son père Bÿron, Yrïon gouvernait le plus puissant pays d'Anastavar. Né du mariage forcé d'Oliana avec l'ancien souverain, cet elfe-sphinx jouissait de la longévité de sa race. Son règne durait depuis plus d'un siècle et, en raison de sa beauté, ses sujets l'appelaient Le Magnifique.

– Votre roi n'a-t-il donc aucune compassion pour ses frères ? s'indigna Kamel.

Zorba haussa les épaules.

– Malgré son ascendance elfique, il ne sacrifiera pas la suprématie de son pays pour affranchir les esclaves. Le Magnifique s'avère peut-être plus tendre que son géniteur, mais il a hérité de lui une soif insatiable de pouvoir.

– La guerre est donc inévitable ? soupira Nabi, toujours troublé par l'évocation du fils d'Oliana.

L'elfe-iva qui était venu du pays de Bortka n'avait pas encore descellé les lèvres. Il s'agissait d'un diplomate qui avait maintes fois tiré d'embarras son roi. Les manières sophistiquées du conseiller de Balabar compensaient le manque de tact de celui que ses rivaux surnommaient le prince usurpateur ou l'Ogre de Bortka. Le dignitaire darda ses yeux clairs sur Nabi.

– Ne vous faites aucune illusion : dans cinq ans, Anastavar sera le théâtre d'affrontements sanglants. Par milliers, les elfes seront armés et sacrifiés pour défendre les intérêts de ceux qui les exploitent, soutint l'élégant diplomate. Ironique, vous ne trouvez pas ?

Il fit une pause et Quatre-Mains vit poindre un curieux scintillement dans son regard limpide.

– Alors posons-nous la question, enchaîna l'elfe-iva dans un murmure. Pourquoi les elfes ne retourneraient-ils pas leurs armes contre leurs oppresseurs ?

Quatre-Mains avait déjà réfléchi à cette possibilité.

– Une cohésion d'une telle envergure représente un gigantesque défi, estima-t-il.

– Il faudrait que des instructions circulent jusqu'aux confins du continent, précisa Alfi.

Les regards convergèrent vers Nabi. De toute évidence, ses complices comptaient sur ses pigeons pour accomplir cette tâche.

– Au moment opportun, je ferai le nécessaire, assura Nabi, confiant.

Alfi se tourna alors vers sa voisine.

– D'ici là, verrons-nous enfin naître le sauveur qu'annonce la prophétie ? demanda-t-elle.

La représentante du pays de Lombre, une très vieille elfe-iva dotée de dons de voyance, jeta une poignée de dés d'ivoire sur la table de chêne. Sa main à la peau parcheminée plana quelques instants au-dessus du dessin formé par les cubes gravés de symboles occultes.

– Mes visions confirment la prédiction, chevrota la dame. Un enfant d'ascendance modeste verra le jour à l'échéance du Traité des Six. Les oracles soutiennent que cet humain au cœur noble affranchira les opprimés.

Nabi pointa l'index vers les dés.

– Ce triangle surmonté d'une étoile a-t-il une signification particulière ? voulut-il savoir.

Sans hésitation, la dame déclara :

– Pour réussir, l'insurrection devra attendre un signal des dieux : une éclipse complète du soleil qui rendra le jour semblable à la nuit.

– Quand cet événement aura-t-il lieu ? questionna Kamel, ses doigts lissant nerveusement sa barbe défaite.

– Quand le sauveur des elfes aura vingt-quatre ans.

L'hermaphrodite jura tout bas.

– Pourquoi ce délai ? Pendant ce temps, nos frères souffrent et meurent.

Les yeux fatigués d'Inadre se remplirent de larmes.

– Croyez-vous que je me réjouisse de la situation ? Pourtant, les messages sont clairs. Toutes les tentatives de révolte qui seront faites avant l'éclipse seront vouées à l'échec. Elles ne feront que condamner des milliers d'esclaves à une mort prématurée.

Alfi toucha la main de la vieille dame pour la réconforter.

– Il était pourtant évident que le sauveur des nôtres ne mènerait pas la rébellion depuis son berceau.

La voyante opina tristement.

– L'élu devra gagner en sagesse avant d'assumer sa mission, ajouta-t-elle. Il faudra d'abord qu'il comprenne que la force des armes ne suffira pas. Après avoir parcouru un chemin contraire, ce garçon du peuple découvrira la seule voie capable de mener les races pensantes à la liberté et à l'égalité.

– Que les dieux vous entendent ! murmura la maîtresse de Gröhn.

Zorba déposa sa chope avec fracas.

– Il vaut mieux ne pas trop compter sur les dieux, prévint-il avant de commander de la bière et du vin à la femme de l'aubergiste, une rouquine à la mine revêche.

Cet intermède donna aux conjurés le temps de méditer. La pluie continuait de tomber et Nabi l'entendait marteler les tuiles du toit et cribler les volets clos. Quand les pots de faïence furent servis et que la mégère rousse se fut éloignée, Lom'lin résuma la situation.

– Il faudra profiter de ce temps pour mettre en place un réseau de collaborateurs. Nous devrons avoir des alliés dans tous les villages, des noyaux de sédition dans chaque ville, exposa-t-il.

Ces paroles apaisèrent l'impatience de Kamel. Soudain, il mesurait l'ampleur de la tâche à accomplir.

– Zorba, pouvons-nous compter sur vous pour forger des armes dans le secret de vos mines ? s'informa Nabi.

– Il en faudrait des dizaines de milliers, estima le conseiller de Balabar.

L'elfe-ubu acquiesça d'un simple hochement. Quatre-Mains se leva et rabattit son capuchon sur sa tête. Le vêtement dégageait une désagréable odeur de laine humide. Kamel et Nabi l'imitèrent.

– Et vous, que ferez-vous d'ici à l'éclipse ? leur demanda Inadre en triturant ses blocs d'ivoire.

– Nous augmenterons nos forces. Nous entraînerons les insulaires pour qu'ils deviennent des combattants d'élite, assura le Dezmoghör. Quand viendra le jour de la grande révolte des elfes, la cohorte des insoumis mènera l'assaut.

Sur cet engagement, il quitta le bouge, suivi de Kamel et de Nabi. Les trois amis se hâtèrent de quitter la ville avant la fermeture des portes des remparts. Hors des murs de la capitale, ils retrouvèrent leurs montures laissées dans une étable abandonnée.

Minuit prit la tête de la petite troupe et les cavaliers galopèrent sous l'averse. Ils ne s'accordèrent que peu de haltes. Il leur tardait d'atteindre le littoral du pays de Gohtes.

À l'écart du port de Döv Marez, dans une baie peu profonde, Azpar les attendait sur un navire. Dans quelques jours, les fomentateurs seraient de retour auprès des leurs, sur l'île qu'ils avaient nommée *Yste al Rapka* : l'île des insoumis.

– 34 –

Cinq ans plus tard, tel que l'avaient présagé les conjurés, les rois, réunis dans un village situé au centre du continent, abrogèrent les ententes du Traité des Six. Désireux de prolonger la suprématie de sa nation, Yrïon du Môjar fut le seul souverain à recommander la signature d'un nouvel accord et à prôner le maintien de la paix. Le plaidoyer du Magnifique se heurta à la résistance et à l'envie de ses rivaux. Il fut débouté.

Dès lors, les appels des cors retentirent dans la vallée gelée. Portés par la bise des lunes des neiges, ils se répercutèrent dans le lointain et furent répétés de région en région. Le signal était donné aux hommes et aux elfes ; qu'ils soient paysans, citoyens, maîtres ou esclaves, ils ne pouvaient ignorer que les guerres continentales allaient ensanglanter les terres d'Anastavar.

✧

À l'écart de la tourmente, la communauté des Longs-Doigts menait son propre combat. Été comme hiver, les elfes-sphinx s'échinaient à rétablir l'équilibre de la forêt ancestrale. Parmi ses membres les plus dévoués, l'escouade des guérisseurs pouvait compter sur le fougueux protecteur des hérissons pourprés.

En ce matin de son deux centième anniversaire, Jordan marchait d'un pas alerte dans les couloirs du collège de magie. Le fils d'Hµrtö et de Mauhna avait rendez-vous avec Hodmar.

– Entre et approche-toi du feu, le convia le vieux mage avec sa cordialité coutumière.

Sans autre forme de préambule, le maître posa un objet sur la table basse qui séparait son fauteuil de celui de son invité. Il s'agissait d'un anneau de vermeil.

– Félicitations ! Le verdict des Anciens a été unanime, annonça le doyen.

Jordan saisit le bijou pour le glisser avec empressement à son doigt. Il sentit un picotement gagner sa main, son bras et s'éparpiller dans tout son corps : le pouvoir de l'anneau venait d'accroître les siens. Personne, surtout pas son maître, n'avait douté qu'au terme de ses études supérieures le fils d'Hµrtö et de Mauhna serait accepté dans l'ordre des enchanteurs. Le porteur du sphinx des sphinx était donc le quatrième de sa famille à franchir cette étape préalable à la formation des grands maîtres de magie.

Hodmar fit apparaître une théière et des tasses.

– Et maintenant, quels sont tes projets ? Désires-tu que nous recommencions immédiatement les cours ? La prochaine marche est haute... Il faut au moins trois siècles pour obtenir la robe des mages suprêmes, lança-t-il, sans plus tergiverser.

– Je souhaite d'abord prêter main-forte à mon père et à la communauté. Nous devons absolument réparer les dommages faits à notre rempart. Les arbres empoisonnés ont besoin de l'effort de tous pour être sauvés.

– Les enchantements ne suffiront pas, déclara Hodmar d'une voix soudainement lasse.

– Pourquoi dites-vous cela ? s'étonna Jordan.

Le vieux maître soupira.

– Jusqu'à ce matin, je croyais que le déséquilibre était l'œuvre des ondes perturbatrices d'une dimension voisine de la nôtre, expliqua-t-il.

– Jusqu'à ce matin ? Qu'insinuez-vous ? Hier encore, j'ai vu des centaines d'émanations spectrales et je les ai repoussées à l'aide de mes incantations.

– Illusions ! soutint le vieux mage. Nous avons tous été abusés. Même nos cristaux ont failli. J'ai maintenant la preuve qu'un sorcier s'acharne à détruire notre bouclier. Laisse-moi te raconter, exigea le maître en saisissant la théière.

Il versa le liquide ambré dans les tasses, s'accordant le temps de préparer son récit.

– Ne parvenant pas à dormir, je suis sorti à la fin de la nuit et je me suis rendu dans la section la plus ancienne de la forêt du nord. J'étais au pied d'un séquoia particulièrement affecté quand mon médaillon s'est illuminé. Jamais il n'avait brillé auparavant. En rentrant, j'ai consulté mes grimoires et j'ai découvert un détail que j'avais complètement oublié au fil des siècles : ce scintillement est une propriété unique que possède la clé d'argent. Elle réagit ainsi quand, aux premières lueurs de l'aurore, elle est mise en présence d'une forte concentration d'auras maléfiques.

– Si je comprends bien, intervint Jordan, l'air stupéfait, vous affirmez que les boisés corrompus portent des traces de magie noire ?

Hodmar opina.

– L'intuition d'Hµrtö ne le trompait pas, reconnut-il, honteux de n'avoir misé que sur les pouvoirs des cristaux.

Le doyen se pardonnait mal d'avoir sous-estimé leur ennemi. Celui-ci s'était avéré assez puissant pour masquer les empreintes de ses maléfices.

– C'est indéniable maintenant : un sorcier contamine les arbres. Il veut notre perte, conclut le doyen.

– Qui donc ? Vous n'allez tout de même pas accorder foi à la vieille légende concernant L'Autre, Le Cobra, le proscrit, qu'importe le nom qu'on lui donne ! Ce sont des histoires pour inciter les enfants à rester sages, non ?

– Depuis que nous l'avons banni, Artos nous persécute, soutint Hodmar. J'en suis certain maintenant car, hormis mon ancien disciple, je ne connais aucun mortel possédant assez de pouvoirs et de rancœur pour provoquer de tels ravages. N'oublie pas qu'il était un grand maître de magie.

Jordan se redressa sur son siège, prêt à relever le défi.

– Raison de plus pour que je mette toutes mes énergies à contrer ses méfaits. Tant que nous avons cru à des perturbations involontaires en provenance d'une autre dimension, nous n'avions pas d'autre choix que de maintenir une stratégie défensive. Mais puisque vous avez la certitude que ce damné sorcier nous nargue, contre-attaquons... Et sans attendre.

– Tu as raison sur ce point, admit Hodmar. Toutefois, sans vouloir t'offenser, je te rappelle que seuls les grands maîtres sont en mesure d'affronter un mage aussi pervers qu'Artos sans risquer de tomber sous son emprise, raisonna Hodmar.

– Je peux aider, s'entêta le disciple en triturant le nouveau bijou qui pulsait à son doigt.

– Je crois que tu serais mieux armé pour ça si tu entamais immédiatement ta formation. Pour l'heure, la responsabilité de combattre Artos nous incombe à tes parents et à moi.

Les narines du protecteur des hérissons se pincèrent. Au cours de ses deux cents années d'existence, il n'avait pas réussi à réfréner totalement ses élans d'irritation. Il détestait être tenu à l'écart. Il insistait pour prendre part aux décisions et à l'action. S'il lui arrivait encore de se quereller avec son maître ou son père, c'était en raison de ce qu'il considérait comme un manque de confiance à son égard.

– Je veux me battre à vos côtés. Et vous savez qu'il existe un moyen de m'armer sans y passer trois siècles, rétorqua-t-il d'un ton cassant.

Il se leva d'un bond et se dirigea dans le coin opposé de la pièce. Là, baignant dans une lumière bleutée, un cube de la taille d'une armoire lévitait en pivotant sur lui-même. Ce bloc de quartz contenait des grimoires de magie noire.

– Pourquoi n'utiliserais-je pas ces sortilèges pour rivaliser avec L'Autre ?

Le vieux maître se leva à son tour.

– Jordan, je suis convaincu que tes intentions sont louables, convint-il pour apaiser son disciple.

– Alors donnez-moi ces livres.

– Chaque fois que tu me les as demandés, j'ai refusé. Je n'accepterai pas davantage aujourd'hui.

– Pourquoi ? s'emporta Jordan, les mâchoires crispées de frustration.

– Je t'ai maintes fois expliqué que mal comprises, mal employées, ces incantations pourraient te nuire, voire t'anéantir.

Pendant quelques instants, Jordan contempla les manuels de sorcellerie que son maître, à titre de guide spirituel de sa communauté, conservait dans la cage luminescente. Les grimoires, ainsi qu'un curieux poignard effilé, se trouvaient là depuis que les Anciens avaient fait disparaître la Cité des sphinx. Avant d'activer l'envoûtement qui protégeait la ville sacrée contre les aspirations d'Artos, Kurbi et ses pairs avaient déverrouillé les sections interdites du temple du savoir pour récupérer l'arme et les livres.

– Vous n'avez pas le droit de priver notre peuple d'un combattant. Je suis volontaire. Je suis prêt à prendre le risque de...

– Tu dis cela parce que tu ignores les dangers que recèle cette magie, l'interrompit Hodmar en massant ses jointures douloureuses.

– Du sang de sphinx coule dans mes veines. Je suis protégé, s'obstina Jordan.

– Oui, contre les parasites et le grand mal. Mais pas contre la dépravation qu'entraîne l'utilisation des sortilèges des ténèbres. Au début, tes desseins seraient purs. Mais la sorcellerie opère de façon sournoise. Elle ne tarderait pas à dominer ta volonté. La tentation deviendrait alors irrésistible : tu voudrais t'en servir pour accroître tes forces, et là, au lieu de conquérir cette puissance, tu deviendrais son jouet.

Plutôt que de raisonner Jordan, ces paroles accrurent son courroux.

– À vous entendre, on jurerait que je suis un incapable, un novice. Il est révolu le temps de la prudence. Notre époque exige que nous devenions plus audacieux. Aujourd'hui, c'est Artos qui nous menace. Mais bientôt, les oppresseurs viendront de partout pour nous asservir.

– De quoi... De qui parles-tu ? se récria le doyen.

– Des hommes ! gronda le protecteur des hérissons. Il n'y a qu'une seule façon d'éviter de tomber sous leur joug et de ramener l'harmonie en ce monde, affirma-t-il.

Il ne se rendait pas compte qu'il ne faisait que régurgiter les idées qu'Eglon lui avait sournoisement inculquées.

– Il faut rétablir la suprématie des races elfiques...

– Et qu'entends-tu par là ? grinça le vieux mage.

– Étant les héritiers des sphinx, nous, les Longs-Doigts, nous devrions régner en maîtres absolus sur cet univers.

– En maîtres absolus... Sur le monde ?

– Certainement ! Et pour cela, il faut exterminer les humains, comme ils ont autrefois anéanti les Ghör et les Nagù.

– Tu ne penses pas ce que tu dis, se scandalisa Hodmar.

Jamais, au cours de leurs précédentes querelles, Jordan n'avait dévoilé de pareilles visées dominatrices.

– Contrairement à vous, je ne baisserai pas les bras. Vous ne m'écarterez pas de cette lutte. Je convaincrai les Anciens de me remettre ces grimoires, assena l'élève en quittant précipitamment son hôte.

En s'éloignant, il posa la main sur son ventre, là où se trouvait le sphinx des sphinx. La créature était maintenant adulte. Son visage gracieux était mis en valeur par sa crinière cuivrée. Son corps félin et ses ailes d'aigle lui conféraient une allure à la fois élégante et puissante. La certitude qu'avait Jordan d'être l'élu des sphinx le poussait souvent à surestimer ses devoirs et ses capacités.

– Je dois sauver mon peuple et pour cela, j'ai besoin d'armes redoutables. Pourquoi Hodmar ne le comprend-il pas ? Grâce à la protection des sphinx, je saurais utiliser la sorcellerie sans corrompre mon âme ! pestait-il en sortant de l'enceinte du collège.

L'humidité du petit matin le fit frissonner. Depuis quelques jours, l'hiver, anormalement doux, déversait sur le territoire des Longs-Doigts une pluie qui couvrait le paysage de verglas. Reproduisant fidèlement les conditions extérieures, La Grotte avait adapté son climat et son décor à ce caprice de la nature. Gainées de gel, les branches des arbres ployaient sous leur fardeau, les sentiers luisaient comme des miroirs et, sous leur manteau de givre, les toits des maisons s'ornaient de guirlandes de glaçons.

– Sale temps ! grogna Jordan, tandis que les gouttes verglacées se figeaient dans ses cheveux et s'accrochaient, comme des perles, à l'étoffe de sa cape.

Sa démarche furibonde s'accordant mal à la prudence qu'exigeait l'état des sentiers, il lévita et traversa le quartier des apothicaires, indifférent à la féerie du paysage. Il était à mi-chemin entre le village et la porte du nord lorsqu'Artos surgit de nulle part.

– Quel besoin avais-tu de révéler nos desseins ? siffla l'apparition.

Grâce à Idris, Le Cobra avait assisté à l'entretien de Jordan et d'Hodmar.

– Dis-moi ? tonna-t-il.

Il fulminait. D'abord, il avait été agacé d'apprendre que le scintillement de la clé d'argent l'avait dénoncé. Maintenant que le vieux mage savait qui était à l'origine de la dévastation de la forêt ancestrale, la réplique n'allait pas tarder. Et elle serait féroce. Artos avait donc besoin de précipiter la mise en œuvre d'un de ses plans. Comme si cette mauvaise nouvelle n'était pas suffisante, il avait fallu que Jordan s'emporte et commette une irrécupérable indiscrétion.

– Où crois-tu qu'Hodmar se rend en ce moment ? glapit-il.

Jordan n'était pas d'humeur à se faire sermonner.

– Je m'en moque ! répliqua-t-il en descendant au sol pour se poster devant l'image du Cobra.

La forme spectrale flottait un peu au-dessus de la surface glissante de la sente.

– Le doyen cherche ton père ! assena Artos. C'est ça que tu voulais ? Que tous les Longs-Doigts soient informés de tes projets et qu'ils se liguent pour t'empêcher de détruire la race humaine ? Comprends-tu que tu viens de saboter ta dernière chance de mettre la main sur les grimoires ?

– Je m'en emparerai autrement, jeta Jordan sur un ton de défi.

Bien que contrarié, le seigneur des ténèbres bénissait le hasard qui avait voulu que Jordan dévoile ses intentions destructrices seulement après avoir glissé la bague de vermeil à son doigt et avoir reçu les dons d'enchanteur qu'elle recelait. Or, cette puissance supplémentaire était essentielle à l'accomplissement d'une importante cérémonie que projetait le sorcier.

« Désormais, Jordan possède suffisamment de pouvoirs pour satisfaire les exigences de Korza. Pas assez, toutefois, pour mettre en péril ma domination, songeait-il en se remémorant les étapes du rituel. Les circonstances me bousculent, mais je suis prêt. Le piège est tendu ; il est maintenant temps de ferrer la proie. »

Aux confins de son antre, au cœur de la Cité des sphinx, Artos plissa les yeux. À ses côtés, Sotra brandit les bras en signe de victoire.

– Tu me juges incapable de voler ces grimoires, n'est-ce pas ? s'indigna Jordan.

Artos secoua la tête et claqua la langue en feignant le dépit.

– Tu es un habile magicien, mais, pour l'instant, tu n'as pas les connaissances pour faire sauter les verrous occultes de l'armoire.

Il soupira.

– Tu sais comme moi que le temps presse...

– Soit ! admit le protecteur des hérissons. Alors fais-le toi-même !

La trappe venait de se refermer.

– Tu as raison ! dit Le Cobra en plongeant son regard dans celui du fils de ses ennemis. Dors, Jordan ! *Ibis dilato !*

– 35 –

Plus voûté que jamais, Hodmar revint dans son cabinet. Le thé avait tiédi et les flammes de l'âtre ne parvenaient pas à chasser l'humidité qui régnait dans la pièce. Le vieux mage resta un moment devant le brasier, frottant l'une contre l'autre ses mains déformées par l'âge.

Les yeux fixés sur la danse ensorceleuse du feu, il se remémorait la réaction d'Hµrtö quand il lui avait expliqué la cause du scintillement du médaillon d'argent dans les lueurs de l'aube.

– C'est L'Autre ! avait affirmé le Loxillion sans qu'Hodmar le contredise.

À la suite de cette révélation, le doyen avait dû enchaîner avec les aveux de Jordan.

– Mon fils désire supprimer la race humaine ! s'était étranglé Le Gris en s'affalant sur un tabouret. Dites-moi que je rêve !

Le grand mage n'avait rien répliqué, attendant qu'Hµrtö assimile cette information et qu'il envisage la suite des événements.

– Dans un élan de colère, les paroles de Jordan auront dépassé sa pensée, avait tenté d'argumenter le père consterné. D'où pourraient bien lui venir de telles idées ? Mon fils est parfois hargneux, inflexible... Mais, par tous les esprits, il n'a pas l'âme d'un assassin ! plaida Hµrtö en se relevant.

Affligé par les tourments de son ami, Hodmar avait posé sa main sur l'épaule du Loxillion.

– Préviens Mauhna, avait-il recommandé. Elle saura peut-être trouver les mots pour raisonner Jordan. Néanmoins, la situation est trop grave pour que je ferme les yeux. Je dois aviser les Anciens et les chefs des clans ; ils voudront sans doute interroger ton fils.

– Pourraient-ils aller jusqu'à le bannir ? s'était inquiété Hµrtö.

– J'en doute, avait voulu le réconforter Hodmar. Toutefois, s'il continue de soutenir une pareille doctrine, les Anciens le soumettront à des traitements de redressement moral.

La perspective de ce châtiment douloureux et dégradant avait fini de dévaster Hµrtö. Il avait quitté son vieil ami pour se rendre auprès de Blanche et l'informer de l'incroyable déclaration de leur fils.

✧

Dans son cabinet, le regard absent, Hodmar imaginait Mauhna. Plutôt que de célébrer la nomination de son fils dans l'ordre des enchanteurs, elle allait se retrouver en plein drame.

– Étais-je aussi opiniâtre que Jordan dans ma jeunesse ? marmonna-t-il en constatant qu'il avait du mal à se souvenir de celui qu'il avait été à cette époque très lointaine.

Il s'éloigna du foyer pour se diriger vers le bloc lumineux qui tournait lentement. Le cube de quartz crépita quand il l'effleura pour renforcer l'enchantement des verrous. Soudain, les lueurs bleutées vacillèrent, plongeant la pièce dans la pénombre que seules les flammes de l'âtre perçaient.

– Que se passe-t-il ? s'étonna Hodmar devant le phénomène inhabituel.

Il allait allumer magiquement quelques bougies quand une brise incongrue lui caressa la nuque. Son souffle se suspendit. Une silhouette se reflétait sur la surface de verre de l'armoire, une silhouette qui avançait vers lui, le bras replié, le poing à la hauteur de l'épaule. Sur sa tête, traversant la chevelure, pointaient des épines hérissées.

– Jordan ! s'exclama le doyen quand il reconnut son disciple. Je suis heureux que tu sois revenu. Discutons calmement de...

Il n'eut pas le temps de faire volte-face ; une dague s'enfonça sous son omoplate et se ficha dans son cœur fatigué. Une tache pourpre s'élargit sur la soie de sa tunique. Lentement, comme un arbre qui tente une ultime résistance contre les assauts du vent, il tressaillit, fléchit et s'écroula.

Dans le corps de Jordan, Artos perçut l'odeur du sang. Le vieux mage gisait à ses pieds, pitoyable vestige d'une grandeur surannée.

– Ainsi périssent les ennemis du Cobra, vaincus par la ruse, terrassés dans l'abomination !

Le sorcier ne récupéra pas l'arme plantée dans le dos d'Hodmar. Par contre, il s'empara sans attendre du médaillon d'argent.

« Je détiens enfin une clé. La première des trois... Voilà un bon début », se félicita-t-il, tandis que la conscience de Jordan subissait son joug.

Ensuite, utilisant le parler noir, Artos lança plusieurs incantations. Le bloc de quartz enchanté vola en éclats, laissant les grimoires et le petit couteau suspendus dans le vide.

– Saygöe ! exulta le sorcier en saisissant le poignard.

Au creux de la main de Jordan, l'objet à la lame effilée et au manche de nacre paraissait inoffensif. Pourtant, il s'agissait de la seule arme capable de réduire un mage noir à l'impuissance ; cette lame à l'allure délicate pouvait dépouiller Le Cobra de ses forces maléfiques.

Dominant toujours les mouvements de son disciple, Artos glissa Saygöe dans le fourreau vide de sa dague. Ensuite, par un sortilège élémentaire, il diminua la taille des bouquins et les empocha avec le médaillon.

L'esprit de Jordan sembla soudain se rebeller. Un rêve voulait émerger, mais Artos avait appris à maintenir la transe requise pour une possession prolongée.

– *Ibis dilato, tad rafay !* commanda-t-il pour chasser la conscience importune.

Puis, sans un regard pour son ancien maître, L'Autre tourna les talons. Au passage, il étouffa les flammes dans l'âtre. Il sortit dans les couloirs encore déserts à cette heure matinale. Deux heures à peine s'étaient écoulées depuis que Jordan avait reçu son anneau de vermeil. Pourtant, cette petite tranche de temps avait suffi à faire basculer le destin du porteur du sphinx des sphinx.

Quand, répondant à l'incantation d'Artos, la lourde porte du cabinet d'Hodmar se referma derrière la silhouette du disciple possédé, elle émit le claquement sourd d'une dalle funéraire.

✧

Les membres un peu gourds, Jordan reprit conscience. Il se trouvait dans une cabane qu'il connaissait car il y venait parfois pour ses rendez-vous avec Eglon. La maisonnette était située assez loin à l'intérieur du territoire du Clan des forêts. Une lanterne éclairait l'endroit. Par moments, accablées par leur fardeau, les branches des arbres laissaient tomber de gros glaçons qui s'écrasaient avec fracas sur la toiture.

Le fils d'Hµrtö et de Mauhna se sentait légèrement nauséeux. Comme chaque fois qu'il subissait des absences commandées par son maître, il ignorait comment il avait abouti à l'endroit où il s'éveillait. Il détestait cette sensation de perdre toute maîtrise sur lui-même, mais quand il s'en plaignait à Eglon, celui-ci le rabrouait, l'accusant de se montrer indigne de sa mission.

Du regard, il fit le tour de l'unique pièce. Grâce à la magie d'Idris, depuis son antre aux confins de la Cité des sphinx, Artos guettait son disciple. L'image du sorcier fut projetée à côté d'une table bancale, dans un coin sombre de la cabane. Pour l'occasion, il avait choisi de se présenter sous l'apparence d'un grand loup du nord. Ses yeux jaunes brillaient dans l'ombre.

– J'ai réussi ! glapit Eglon en projetant sa lumière astrale sur les grimoires et le poignard déposés sur la table.

L'affirmation n'était pas tout à fait exacte car, avant de crier victoire, il fallait que les objets de sa convoitise sortent du monde des elfes-sphinx et lui soient rapportés. Fasciné, Jordan s'approcha. Les grimoires de magie noire étaient là ; il pouvait les toucher, les ouvrir, les étudier enfin.

Il ignorait toutefois que, sous l'emprise d'Artos, il avait arraché son médaillon à Hodmar pour le ranger dans une des poches de son manteau. S'il l'avait découvert, il se serait immédiatement inquiété du sort du doyen. Depuis l'enfance, il savait qu'un mage ayant accepté la responsabilité d'une clé ne peut pas survivre longtemps séparé d'elle.

– Puis-je ? demanda Jordan en effleurant la couverture d'un des grimoires.

Avec l'assentiment de son maître, il tourna quelques pages et découvrit qu'elles étaient écrites dans un langage très ancien.

– Il faudra que j'apprenne à déchiffrer ces textes ! lança le disciple, contrarié.

Le loup opina.

– Très bientôt. Mais d'abord, va chercher le bracelet.

L'été précédent, suivant les directives du sorcier, Jordan avait fabriqué et ensorcelé ce bijou. Il s'agissait d'un anneau formé de deux serpents entrelacés ; le premier était façonné d'or blanc et l'autre d'argent. Jusqu'à ce jour, Eglon avait refusé de révéler à Jordan les pouvoirs qu'il recelait.

– Nous disposons maintenant des instruments nécessaires à ta mission. Es-tu prêt à l'accomplir ? demanda le maître à son disciple.

– Oui.

– Comprends-tu que tu dois tout quitter ?

Jordan déglutit. Jamais il n'avait réfléchi à cet aspect de ses ambitions.

– Tu ne domineras pas les hommes et n'assureras pas la suprématie des elfes-sphinx en restant ici, lui fit comprendre Eglon.

Jordan toucha le sphinx sur son ventre et redressa la tête.

– Où dois-je me rendre ? s'enquit-il.

– Tu vas me rejoindre dans un endroit fabuleux, lui promit son maître.

– Je ne peux pas partir sans saluer mon père. Je veux embrasser ma mère et ma sœur avant de..., voulut atermoyer le disciple malgré sa détermination.

Eglon hocha la tête, apparemment dépité.

– Oublies-tu que tu as révélé à Hodmar quels étaient tes desseins ? Crois-tu que la communauté bien-pensante des Longs-Doigts va te laisser partir après ça ? À l'heure actuelle, ils te cherchent sans doute pour te faire comparaître devant la cour des Anciens.

– Tu as raison, concéda Jordan. Mon peuple jugera mes propos subversifs. Les Anciens me condamneront à une réforme morale.

– Tu dois partir sans attendre et accomplir ton destin, conclut le sorcier.

Jordan s'affligeait en songeant au désarroi de sa mère, à l'incompréhension de son père, au chagrin d'Aglaë.

– Un jour, ils sauront que j'avais raison, dit-il pour se donner du courage.

« Je reviendrai couvert de gloire... Vous n'aurez pas à rougir de moi ! » promit-il en esprit à ceux qu'il aimait.

– Que dois-je faire ? s'enquit-il à contrecœur.

– Prends les grimoires et le couteau, ordonna le sorcier, excité à l'idée de mettre enfin la main sur son butin.

Jordan obéit. Il réduisit la taille des objets, qu'il rangea dans la poche désignée par le grand loup. Ensuite, il attendit.

– Maintenant, enfile le bracelet.

Le porteur du sphinx des sphinx inspira profondément avant d'obtempérer. Sous ses yeux, les serpents d'or et d'argent commencèrent à remuer ; lascivement, ils entortillèrent leurs corps métalliques pour resserrer leur étreinte sur le poignet du Longs-Doigts. Quand les reptiles lui collèrent à la peau, un rectangle de ténèbres apparut devant Jordan.

– Franchis ce portail, souffla la voix du loup.

Le fils d'Hµrtö et de Mauhna fit un pas. Une fois le seuil passé, il flotta dans un tunnel. La sensation accrut sa nausée. Quand il parvint au terme de ce voyage occulte, il se retrouva devant un Longs-Doigts qui portait la toge des grands maîtres de magie. Habitué à ces transformations, Jordan ne questionna pas celui qu'il connaissait depuis presque deux siècles sous le nom d'Eglon.

À l'aide d'une incantation, Le Cobra récupéra le bracelet, le couteau et les grimoires.

« Maintenant que je les tiens, aucun magicien ne pourra s'en servir contre moi », jubila-t-il en effleurant la couverture des livres et la lame de Saygöe.

Pendant ce temps, légèrement étourdi, Jordan faisait le tour de la pièce. Il s'agissait d'un vaste laboratoire. Hormis celui de sa mère, Jordan n'avait jamais vu une installation aussi sophistiquée. Plusieurs instruments s'animaient sur les tables et les étagères. Jordan aurait été bien en peine d'en deviner l'usage. Il jeta un œil dans la bibliothèque ovale.

– Tous ces grimoires traitent de sorcellerie... Un véritable trésor ! Pourquoi donc te fallait-il ceux d'Hodmar ? demanda le disciple, de plus en plus mal à l'aise.

Il sursauta quand il aperçut l'ombre affranchie du sorcier. La silhouette couleur de suie se déplaçait à sa guise en fixant ses pupilles de feu sur le nouveau venu.

– Bienvenue dans la Cité des sphinx, lança Sotra pour accueillir l'invité de son maître. Nous sommes dans le domaine de la magie noire, dans les soubassements du temple du savoir.

Alors le sorcier eut un sourire qui révéla ses dents si blanches et pointues.

– Mon vrai nom est Artos, se présenta-t-il. Je suis L'Autre, le proscrit, et j'ai juré de frapper ton père dans ce qu'il avait de plus cher.

Sur ces mots, il fit léviter le bracelet qui s'embrasa avant de disparaître. Ainsi venait de se refermer la seule voie qui aurait pu ramener Jordan sous la protection de ceux qui l'aimaient.

– 36 –

Par ce même matin d'hiver, Noxad, le souverain borgne du pays de Gohtes, chevauchait avec ses troupes, convaincu que les attaques les plus virulentes viendraient de son voisin Balabar.

Quelques jours auparavant, dans un village situé au centre du continent, les rois d'Anastavar avaient mis fin à une longue ère de paix entre leurs nations. Le Traité des Six avait été abrogé et les cors avaient annoncé le retour de la guerre.

Noxad avait prévu le coup en plaçant plusieurs de ses garnisons à l'ouest de son territoire. Toutefois, il connaissait assez la cupidité et l'arrogance du roi de Bortka pour deviner qu'il avait aussi posté ses armées aux abords de leurs frontières ; au premier appel des trompes guerrières, les combattants ennemis s'étaient sans doute lancés à l'assaut des terres de Gohtes, pressés de se livrer au pillage, au viol et à la dévastation.

Pour l'heure, cependant, Noxad ne songeait ni à la guerre ni aux horreurs qu'elle engendrait sous le couvert du courage et de la gloire.

– Je dois me rendre à Döv Marez. Accélérez l'allure de mon escorte, commanda le roi borgne à son général.

L'officier sourcilla devant cette requête inattendue.

– Je vous croyais impatient de croiser le fer avec Balabar, s'étonna le militaire.

– Notre détour par la capitale sera bref et nous sommes presque en vue de ses remparts. N'oubliez pas que l'Ogre de Bortka se heurte actuellement à nos meilleures troupes ; elles lui résisteront. N'ayez crainte, général, ensuite, nous courrons sus à notre rustre voisin, l'assura le seigneur de Gohtes.

Au temps de sa jeunesse, Noxad avait été blond. Maintenant âgé de quarante ans, l'héritier de la dynastie des Monk ne possédait plus qu'une couronne de cheveux gris qu'il rasait par commodité plus que par souci d'élégance. Sous un bandeau, il dissimulait l'orbite vide de son œil droit. Cette infirmité, il la devait à Balabar.

« Le fourbe ! » fulminait intérieurement le roi de Gohtes chaque fois qu'il pensait à son ennemi.

À cette époque, tandis que Noxad explorait les contrées lointaines pour les coloniser au nom de Dioxad, son père, Balabar assassinait le sien pour s'asseoir à sa place sur le trône de Bortka. Contesté par la noblesse de son pays, le parricide avait pris la mer dans l'espoir que les richesses qu'il rapporterait des terres étrangères lui gagneraient le respect de ses sujets. Un jour, les flottes des deux princes s'étaient croisées au large d'une île où poussait une abondance d'ébéniers.

Soucieux de préserver ses navires et son équipage, Noxad avait proposé un duel à Balabar ; le vainqueur obtiendrait, pour sa nation, la possession de l'île et de ses trésors. Le prince Noxad s'était battu avec discipline et adresse alors que son adversaire n'avait compté que sur sa force. L'agilité l'avait emporté sur la brutalité, et la victoire avait été concédée au futur roi de Gohtes. Furieux, faisant fi des règles de la chevalerie, l'Ogre de Bortka avait attendu que Noxad soit débarrassé de ses armes pour fondre sur lui et l'éborgner. Depuis ce temps, les rois voisins se vouaient une haine meurtrière.

« Ai-je refusé de signer un nouveau traité de paix pour assouvir cette vengeance ? Ai-je bêtement condamné mon peuple à la guerre pour avoir l'occasion de tuer mon ennemi ? » s'inquiétait tout à coup Noxad pendant que son destrier l'entraînait dans un galop effréné.

Le froid était mordant. Le souffle des chevaux formait des volutes de buée dans le petit matin. Quand le roi vit poindre les tours de son palais, il ressentit un soulagement indicible. Il lui tardait de se rendre auprès de son épouse.

« L'enfant est-il né ? » se tourmentait-il.

Abandonnant son étalon aux soins de son écuyer, il pénétra dans le château et se précipita vers les appartements royaux.

– Votre Altesse ! Je ne vous attendais pas... Miséricorde ! L'ennemi approche-t-il de la capitale ? s'écria le chancelier quand son roi surgit dans un couloir dallé.

– Comment se porte la reine ? s'informa Noxad sans répondre à la question du gardien des sceaux.

– J'ai le regret de vous dire...

Le roi l'ayant dépassé, le dignitaire fit volte-face, s'élança derrière son maître et reprit :

– La reine est alitée depuis l'annonce de l'état de guerre. Ses dames de compagnie, la sage-femme, le médecin et les prêtres sont auprès d'elle.

Feylicie était la troisième épouse de Noxad. Celles qui l'avaient précédée avaient été répudiées pour n'avoir pas donné de descendant au souverain de Gohtes. Tous les espoirs de Noxad reposaient sur la naissance de cet enfant, car il ne pouvait pas concevoir que la dynastie des Monk s'éteigne après sa mort.

Le souverain pénétra dans la chambre bondée. Dès qu'ils aperçurent leur roi, les sujets refluèrent dans les coins pour lui livrer le passage.

– Majesté ! chuchotaient-ils à tour de rôle en s'inclinant.

Sur leur visage, Noxad croyait distinguer de la consternation et de la peur. Seule la sage-femme osa rester près de la couche royale. Elle salua le maître du royaume, s'empara de la main crispée de la souveraine et lui souffla quelques mots à l'oreille. Alors Feylicie ouvrit les yeux ; la fièvre les faisait luire.

– Où est mon époux ? s'enquit-elle sans reconnaître celui qu'elle réclamait.

La douleur la fit geindre. Les mâchoires contractées, elle ajouta néanmoins :

– Mon mari est-il mort au combat ? J'entends les cors ! Annoncent-ils son trépas ?

– Du calme, ma reine ! Votre époux est sauf. Regardez, il est ici, à vos côtés, murmura la sage-femme en lui épongeant le front.

Feylicie tourna la tête vers Noxad et lança une plainte.

– Le spectre de mon aimé est là, si blanc... Je vais mourir et le rejoindre, sanglota-t-elle, prisonnière de son délire.

Soudain, elle hurla. Secoué de spasmes, son corps au ventre distendu se tordait sur les draps froissés. Désemparé, Noxad dévisagea la sage-femme pour quêter une explication.

– L'enfant n'arrive pas à passer, déclara-t-elle.

Entendant cela, le roi borgne se rua vers le médecin qui se tenait en retrait.

– Qu'attendez-vous pour agir ? Faites quelque chose... Par tous les esprits, libérez la mère et l'enfant, rugit le souverain.

L'homme au nez crochu glissa ses mains dans les manches du manteau violet des gens de sa profession.

– C'est que... je ne peux pas... pas les... les..., bredouilla-t-il.

– Que dites-vous là ? tempêta Noxad.

Le médecin devint aussi livide que la parturiente.

– Je ne peux pas les sauver tous les deux, jeta-t-il tout à trac. Puisqu'il m'est impossible de choisir entre la reine et l'héritier, j'attends que la nature décide.

– Sombre imbécile ! l'injuria Noxad. Ne voyez-vous pas que votre hésitation risque de les tuer l'un et l'autre ?

La sage-femme opina.

– Voilà ce que je lui répète depuis l'aube, lança-t-elle d'un ton acerbe en dardant sur l'indécis un regard accusateur.

Le grand nez du médecin se plissa avec mépris. Dans un geste qui semblait lui répugner, il se résolut à extirper ses mains de leur cachette.

– Qui ? demanda-t-il au roi. La mère ou l'enfant ?

Le roi de Gohtes vacilla. Le sang battait si fort contre ses tempes que sa vue se troubla. Son mariage avec Feylicie avait été dicté par le devoir. À défaut de passion, leur union avait été empreinte de dignité et de respect. Avec le temps, une certaine tendresse s'était épanouie entre eux. Maintenant, un sentiment d'indignation faisait souffler bruyamment Noxad.

– Sortez ! cria-t-il à l'adresse des dames de compagnie, des prêtres et du chancelier.

Quand les importuns eurent détalé, Noxad s'agenouilla auprès de la couche. Il appuya sa paume glacée sur le front bouillant de Feylicie.

– Mon amie, pardonne-moi ! l'implora-t-il dans un murmure.

Puis, se tournant vers l'homme au nez en bec d'aigle, il ordonna :

– Sauvez l'enfant !

✧

Peu de temps après, la reine moribonde accoucha d'une fille. Quand la petite fut emmaillotée et sa mère recouverte d'un linceul, Noxad serra son héritière contre son cœur. L'œil unique de cet homme rompu à la guerre versa des larmes dans lesquelles se disputaient l'amertume et la joie.

En hommage à une lointaine ancêtre de la lignée des Monk, la princesse de Gohtes reçut le prénom de Lea.

✧

Au même instant, dans le quartier des artisans de la cité, la femme d'un joaillier mettait au monde un beau garçon vigoureux. Quand l'enfant fut langé, sa mère le serra contre son cœur et sanglota :

– Mon petit, que deviendrons-nous ?

Dix jours auparavant, quand les cors avaient annoncé le début des guerres continentales, Romhan Mel'Enör, son époux, avait été enrôlé par les officiers du roi. Le soir même, l'artisan avait dû quitter son foyer pour prendre la route de l'ouest. Là-bas, les rustres de Bortka se préparaient à prendre d'assaut les remparts frontaliers du pays de Gohtes. Romhan avait promis à son épouse qu'il reviendrait.

– Mon amour, quelle sera notre vie sans toi ? gémissait Elestre, ses larmes baignant le front de son fils nouveau-né.

Garomil, l'unique descendant de la famille des Mel'Enör, connaîtrait-il jamais son père ? Tandis que la jeune mère pleurait sur l'avenir incertain de son petit et sur le sort de son époux, une nuée de colombes envahissait le ciel matinal de Döv Marez, provoquant l'émoi des prêtres congédiés par le roi. Plutôt que de se disperser, les oiseaux exécutaient des arabesques surnaturelles, dessinant une suite de symboles qu'ils répétaient en séquence.

– Il est né, proclama le doyen des oracles en interprétant le message livré par cette singulière volée.

– L'enfant que la prophétie annonce depuis des siècles a vu le jour, compléta son disciple, émerveillé par le spectacle.

Le blanc plumage des oiseaux se découpait sur le fond ténébreux des nuages chargés de neige. Les prêtres ne furent pas les seuls à assister à l'étrange phénomène. Levant la tête de leur labeur, plusieurs elfes asservis aperçurent la danse énigmatique exécutée par les volatiles immaculés.

– Il est né ! se répétèrent-ils à voix basse pour ne pas alerter leur maître.

Un heure plus tard, la rumeur avait fait le tour de la cité et était parvenue aux oreilles de Maïr, le conseiller en chevaux du souverain. Sans attendre, il grimpa l'escalier en pas de vis qui menait à la volière du château, rédigea un message et le confia à un pigeon. Celui-ci s'éleva aussitôt au-dessus du palais de Noxad. De gros flocons duveteux commençaient à tomber. L'oiseau décrivit un cercle, virevolta entre les hautes tours, dépassa les remparts et s'élança vers l'île des insoumis.

Le message de l'hermaphrodite tenait en peu de mots. Pourtant, les trois phrases qu'il contenait portaient en elles tout l'espoir d'une race opprimée :

Il est né. Espérez le soleil noir. Il saluera l'heure de la grande révolte des elfes.

- 37 -

Sur l'île des elfes insoumis, le vent soufflait, créant des tourbillons de neige qui piquaient les yeux. Pour se protéger du blizzard, Quatre-Mains rabattit le capuchon de son manteau. Ensuite, il serra son écharpe de laine sur sa gorge et saisit la main de Shinon.

– Fallait-il vraiment que nous sortions si tôt ? Et par un temps pareil..., maugréa la Dezmoghör en s'accrochant à son époux.

Lom'lin la regarda, attendri. Le nez de Fée était rougi par le froid. Les longues mèches qui s'échappaient de son chignon lui donnaient l'allure sauvage d'une lionne.

– Comme tu es belle ! dit-il en lui baisant les lèvres.

Shinon ne put réprimer une moue à la fois amusée et irritée.

- Après toutes ces années, je devrais savoir qu'il m'est impossible de résister à ton charme. Va, explique-moi pourquoi, de si bon matin, nous bravons cette tempête pour aller à la rivière Jyn.

Quatre-Mains lui saisit le bras pour l'aider à lutter contre une bourrasque.

– Je l'ignore ! confessa-t-il.

Ses mots se perdirent dans la fureur des sifflements éoliens.

– Je n'ai pas de raison précise, reprit-il en élevant la voix. Bien avant l'aube, je me suis éveillé avec la certitude que nous devions nous rendre là-bas.

Shinon opina sans réclamer plus de justification. Au cours de leur longue vie commune, la dame ailée avait appris à se fier aux intuitions de son mari. Dans le cœur de ce survivant, l'instinct et la sagesse faisaient bon ménage.

« Comme lui et moi », se plaisait-elle à penser.

Ils marchèrent en silence, préférant préserver leur souffle pour affronter le vent et les dards glacés qui les harcelaient. Quand ils coupèrent à travers bois, ils bénirent le répit momentané que leur accordait le bouclier des arbres.

– Que ressens-tu depuis ton réveil ? demanda Shinon en profitant de cette trêve dans le tumulte.

– De la fébrilité et de la joie ! déclara Lom'lin sans hésitation.

Cette fois, le sourire de Fée s'épanouit sans équivoque.

– Dans ce cas, pressons-nous, jeta-t-elle gaiement.

✧

Nabi Jyn n'avait pas fermé l'œil de la nuit. Dormant entre ses bras, Oliana offrait à son époux l'apaisante compagnie de son souffle régulier.

Quelques heures auparavant, les vents s'étaient levés. Nabi avait écouté leurs hurlements comme s'ils pouvaient lui révéler la cause de son agitation. Maintenant que la grisaille du jour naissant repoussait peu à peu les ténèbres, le protecteur des zèbres et des pigeons n'en pouvait plus d'attendre. Il quitta sa couche et se vêtit chaudement. Malgré la tempête, il savait qu'il devait sortir. Au moment où il s'enveloppait de sa cape, Oliana ouvrit les yeux.

– J'ai fait un rêve... Attends. Je viens avec toi, annonça-t-elle.

✧

Khar et Dhar galopaient. Leurs sabots brisaient la mince couche de neige avant de la projeter, dans leur sillage, en arcs poudreux. Deux fois centenaires, les frères siamois avaient appris depuis longtemps à synchroniser leurs gestes pour se mouvoir comme s'ils n'avaient qu'un seul corps. Dans leur cavalcade effrénée, ils haletaient de concert, grisés par la course, comblés de leur parfaite complicité. Ils savouraient le bonheur simple de ceux qui ne connaissent pas la solitude.

Dès l'aurore, renonçant à la chaleur de la cabane qu'ils habitaient en bordure d'une prairie, ils avaient fait fi du temps maussade pour traverser la vaste étendue balayée par les rafales. Quand ils atteignirent le bout du pré, ils ralentirent l'allure et pénétrèrent dans une petite forêt. Sans échanger un mot, ils empruntèrent un sentier qui conduisait à la vallée et à la rivière Jyn. Rendus à l'orée du bois, ils furent surpris de constater qu'ils n'étaient pas les seuls à avoir défié les humeurs du temps.

– Papa ! s'étonna Khar.

– Maman ! lança Dhar.

En étreignant ses fils, Quatre-Mains s'exclama :

– Vous aussi, vous avez perçu l'appel !

Ensemble, les Dezmoghör quittèrent le boisé et s'avancèrent dans la clairière. Soudain, les bourrasques dissipèrent le rideau de neige et leur révélèrent un spectacle captivant. Pourtant, ce décor leur était familier : à cet endroit, la maison de Nabi et d'Oliana enjambait la rivière Jyn. Sur chacune des rives s'élevait une tourelle. Les Longs-Doigts habitaient la première. La seconde constituait une gigantesque volière dans laquelle Nabi hébergeait ses précieux pigeons messagers. Entre les deux tours, une terrasse aérienne formait un ponceau où Oliana aimait méditer, bercée par le clapotis des cascades.

– Que signifie ceci ? laissa échapper Shinon, exprimant la stupéfaction qu'elle partageait avec son époux et les jumeaux.

Surplombant la demeure de leurs amis, la neige formait un large tourbillon. Tous les vents semblaient s'être regroupés dans cette tornade. L'anneau se resserrait peu à peu. Bientôt, il allait emprisonner la volière, comme un dé à coudre enfilé au bout d'un doigt.

Nabi et Oliana se tenaient sur la terrasse entre les tourelles. La tête renversée, ils observaient le remous qui gravitait autour de l'abri des oiseaux. La fureur matinale s'était tue abruptement, plongeant le paysage dans un silence et un calme irréels. Maintenant, la neige tombait mollement sur la clairière, créant une atmosphère féerique, uniquement troublée par le tourbillon. Shinon, Lom'lin et leurs fils siamois s'approchèrent.

– Que se passe-t-il ? demanda Quatre-Mains quand il fut à portée de voix des Longs-Doigts.

Le beau visage d'Oliana resplendissait. Elle fit signe à ses amis de venir les rejoindre sur la plateforme.

– Les esprits nous envoient un message, expliqua-t-elle en pointant l'index vers la masse qui ceignait la volière.

Quelques instants après, le tourbillon se contracta et sa vitesse devint démente. Quand il s'engouffra à l'intérieur de l'abri des oiseaux, Nabi crut qu'il allait défaillir. Il voulut s'élancer à la rescousse de ses pigeons, mais Oliana le retint.

– Ne crains rien. Tes protégés ne courent aucun danger, l'assura-t-elle.

– Es-tu...

Nabi fut interrompu par des battements sourds. Les martellements étaient si puissants qu'ils faisaient vibrer l'air. Dès qu'ils les entendirent, Khar et Dhar abandonnèrent la terrasse pour bondir sur la grève.

– Minuit ! clamèrent-ils à l'unisson.

Le cheval mythique surgit d'un sentier et fila jusqu'à eux. Puis, se cambrant sur ses pattes arrière, il hennit à plusieurs reprises. En réponse à ses appels, les pigeons jaillirent en trombe de la tour.

– Que font-ils ? questionna Lom'lin, intrigué.

Plutôt que de se disperser dans le ciel, les oiseaux de Nabi volaient tous ensemble, exécutant une danse identique à celle qui, au même instant, subjuguait les prêtres et les esclaves elfiques dans la cité de Döv Marez.

Contrairement à ses compagnons, ignorant le spectacle de la volée, Oliana guettait le flot de la rivière. La cascade crachait ses embruns comme un dragon jette ses flammes. Bientôt, sous les yeux ravis d'Oliana, les gouttelettes révélèrent une silhouette argentée.

– Regardez... Là ! s'écria-t-elle pour attirer l'attention de Nabi et des Dezmoghör.

Cessant de contempler les voltes des pigeons, les interpellés vinrent s'appuyer à la balustrade qui surplombait les flots.

– Une naïade, chuchota Nabi en s'inclinant avec respect.

La nymphe salua les mortels et le grand cheval noir. Puis elle annonça :

– Le Juste est né... L'humain qui sauvera les elfes de l'esclavage a vu le jour.

– Où pouvons-nous le trouver ? s'enquit immédiatement Quatre-Mains.

– Ne cherchez pas cet enfant. Quand il sera devenu un homme, il vous trouvera, précisa la petite fée.

– À quoi le reconnaîtra-t-on ? s'enquit Nabi.

Minuit se cambra de nouveau. Son hennissement s'adressait à son maître.

– Minuit saura reconnaître Le Juste, traduisit la naïade.

Ensuite, elle voleta pour se hisser plus près de ses interlocuteurs mortels.

– Cet homme fera la guerre à la guerre, prophétisa-t-elle. Préparez-vous à lui fournir une armée et à devenir ses généraux.

À ce moment, les pigeons survolèrent le ponceau. D'un seul coup, ils lâchèrent ce qu'ils tenaient dans leur bec. Toute trace de vent ayant disparu, la pluie de plumes qu'ils déversèrent resta suspendue quelques instants autour des spectateurs. Puis une force invisible souffla les plumes et les entassa sur la rive, aux pieds de Minuit.

– Quel étrange présent ! s'étonna Nabi.

Sa stupéfaction se changea en fascination quand l'amoncellement s'enflamma. En quelques instants, la flambée de plumes devint un nid de braises.

– Incroyable ! s'étrangla Shinon en voyant palpiter une masse parmi les lueurs rougeoyantes.

Pourtant, ses yeux ne la trompaient pas. Un oiseau au plumage pourpre et doré remuait dans le lit de cendres. Quand il eut déployé ses ailes, il prit son envol, fit quelques tours dans le firmament et fonça vers Nabi. Habitué à interpréter les mouvements des oiseaux, celui-ci tendit le bras pour que le nouveau-né s'y perche.

– Voici Saül, le phénix ! Il possède de nombreux pouvoirs qu'il vous révélera si vous parvenez à gagner sa confiance. Aimez-le et il deviendra pour vous un compagnon fidèle, proclama la nymphe.

Avant de disparaître, elle rappela :

– Le Juste est né. Espérez le soleil noir. Il saluera l'heure de la grande révolte des elfes.

✧

Le jour était encore jeune que déjà les insulaires préparaient des missives codées annonçant la naissance du sauveur des elfes et la venue prochaine, sur le continent, des chefs de la rébellion.

Toutefois, les insoumis étaient trop aguerris pour revenir parmi les humains sans se prémunir contre leur convoitise. Aussi, Lom'lin, Shinon, Nabi et Oliana planifiaient-ils avec soin leur couverture : le cirque de Quatre-Mains devait reprendre du service. Bientôt, les rebelles allaient se travestir et se lancer dans une ambitieuse tournée.

Qu'ils soient elfes-sphinx, elfes-iva, hermaphrodites, elfes-ubu, elfes-jibi ou Dezmoghör, c'est en pensant à leurs frères opprimés que les insulaires fourbissaient leurs meilleures armes : la ruse, la patience, le courage et la solidarité.

– 38 –

Mauhna essuya ses larmes et redressa la tête. À ses côtés, Hμrtö paraissait effondré. Et pour cause. À l'aube de ce matin d'hiver, Hodmar avait démasqué leur ennemi, transformant les soupçons passés du Loxillion en certitudes.

– Le médaillon d'argent a trahi les maléfices de L'Autre. C'est *lui*... Lui qui nous persécute depuis qu'il a été banni. Le temps n'a atténué ni son courroux ni sa soif de vengeance, avait annoncé Le Gris à son épouse.

– Les tempêtes, la corruption des forêts... Ce damné sorcier est donc la source de tous nos tourments, enragea Blanche, les doigts crispés sur son mouchoir.

– Et il ne s'arrêtera pas de sitôt, renchérit Hμrtö.

Mauhna referma ses bras sur sa poitrine et frissonna. Mais, aussi mauvaise soit-elle, cette nouvelle n'était pas celle qui avait provoqué les pleurs de la magicienne.

– Et Jordan qui en rajoute en déclarant qu'il souhaite exterminer la race humaine, lança-t-elle en hochant la tête.

Comment admettre que son fils puisse entretenir autant de haine envers des êtres vivants ? Elle se leva.

– Prenons un problème à la fois, suggéra-t-elle tandis qu'elle couvrait ses épaules d'une cape. Va rejoindre Hodmar et demande-lui d'attendre un peu avant d'aviser les Anciens. Dès que j'aurai retrouvé Jordan, je le ramènerai au collège. Peut-être qu'à nous trois, nous réussirons à le raisonner.

Hμrtö acquiesça. Il étreignit sa bien-aimée pour la réconforter et pour se donner du courage. Ensuite, il disparut.

✧

Aux confins du temple du savoir, dans l'antre du Cobra, Jordan était prisonnier d'un sortilège de pétrification qu'il ne parvenait pas à rompre.

– Inutile de te débattre. Mes pouvoirs surpassent de beaucoup les tiens... Tu ne les contreras pas, lui répéta le sorcier, amusé des tentatives infructueuses de son captif.

Jordan aurait voulu hurler, fuir le regard halluciné de celui qu'il avait, pendant deux siècles, considéré comme son ami, son confident. Pour le fils d'Hμrtö et de Mauhna, ce mystérieux mage n'avait jamais été qu'Eglon, son initiateur secret. Maintenant, Jordan découvrait qu'il avait été le jouet d'un personnage de légende.

« Artos, le proscrit. Artos, l'ennemi de mon père », se répétait-il, révolté par sa naïveté passée, son impuissance présente et sa honte future.

Le Cobra tournait autour de sa proie, tandis que son ombre se mouvait en sens inverse sur le sol de marbre. Sotra esquissa un sourire narquois quand son maître s'approcha de Jordan et lui toucha la joue. Lentement, le sorcier glissa ses doigts le long de la mâchoire du prisonnier.

– Quelle curieuse sensation ! souffla Artos, l'index parcouru de légers picotements.

Depuis combien de temps n'avait-il pas été en présence d'un être vivant ? Certes, il avait violé quelques jeunes filles après s'être emparé du corps de Jordan. Il se souvenait de l'ivresse qu'il avait ressentie en possédant ces pucelles ou en brisant leur cou délicat. La même exaltation l'avait saisi quand il avait humé l'odeur du sang d'Hodmar. Ces expériences, dans le corps possédé de son disciple, lui avaient procuré du plaisir, mais rien de comparable à la grisante euphorie qu'il ressentait, en ce moment, dans sa propre chair.

Une peur animale faisait palpiter le cœur de Jordan tandis que l'haleine chaude d'Artos effleurait son visage. Chaque poil de son corps pétrifié se dressait d'effroi. Sous la masse blonde de ses cheveux, son sphinx hérissait ses épines.

Tout à coup, Artos retira sa main de la joue du captif. Il dut remuer ses doigts étrangement engourdis avant de fouiller dans les vêtements de son captif. Incapable de se défendre, privé de voix pour protester, Jordan dut subir ce nouvel affront. Bientôt, son geôlier se recula pour lui montrer ce qu'il avait retiré de la poche de son manteau.

– Le médaillon d'Hodmar, l'incomparable clé d'argent, jubila le sorcier en faisant léviter l'objet. Quel magnifique présent tu m'as rapporté du pays des elfes-sphinx... De ce monde où je suis banni !

Une lueur aveuglante émanait du bijou.

– En volant ceci au vieux mage, je crains que tu ne lui aies aussi ôté le goût de vivre, persifla Artos avant que son sourire ne se mue en rictus grimaçant.

Saisi d'une douleur insupportable, le proscrit hurla et s'écroula à genoux devant son prisonnier statufié.

– Que se passe-t-il ? s'affola Sotra en se précipitant vers son maître.

Artos brandit sa main ; du sang coulait à flots de ses doigts, maculant son avant-bras de traînées rouges, formant déjà une grande flaque poisseuse sur le sol. La chair du sorcier se décomposait à une vitesse fulgurante. En peu de temps, ses ongles avaient été rognés.

– Damnation ! Des incantations mangeuses de chair ! s'écria Sotra.

Voilà ce qu'il en coûtait au Cobra d'avoir osé toucher le fils de ses ennemis. Le talisman d'Hµrtö et de Mauhna avait accompli son œuvre en libérant ses venins occultes ; les sortilèges allaient gruger l'offenseur jusqu'aux os s'il ne trouvait pas très bientôt la séquence de formules magiques servant de contrepoison.

L'ombre du Cobra cherchait désespérément dans l'esprit de son seigneur.

– Rends-toi à la fontaine, ordonna-t-il, impuissant à relever lui-même le sorcier écroulé.

Celui-ci lançait des plaintes inhumaines. Ses yeux, agrandis par l'effroi, fixaient les os nettoyés de sa main. Son bras n'était plus qu'une bouillie fondante.

– Vite, la fontaine ! répéta Sotra.

Alors Le Cobra se redressa péniblement. Vacillant, il atteignit le bassin dans lequel coulait le sang des sphinx, sang qu'il avait corrompu en y ajoutant le sien. La douleur s'apaisa un peu quand il plongea son membre dans les remous. Cette trêve lui permit de réfléchir plus clairement. Il prononça quelques incantations qui arrêtèrent la progression de la décomposition.

Quand la souffrance se fut dissipée, il retira son bras de la fontaine et enveloppa ses os dénudés dans des bandelettes de lin. Il lui faudrait longtemps pour régénérer la chair disparue et refaçonner ses doigts. Épuisé, il retourna s'asseoir dans son fauteuil.

Cette bataille, ses ennemis l'avaient gagnée. Jamais plus Artos ne poserait la main sur le fils d'Hµrtö et de Mauhna.

✧

N'obtenant pas de réponse, Hµrtö ouvrit la porte.

– Hodmar ?

Quelque chose clochait. Il tourna la tête vers le coin où, depuis deux cent dix ans, l'armoire de quartz pivotait en irradiant. Voilà ce qui n'allait pas : sans ces lueurs bleutées, l'obscurité était dense comme dans une tombe.

– Maître ? s'inquiéta Le Gris en projetant son aura.

Il l'aperçut aussitôt. Le vieux mage gisait, sur le flanc, parmi les éclats de verre. Un poignard était fiché sous son omoplate et sa tunique était imbibée de sang.

« Cette scène... Dans la vasque ! » se souvint Hµrtö, l'esprit brutalement assailli par les images de sa lointaine révélation.

Il s'agenouilla auprès du corps inerte et tâta la gorge d'Hodmar, convaincu qu'il ne trouverait aucun pouls.

– Mon ami ! Mon pauvre ami ! s'étrangla le disciple.

Les traits du défunt s'étaient figés dans une expression de stupéfaction horrifiée.

– Quel sacrilège ! Qui a pu s'abaisser à... ?

Alors il observa de plus près l'arme plantée dans le dos d'Hodmar ; la silhouette d'un hérisson était gravée dans la corne de la poignée.

– Impossible ! protesta-t-il en reconnaissant la dague de Jordan.

Sa main, tendue vers le poignard, se mit à trembler violemment. Il la recroquevilla, frappa son poing contre sa poitrine et tenta de maîtriser les émotions qui le submergeaient : fureur, doute, culpabilité. Le temps sembla s'arrêter.

« Vais-je devenir dément ? » se demanda Hµrtö quand il sentit de violents élancements lui meurtrir le crâne.

Une fois son malaise atténué, il fit apparaître un carré de soie et en couvrit le visage tourmenté d'Hodmar.

« J'ai perdu le meilleur des amis », se désola-t-il en silence.

Puis, vaincu par le spectacle trop cruel, il émit un unique et douloureux sanglot.

– J'ai engendré un meurtrier ! s'accusa-t-il.

Longtemps, il resta prostré, à contempler l'œuvre de son fils.

✧

Aigri par sa défaite, Artos leva les yeux de son bras mutilé pour jeter un regard hargneux sur Jordan. Celui-ci allait payer pour l'outrage commis par ses parents.

– Eh oui ! Je me suis servi de ton corps pour dérober les grimoires d'Hodmar, assena-t-il brusquement. Grâce à ton assistance involontaire, je tiens enfin son médaillon... Le premier des trois ! Mieux encore, tu m'as rapporté la seule arme capable de me retirer mes pouvoirs : Saygöe, le fabuleux surin des proscrits, révéla Artos à son prisonnier.

Même si ses efforts étaient voués à l'échec, Jordan luttait toujours pour se libérer des chaînes occultes qui l'entravaient. Il aurait tellement voulu fermer les yeux et fuir l'éclat de la clé d'Hodmar qui lévitait sous son regard horrifié.

« Le maître est mort par ma faute », s'incriminait le protecteur des hérissons en observant, bien malgré lui, le pendule luminescent.

La rage et la culpabilité lui embrumèrent la vue.

– Allons donc ! Tu ne vas tout de même pas pleurer la disparition du doyen, s'esclaffa méchamment Le Cobra en quittant son siège.

Il s'approcha de son prisonnier. Feignant de lui souffler un secret, il dit à Jordan ce que celui-ci redoutait d'entendre, une vérité qu'il aurait préféré nier :

– Tu te querellais tellement souvent avec Hodmar que personne n'aura de doute quant à ta culpabilité. D'ici demain, tous les elfes-sphinx – incluant ta mère, ton père, ta sœur – seront convaincus que tu as volé ton maître, que tu l'as assassiné et que tu t'es enfui pour échapper à ton châtiment... Et ils n'auront pas tout à fait tort ; après tout, c'est *ta* main qui a enfoncé *ton* poignard dans le dos du vieux gêneur.

Une plainte pitoyable mourut dans la gorge paralysée de Jordan.

✧

Mauhna ne trouva son fils nulle part. Depuis le matin, une pluie glacée tombait, gelant le paysage et incitant les Longs-Doigts à rester chez eux, auprès du feu. Partout où elle se rendit, la magicienne obtint la même réponse : nul n'avait aperçu Jordan.

Au bout d'une heure de vaines recherches, Blanche décida de rejoindre Hµrtö au collège.

« À défaut d'entendre les explications de notre fils, nous pourrons discuter avec Hodmar. Peut-être notre ami a-t-il mal interprété les paroles de Jordan », se surprit-elle à espérer.

Pourquoi, dans ce cas, ne se sentait-elle pas réconfortée ? Certes, elle s'inquiétait encore pour Jordan. Mais, à ce malaise, s'ajoutait son étonnement devant le silence d'Hµrtö. Elle avait beau répéter ses appels, l'esprit de son époux restait impénétrable.

Son voyage-éclair la conduisit devant la porte ouverte des appartements d'Hodmar. L'endroit était plongé dans l'obscurité. Intriguée, elle projeta sa lumière astrale, franchit le seuil et découvrit son époux, veillant le cadavre du vieux maître. Chancelante, Blanche s'approcha d'Hµrtö et s'agenouilla à ses côtés. Ses yeux se fixèrent aussitôt sur le poignard de Jordan.

– Mon enfant ! Qu'as-tu fait ? laissa-t-elle échapper d'une voix rauque.

En quelques instants, Mauhna avait suivi le raisonnement anticipé par Artos et en avait tiré la plus abominable des conclusions. Malgré l'évidence, son cœur de mère se rebellait. Elle aurait donné sa vie pour avoir une seule raison de croire en l'innocence de son fils.

Elle resta longtemps sans bouger. Son aura déclinait peu à peu, couvrant d'un voile de ténèbres le spectacle qui la blessait jusqu'au fond de l'âme. Vaincue par l'horreur, elle courba l'échine et cacha son visage au creux de ses mains. Sa détresse était si poignante qu'elle sortit Hµrtö de sa prostration. Il alluma magiquement les bougies d'un candélabre et passa son bras autour des épaules de son épouse.

– Mauhna, regarde-moi, dit-il doucement.

La masse des cheveux de Blanche dissimulait ses pleurs étouffés. Courageusement, elle redressa la tête.

– C'est un cauchemar ! parvint-elle à souffler.

Quand elle se tourna enfin vers son bien-aimé, celui-ci sursauta.

– D'où vient cette blessure ? s'écria-t-il. Ne me dis pas que Jordan...

Il toucha les cheveux de son épouse, persuadé qu'ils seraient poisseux. Constatant sa méprise, il saisit une large mèche sur l'épaule de Blanche et la lui montra : elle était rouge. Trompé par la lumière des bougies, Le Gris l'avait crue souillée de sang.

– Ma pauvre chérie ! Ça doit être le choc, s'attrista-t-il.

En s'appuyant l'un sur l'autre, les maîtres de magie se relevèrent.

– J'avais vu cette scène le jour de ta naissance, rappela Le Gris. Je savais que la vie d'Hodmar prendrait fin de cette manière. J'ignorais cependant que l'assassin serait notre... Si j'avais eu le courage d'affronter ma vision, j'aurais peut-être pu prévenir cette abomination, déplora-t-il.

– Tu n'as rien à te reprocher, l'assura Mauhna.

Elle lui serra la main. Incapable de prononcer à voix haute les mots qui allaient signer la condamnation de Jordan, elle pénétra l'esprit de son mari pour lui faire connaître ses intentions. Le Loxillion opina.

– Nous devons le faire ! déclara-t-il pour raffermir la volonté de sa compagne.

Livide, sa chevelure immaculée désormais stigmatisée par le drame, Mauhna porta ses index à ses tempes.

– Les elfes-sphinx appellent les Anciens, lança-t-elle selon la formule séculaire.

Hµrtö sentit sa gorge se serrer. Jamais, auparavant, il n'avait entendu ces mots dans la bouche d'un autre qu'Hodmar.

✧

Jusqu'au milieu du jour, Le Cobra s'absorba dans la lecture des grimoires dérobés.

– Dès que possible, nous allons procéder à une cérémonie, annonça-t-il soudain à Jordan.

« Quelle cérémonie ? Et en quoi me concerne-t-elle ? » se serait rebellé le prisonnier s'il n'avait pas été pétrifié.

Le projet du sorcier parut ébranler son ombre, qui quitta aussitôt un coin obscur pour déployer sa silhouette sur le flanc d'une colonne.

– Dis-moi que tu ne songes pas sérieusement à quitter la Cité des sphinx, jeta Sotra à son maître.

Artos dévisagea farouchement le séide. Irrité, il haussa les épaules.

– Tu sais que je n'ai pas le choix ; je dois me rendre auprès de la déesse pour procéder au sacrifice.

– Mais qu'arrivera-t-il si la ville se déplace pendant que tu te trouves là-bas ? Tout serait à recommencer !

Dans son trouble, la bouche lumineuse de l'affidé postillonnait des étincelles.

– C'est trop risqué ! enchaîna-t-il en secouant sa tête sombre. Tu perdrais...

Le seigneur des ténèbres s'impatienta.

– Plutôt que de geindre, aide-moi à trouver le moyen de suspendre le sortil...

– Cette incantation n'est connue que des Anciens, objecta Sotra.

– Laisse-moi donc terminer ! s'emporta Artos. Je ne souhaite pas ancrer la cité pour toujours. Quelques heures devraient suffire pour accomplir le rituel.

Avec un singulier décalage, Sotra imita le mouvement d'épaules qui avait témoigné de l'agacement du sorcier.

– Les fresques, toujours les fresques ! Il nous faudra longtemps pour découvrir cette incantation secrète, grommela-t-il.

Affichant un sourire satisfait, Le Cobra se détourna du séide pour reporter son attention sur Jordan.

– Le temps m'importe peu maintenant que je tiens l'élément essentiel au succès de la cérémonie : un mage ayant juste ce qu'il faut de pouvoir, déclara-t-il en saisissant Saygöe de sa main valide.

– Pas un grand maître, mais un bon enchanteur, compléta Sotra en accordant enfin son humeur à celle de son maître.

– Il est parfait ! assura Artos.

Tenant toujours le surin, il abandonna son fauteuil pour s'approcher du fils de ses ennemis. Impuissant, le protecteur des hérissons fixait le petit poignard, persuadé que son geôlier allait lui transpercer le cœur. Contre toute attente, Le Cobra se contenta de faire osciller l'arme devant les yeux de son prisonnier. Les lueurs des flambeaux se reflétaient sur la lame effilée. Incapable de fermer les yeux, Jordan était ébloui par la lumière ensorceleuse. Il tenta de résister à l'envoûtement mais, bientôt, sa volonté s'engourdit.

– Je vais d'abord te plonger dans un profond sommeil, lui souffla Artos en continuant de balancer le couteau. Tu dormiras quelques années... Enfin, tout le temps qu'il me faudra pour guérir mon bras et trouver le moyen de suspendre l'enchantement de la Cité des sphinx. N'aie crainte cependant ; je te jure que dès que je pourrai quitter ce lieu sans risque d'en perdre l'accès, je t'amènerai auprès d'une grande dame.

Sur ces mots, la conscience de Jordan s'évanouit.

✧

Le soleil d'hiver commençait à décliner quand Kurbi et sept Anciens répondirent à l'appel de Mauhna. Après avoir retiré la dague fichée dans le dos d'Hodmar, le chef des elfes magiciens referma la plaie du vieux maître et remplaça sa tunique souillée par une somptueuse robe de brocart. Ensuite, il enveloppa la dépouille du doyen dans un linceul de lumière.

– Esprits des sphinx, accueillez dans la paix de votre monde l'âme de notre frère. Il a été votre fidèle serviteur et un guide admirable pour les siens ! déclara Kurbi.

Dans son cocon scintillant, le corps étendu du doyen flottait à quelques pas du sol. Par la magie des Anciens, ses traits avaient perdu leur expression tourmentée. Ses mains, désormais libérées de leur douleur, reposaient sur son cœur qui ne battait plus. Mauhna pleurait dans les bras d'Hµrtö.

– Regarde ! murmura soudain celui-ci.

Une nuée spectrale se dessinait auprès du défunt. Lentement, la silhouette éthérée devint plus dense, mieux définie.

« Une licorne », identifia Blanche en constatant que cette présence atténuait son chagrin.

Doucement, comme si elle craignait d'éveiller son protecteur, la bête fantastique pénétra à l'intérieur du cocon de lumière. Elle approcha ses naseaux du visage du vieux maître et le huma. Parmi les odeurs familières qui s'attachaient encore à la peau du doyen, la licorne détecta le parfum de la mort. Alors des larmes argentées jetèrent des éclats métalliques sous la ligne sombre de ses cils.

Après un long recueillement, l'animal mystique effleura les lèvres d'Hodmar à l'aide de sa corne scintillante. Aussitôt, le corps astral du vieux maître s'extirpa de son enveloppe charnelle.

– L'âme de notre ami va traverser le fleuve pour gagner les terres du grand repos, annonça Kurbi.

Auprès de la licorne, le spectre d'Hodmar contempla un bref instant le corps qu'il abandonnait, puis dans un ultime geste d'affection, il tendit les mains vers Hµrtö. Le moment des adieux était venu.

– *Mon fils !*

La voix vibrante et harmonieuse d'Hodmar avait résonné dans l'esprit du Loxillion.

– *Ma fille !* appela-t-il ensuite Mauhna.

Les époux touchèrent les doigts iridescents de leur vieil ami et furent envahis d'un indéfinissable sentiment de tendresse.

– *Permettez que je vous désigne ainsi car je vous chéris comme mes propres enfants. Vous avez été pour moi une source inépuisable de bonheur et de fierté,* reprit le fantôme d'Hodmar.

La gorge contractée, Hµrtö retenait ses sanglots.

– *Jordan vous a tué. Il vous a trahi... Il nous a tous trahis,* s'affligea-t-il, submergé de honte et de dépit.

En réponse à son désespoir, une phrase surgit dans la mémoire du Loxillion.

« Dès qu'on a accepté l'idée de sa propre fin, la manière qu'elle a de survenir n'a que peu d'importance », avait jadis expliqué Hodmar à son disciple.

Dans sa forme astrale, le vieux mage sourit.

– *Je suis en paix,* affirma-t-il en hochant sa tête nimbée de lumière.

Son regard engloba une dernière fois ceux qu'il considérait comme ses héritiers.

– *Je veillerai sur vous,* leur promit-il.

Ensuite, il posa sa paume droite sur la crinière de la licorne. Lentement, les silhouettes du vieux sage et de la bête fabuleuse vacillèrent. L'instant suivant, les formes éthérées avaient disparu.

– 39 –

Trois années s'écoulèrent pendant lesquelles Jordan fut maintenu dans un sommeil proche du trépas. Il avait fallu tout ce temps à Artos pour reformer son bras mutilé et trouver une combinaison complexe de sortilèges qui lui permettait d'ancrer temporairement la Cité des sphinx dans le lieu où elle s'était matérialisée.

Quand le porteur du sphinx des sphinx émergea de sa longue inconscience, ce fut pour affronter le regard de braise d'Artos et le sourire narquois de son ombre. Le voyage-éclair du Cobra les avait conduits au sommet d'un massif, au cœur du désert septentrional de Görzyoppey. L'air empestait le soufre.

Une incantation souleva de terre le corps pétrifié de Jordan. Artos lévita à ses côtés, puis, ensemble, ils commencèrent à descendre à l'intérieur de la gueule d'un volcan. Des lueurs rougeoyantes léchaient les parois couvertes de suie. Bientôt, la chaleur devint accablante.

« Si nous nous enfonçons davantage, je vais me consumer comme une torche », s'affola le protecteur des hérissons.

Comme pour le soulager de cette crainte, Artos le fit presque aussitôt atterrir sur un plateau de roc surplombant un lac de lave. Au centre de la nappe bouillonnante se trouvait une pierre colossale fichée sur un monticule rocheux. Maculée de boue, elle ressemblait à une pépite de charbon sertie sur la bague d'un géant.

– Voici Korza, la déesse de cristal ! Elle réclame un sacrifice... Je vais donc lui offrir ton âme, s'écria le sorcier, visiblement exalté.

Terrifié, Jordan tenta à nouveau de rompre ses liens maléfiques.

« Calme-toi et réfléchis ! » s'exhorta-t-il quand il vit Artos se poser à son tour et s'approcher de lui.

Face à son captif, le sorcier retira ses vêtements, révélant sans pudeur la stature parfaite de son corps et le grain délicat de sa peau. Les trois sphinx du proscrit s'agitaient. Le loup piétinait. Dressé sur sa queue, le cobra sifflait. À la place du nombril, une étoile noire tourbillonnait. La vue de ce gouffre composé de ténèbres et de chair souleva le cœur de Jordan. Avec les vapeurs sulfureuses du volcan, c'en était trop.

Convaincu de l'imminence de sa mort, le fils d'Hµrtö et de Mauhna comprit qu'une fin rapide serait mille fois préférable au sort que lui réservait Artos. Nu, Saygöe à la main, celui-ci prononçait des incantations aux consonances rauques tandis que son ombre profitait des lueurs de la lave pour se promener sur les parois du volcan, choisissant le meilleur emplacement pour assister à la cérémonie. Grâce au parler noir, le seigneur des ténèbres s'apprêtait à réveiller Korza.

Au terme de sa litanie, Le Cobra ouvrit les bras pour permettre à un halo d'émerger de sa poitrine. Telle une larve quittant son cocon, une silhouette s'extirpa peu à peu de l'enveloppe charnelle du sorcier. Semblable à un fantôme, la forme naissait en dévoilant progressivement sa tête, ses épaules, son tronc noir comme la nuit. Forcé d'assister à ce spectacle angoissant, Jordan nota que chacune des deux mains du spectre portait six doigts et trois pouces griffus.

Le monstre éthéré dégagea ensuite le bas de son corps. De la taille jusqu'au bout des sabots, il était composé de lumière rouge. Une fois complètement déployé, il s'avéra colossal. Cette créature immatérielle était reliée au ventre d'Artos par un cordon luminescent qui pulsait au rythme de son cœur.

– Regarde bien, Jordan ! Il s'agit de mon âme. Les esprits maléfiques la vénèrent et lui donnent le nom de Khabbat.

Le fils d'Hµrtö et de Mauhna se surprit à prier. Dans son esprit, il appelait sa mère, implorait le pardon de son père, regrettait la sagesse d'Hodmar. Le prisonnier sut alors qu'il n'existait qu'une seule issue : « Je dois diriger un sortilège meurtrier contre moi-même... »

Il allait formuler son incantation suicidaire quand une douleur insupportable lui tordit les entrailles, obnubilant ses pensées et ligotant sa volonté.

– Voyons maintenant à quoi ressemble la part immortelle de ton être ! s'exclama Artos en s'adressant au supplicié.

Sur le ventre du sorcier, sous le cordon palpitant qui le reliait à Khabbat, l'étoile noire accélérait son mouvement. Par la force de son sphinx parasite, Le Cobra attirait l'aura de Jordan hors de son corps.

– Ehod, viens à moi, libère-toi ! ordonna le sorcier.

Beaucoup moins grande que celle du seigneur des ténèbres, l'âme de Jordan jaillit rapidement. Ehod ressemblait au spectre d'un elfe. Sa forme vaporeuse présentait quatre couleurs astrales : orange, jaune, blanc et bleu.

– Admirable ! lança Artos, fasciné malgré lui par les teintes vibrantes.

En compagnie de Khabbat, Ehod flotta dans les vapeurs du volcan. Quand elle fut au-dessus de Korza, l'âme de Jordan bascula sur le dos. Dans cette position, elle semblait étendue sur un autel dominé par un prêtre monstrueux.

– L'orange de la tête et des épaules témoigne de ton orgueil... Quant au jaune du thorax, il délimite le siège de ta colère, expliqua Le Cobra.

Jordan n'écoutait pas les propos de son bourreau. Maintenant qu'Ehod avait quitté sa chair, le porteur du sphinx des sphinx avait perdu tout espoir.

– Nous laisserons intacts ces traits de ton caractère, car ils vont s'harmoniser à merveille avec ta nouvelle personnalité, poursuivit le sorcier.

Sotra rejoignit son maître au bord du promontoire rocheux.

– Les bras d'Ehod sont blancs et ses jambes bleu clair, fit-il observer d'une voix admirative.

– Compassion et intégrité, interpréta sans hésitation Le Cobra.

– Surprenant ! De telles qualités dépassent ce que tu avais espéré, n'est-ce-pas ? valida le séide.

Un sourire dévoila brièvement les dents pointues du sorcier.

– Grâce à une telle offrande, je vais vite tirer la déesse de son sommeil, présagea-t-il.

Satisfait, il revint vers son captif, le dénuda à l'aide d'une incantation et reprit ses litanies incantatoires. À un moment précis de ce cérémonial, Artos utilisa Saygöe pour s'entailler la paume. Il transperça ensuite le bras de Jordan, mélangeant le sang des deux plaies sur la lame étroite.

– *Fin hamadat gortobis !* proclama-t-il.

Cette imprécation fit apparaître une lésion à l'intérieur de la main griffue de Khabbat. Tel un pus surnaturel, une nuée d'araignées coula de l'âme d'Artos pour souiller celle de Jordan.

– Dis adieu à la bienveillance que t'a léguée ta mère, haleta le mage noir en glissant l'arme ensanglantée sur le flanc de Jordan.

Portant en elles le ferment de la haine, les araignées s'attaquèrent à la section immaculée du corps éthéré d'Ehod. Lentement, elles allaient y instiller leur poison. Une plainte déchira le silence du gouffre du volcan. Soumise à la torture, l'âme de Jordan sanglotait.

« Je meurs ! Celui que j'ai aimé comme un frère me vole, me viole, me tue ! » comprenait le supplicié tandis que la haine s'insinuait dans son âme.

Artos mania de nouveau Saygöe ; cette fois, il fendit sa cuisse et celle de son captif.

– *Kin tamadar hormobtus !* psalmodia Le Cobra.

Cette seconde incantation fit frémir Khabbat. Une brèche, dans la région pelvienne de son corps lumineux, libéra aussitôt des sangsues qui s'agglutinèrent sur les jambes bleutées d'Ehod.

– En échange de ton intégrité, je vais t'insuffler une détermination d'une toute autre nature : l'envie.

Comme dans les cauchemars de Jordan, les araignées et les sangsues se regroupèrent dans un seul flot grouillant. De la fusion de leurs essences maléfiques naquit un serpent. Le reptile profita des hurlements d'Ehod pour pénétrer dans sa gorge et descendre jusque dans son ventre de lumière jaune. Se nourrissant de la colère de Jordan, le serpent entreprit de répandre son venin. Ses crocs percèrent des trous dans la saillie des coudes et des genoux de la forme astrale.

Expulsée par la haine, une eau pure coula des bras de l'âme sacrifiée, entraînant dans sa chute la compassion du fils de Mauhna. Cette première offrande se répandit sur la masse de Korza, provoquant une pulsation sourde du cristal.

– Oui ! souffla Artos, grisé par ce premier succès.

Les blessures des jambes d'Ehod suintèrent ensuite. Gorgées de la probité du supplicié, les gouttes salées délogèrent une mince plaque de suie à la surface de la pierre du mal. Ainsi, le protecteur des hérissons se vidait de ses larmes, larmes qu'il aurait pu verser sur l'injustice de son sort et les misères de ses semblables.

Quand l'âme de Jordan fut parfaitement asséchée, le sorcier rappela Khabbat. L'œuvre de dépravation du spectre géant étant achevée, il devait réintégrer son refuge de chair.

– Korza, je t'ai fait cadeau de l'âme d'un mage blanc. Vois comme la haine et l'envie ont terrassé sa pureté, s'exalta le seigneur des ténèbres.

La déesse tressaillit une fois de plus.

– Oh, ma reine, par ce sacrifice, je te libère de l'enchantement des sphinx ! Réveille-toi ! ordonna Artos.

Une strie dans le manteau de suie laissa filtrer un éclair subit. Encouragé, Le Cobra reprit :

– Grâce aux vapeurs de ton volcan, tu répandras le mal qui te consume. Ton souffle perverti se répandra, provoquant la corruption du cœur des hommes.

L'éclair suivant fut accompagné d'un grondement sourd.

– Déesse, attise ta fureur et espère le jour où moi, Artos, j'abattrai les murs de ta prison !

Le sorcier leva les bras.

– *Pandis juptaliv karabar !* gronda-t-il dans la langue des mages noirs.

À ce commandement, Khabbat se racornit pour retourner dans son enveloppe charnelle. Ehod l'imita. Quand elle pénétra dans le corps pétrifié de Jordan, l'âme avilie y déversa une vitalité étrangère.

– Te voici l'héritier des forces combinées de l'orgueil, de la colère, de la haine et de l'envie, conclut Le Cobra avant de léviter.

Il se transporta au-dessus de Korza pour mieux entendre les craquements qu'elle émettait ; lui seul savait interpréter les premiers balbutiements de la déesse. Soudain, une bouffée d'effluves monta jusqu'au sorcier. L'effet l'enivra. Quand il se fut délecté, il pivota dans le vide sulfureux et pointa l'index pour délivrer Jordan de ses entraves occultes.

– Viens ! somma-t-il son disciple.

Malgré le support d'une incantation tonifiante, celui-ci vacilla ; des picotements désagréables parcouraient ses jambes engourdies.

– Je ne suis ni ton esclave ni ton ombre ! se rebella-t-il en lançant immédiatement une incantation contre le sorcier.

Artos détourna le sortilège qui revint vers Jordan, le transperçant d'une violente douleur et le jetant à genoux sur le plateau rocheux.

– Tu es désormais un mage noir. Enfin, un *petit* mage noir ! À peine un enchanteur maléfique, se gaussa le seigneur des ténèbres.

Conscient de sa supériorité, il éclata de rire avant d'ajouter :

– Le vieux Hodmar t'avait prévenu : seuls les grands maîtres de magie peuvent prétendre m'affronter. Sers-moi bien, et je te permettrai peut-être d'accroître tes pouvoirs.

– Je ne te laisserai pas m'asservir, s'obstina Jordan en se relevant péniblement.

Malgré sa faiblesse, il sauta dans le vide.

– Ouvre les yeux, pauvre imbécile ! Tu m'obéis déjà depuis l'enfance, siffla Le Cobra.

En lévitant tant bien que mal, Jordan s'approcha de son adversaire et osa le défier. Il jeta une autre imprécation qui lui fut aussitôt retournée. Le corps arqué dans le vide, Jordan haletait. Les quelques bouffées qu'exhalait convulsivement Korza avivaient sa rage meurtrière. En dépit de son supplice, il refusait de céder ; il préférait mourir plutôt que de subir la domination de son bourreau.

– Soit maudit ! hurla Jordan.

À cet instant, un grincement tonitruant retentit dans la gueule du volcan. Korza grondait. Grâce à sa connaissance du langage des pierres, Artos déchiffra les paroles de la déesse de cristal ; à la fois vibrantes et lugubres, elles résonnaient comme une antique poésie.

Elle est fille de Balah,
Mère des montagnes qui écrasent le monde.
Engendrée par Moela,
Fils des étoiles qui survivent au néant.

– Elle s'éveille ! exulta Artos. J'ai réussi... La pierre du mal m'a obéi !

Autour des deux sorciers, un nuage de scories se mit à tourbillonner. Les particules s'embrasaient ; une fumée âcre s'échappait de cette étonnante combustion. Après avoir inspiré les effluves maléfiques, Jordan attaqua une troisième fois son rival, récoltant une décharge déchirante pour prix de son audace.

– Enseigne-moi à me battre avec tes armes, provoqua-t-il le seigneur des ténèbres en poursuivant ses assauts inutiles.

Sous les belligérants, Korza produisit d'autres craquements sourds.

Incubée dans la guerre,
Perle vicieuse que le crime féconde,
Allaitée de cette glaire,
Fille maudite par les dieux et le temps.

Les deux rivaux s'affrontaient, rendus euphoriques par ces émanations de plus en plus corrosives. Pendant ce temps, Sotra glissait sur le flanc de Korza, captivé par son chant lugubre.

– Je te fournirai les armes nécessaires à notre combat, concéda Artos.

– *Notre* combat... Quel combat ? Crois-tu que tu feras de moi ton allié ? se rebiffa le protecteur des hérissons.

– Que tu le veuilles ou non, tu me serviras.

– Jamais !

– Quand comprendras-tu que tu n'as plus que moi ? jeta cruellement le maître. Tu es seul... Seul avec moi !

Au comble de la fureur, Jordan renonça à la magie et fonça sur Artos. Les mains tendues vers sa gorge, il espérait utiliser le pouvoir dévastateur de son talisman pour lui ravager la tête. Le sorcier le repoussa à l'aide d'un sortilège. Néanmoins, son corps fut parcouru d'un frisson de dégoût. Il imaginait trop bien les dommages que les incantations mangeuses de chair auraient pu infliger à son visage et à son cerveau si Jordan l'avait touché. Il chassa cette vision d'horreur et tenta de vite se ressaisir.

– Tu as changé de clan, insista-t-il, décidé à faire comprendre à son disciple le caractère irréversible de sa situation.

Celui-ci grogna et se rua derechef sur Le Cobra. Il fut brusquement freiné par un bouclier magique.

– Je te tuerai ! Je jure que je te tuerai ! hurla le protecteur des hérissons en constatant son impuissance.

Alors Artos éclata d'un rire sinistre.

– Sois le bienvenu, Jordan... Sois le bienvenu au cœur des ténèbres !

Détourné de son destin, le porteur du sphinx des sphinx venait de sombrer dans l'étreinte du mal. Sur l'autel d'une déesse aveugle, l'âme de Jordan avait été sacrifiée par un sorcier assoiffé de vengeance. Dévoyé, il oublia l'amour de sa mère et la sagesse de son père. Crachant sur l'héritage de ceux qui l'avaient enfanté, il ne serait plus désormais qu'un fils perdu, un fils déchu.

– 40 –

Dans le monde des hommes, tout avait basculé. Seize ans s'étaient écoulés depuis la fin du Traité des Six. Seize années ensanglantées par les guerres continentales. Aggravant la détresse des hommes, d'étranges nuages masquaient désormais le soleil. Bien qu'ignorant tout de la fureur de Korza, plusieurs oracles soutenaient que le phénomène était maléfique.

Les frontières bougeaient, les hameaux limitrophes changeaient de maître, entraînant des pénuries de vivres. L'indigence croissait dans les villes. Privés de leur père parti pour les champs de bataille, les enfants erraient, trop affamés ou trop affairés pour jouer. En cette ère de violence, ils peinaient à conserver leur innocence. Garomil Mel'Enör était l'un d'eux.

✧

Le jeune homme courait dans les rues de la capitale de Döv Marez ; il filait sans se soucier des passants qu'il heurtait et des étals qu'il renversait. Deux miliciens étaient à ses trousses. Les lourdauds vociféraient, le souffle déjà sifflant.

– Arrêtez-le... Attrapez ce sale petit voleur !

« Maman en mourrait », songea le jeune homme en cavalant de plus belle.

Il se dirigea vers le palais de Noxad pour forcer ses poursuivants à emprunter les ruelles escarpées qui desservaient le promontoire du domaine royal. Les miliciens ne pourraient pas le suivre longtemps dans une ascension aussi abrupte. À mi-chemin, il leur faudrait abandonner leur chasse et renoncer à leur récompense.

Svelte et agile, le jeune homme accéléra la cadence. Il bondissait par-dessus les obstacles, en semait d'autres dans les jambes des gardiens de l'ordre. Après bien des détours, il fit un écart astucieux, franchit une porte cochère, grimpa sur une pile de barriques et sauta un mur de pierre pour atterrir dans la cour voisine, derrière une écurie.

– Sauvé ! haleta-t-il en s'effondrant sur un tas de paille.

Quand son cœur cessa de tambouriner dans sa poitrine, il ouvrit la main sur ce qu'il avait dérobé au marché. Les minuscules instruments étaient piqués sur un ruban de velours qui accentuait le contraste avec le métal scintillant. Des larmes soudaines montèrent aux yeux du garçon.

« Je devrai encore lui mentir ! » s'affligea-t-il en glissant l'objet de son larcin dans la poche de son manteau rapiécé.

Dans leur abri, les chevaux hennissaient. Le garçon resta un moment à écouter les bruits familiers qui résonnaient, jour et nuit, à proximité de l'auberge. Enfin, il se releva, secoua les brindilles attachées à ses vêtements et contourna l'écurie pour aboutir dans la vaste cour de la propriété. Du côté d'où il était venu, se trouvaient les étables, le clapier et le poulailler. Sur sa gauche, une petite forge jouxtait la cabane où l'aubergiste fabriquait un cidre amer, une piquette guère plus douce et une eau-de-vie à faire fondre les dents.

– Te voilà enfin ! s'exclama une voix qui le fit sursauter.

Des mains puissantes le poussèrent sans ménagement à l'intérieur de l'écurie. Malgré sa morosité, Garomil ne put s'empêcher de sourire ; son sort lui paraissait moins pénible quand Sati était auprès de lui.

– Où traînais-tu ? lui demanda son ami.

– J'avais besoin d'aller au marché, éluda Garomil en détournant son regard vert de l'examen soucieux de Sati.

– Tes frasques risquent de te perdre, un jour, s'attrista celui-ci.

Ses yeux bleus n'exprimaient que compassion et sollicitude. Il connaissait trop son ami et ses soucis pour l'accuser de quoi que ce soit.

Les deux compères avaient seize ans. Ils se connaissaient depuis l'enfance, depuis que, jetée à la rue par les huissiers, la mère de Garomil avait trouvé refuge chez Lavida, une lointaine cousine.

Dix jours avant la naissance de son fils, Romhan Mel'Enör, le mari d'Elestre, avait été enrôlé dans l'armée de Noxad. La jeune maman avait vécu pendant quelque temps sur le petit pécule laissé par son époux joaillier. Mais les guerres continentales s'éternisaient et Romhan tardait à revenir. La nécessité avait conduit Elestre à vendre les plus beaux meubles du ménage et les trésors de son trousseau. Étant habile de ses mains, elle n'avait pas hésité à coudre et à fabriquer des dentelles pour les aristocrates de la cour royale. Cette besogne ingrate n'avait toutefois pas suffi à sauver la maison. Dépossédée, elle avait dû demander asile à Lavida, une parente aigrie par la vie de misère que lui faisait Luvak, son mari.

C'est ainsi que Garomil avait grandi dans une pièce sombre, sise sous les combles d'une auberge appartenant à un ivrogne qui violentait Sati et sa mère.

Bien des choses semblaient opposer les garçons. Ils s'en moquaient. Au fil des ans, ils avaient appris à rire de leurs différences. Chacun avait ses joies et ses problèmes.

– Je ne connais pas mon père, se désolait parfois Garomil.

– Et moi, je connais trop bien le mien, répliquait Sati.

Alors les jeunes hommes s'esclaffaient, heureux de leur complicité.

Dans l'écurie, Garomil observait les montures des voyageurs séjournant à l'auberge. Le garçon adorait les chevaux et il se plaisait à les comparer, cherchant à deviner leur tempérament et leur endurance. Il caressa une femelle rétive.

– Tout doux, ma belle ! murmura le fils d'Elestre.

Puis, s'adressant à son ami, il déclara :

– Le propriétaire de cette jument est un imbécile ! Si j'avais la chance de posséder une aussi bonne bête, je ne la maltraiterais pas.

Garomil revint vers son ami. Il détestait avoir des secrets pour lui. Dans la pénombre de l'écurie, la chevelure rousse de Sati illuminait son teint constellé de taches de son. S'il fallait en croire le rouquin, son apparence était une véritable malédiction.

– Si je suis allé au marché, c'était pour..., commença Garomil, décidé à confesser son délit du matin.

À cet instant, Luvak surgit de l'auberge.

– Sati ! hurla-t-il. Où te caches-tu, fainéant ? Combien de temps te faudra-t-il encore pour rappliquer avec ce damné baril ?

L'interpellé grimaça. À contrecœur, persuadé que son père était encore plus assoiffé que ses clients, il se dirigea vers la porte.

– Dès que je le pourrai, j'irai te donner un coup de main, lui promit le fils d'Elestre.

Sati sourit, touché par la gentillesse de son ami.

– Sati ! Si tu ne viens pas imméd..., gronda Luvak.

Le garçon se précipita vers la réserve, profitant de l'instabilité de son père ivre pour éviter la taloche destinée au derrière de sa tête rousse. Satisfait qu'on lui obéisse enfin, l'aubergiste rentra et Garomil put se faufiler dans la cage d'escalier. Discrètement, il monta vers la mansarde qu'il habitait avec sa mère.

✧

– Maman, c'est moi ! lâcha-t-il en ouvrant la porte du logis exigu.

Comme toujours, la pièce était sombre. En cette époque des lunes des pluies, l'unique fenêtre de l'endroit dispensait plus de froid que de lumière. Elestre était assise dans les lueurs grisâtres, un ouvrage inachevé sur les genoux.

– Mon chéri ! s'exclama-t-elle en relevant la tête pour accueillir son fils.

Son ton enjoué n'abusa pas Garomil ; depuis bien des années, sa mère tentait de lui cacher son désespoir. Le garçon s'agenouilla près d'elle, contemplant son profil harmonieux et son front si fier. Son extrême minceur et le soin qu'elle apportait à sa tenue, même modeste, lui conféraient une allure à la fois sobre et digne.

– Tu devrais allumer une chandelle. Si tu ne ménages pas tes yeux, tu vas aggraver tes migraines.

Elestre tapota la main de son fils.

– Ça ira. Ne t'en fais pas !

Garomil comprit alors que la réserve de bougies devait être épuisée depuis la veille. Il fouilla dans sa poche pour en retirer le ruban de velours.

– Voici tes aiguilles... Tu pourras terminer la cape de la baronne.

Quand Elestre découvrit le nombre et la qualité des minuscules instruments, elle fronça les sourcils et dévisagea son fils.

– Comment te les es-tu procurées ? Ce ne sont pas les aiguilles d'acier que j'utilise habituellement.

– J'ai nettoyé l'écurie de maître Dabar.

– Le plus riche tisserand de la ville ? fit Elestre, incrédule.

– Lui-même, mentit Garomil avec aplomb. Je l'ai convaincu que je savais m'y prendre avec les chevaux et il m'a engagé pour les corvées du matin. En échange, j'ai marchandé les aiguilles, le ruban et ceci.

Puisqu'il avait pris le risque de voler, le garçon avait décidé qu'il n'était pas plus mal de rafler un cadeau pour sa mère : il s'agissait d'un petit dé à coudre en argent. Affligé de les voir si usés par le labeur, il saisit les doigts de sa mère et fixa le dé à son index.

– Ainsi, tu avanceras ta broderie sans te meurtrir.

– Tu es un bon fils ! le remercia Elestre en l'embrassant sur la tempe.

Garomil lui sourit et se releva.

– Où vas-tu ? demanda Elestre quand elle vit qu'il s'apprêtait à ressortir.

– Luvak me laissera peut-être aider le forgeron en échange d'une soupière, d'une miche et de quelques bougies.

Humiliée, la dame pencha la tête sur sa broderie. Elle ne dit rien, cependant. Devinant ses scrupules, Garomil se ravisa.

– À bien y réfléchir, je préfère ne rien devoir à ce salaud d'aubergiste. J'irai plutôt chez le menuisier.

Elestre opina. Au bout d'un moment, elle s'éclaircit la voix et affirma :

– Tu ne peux pas chercher du travail chez un honnête homme accoutré comme tu l'es. Regarde ! Tu as un accroc à ta veste et deux à ton manteau.

Une soudaine lueur de détermination anima le regard de la couturière. Elle se redressa, détailla la silhouette de son fils puis, d'un geste, désigna un coin de la mansarde.

– Va dans le coffre et prends les vêtements de ton père. Tu as tellement grandi... Je suis certaine qu'ils t'iront.

Quand Garomil eut enfilé les effets de Romhan, Elestre exigea de son fils qu'il tourne sur lui-même.

– Ainsi vêtu, tu lui ressembles de façon surprenante, s'émut la dame, une main appuyée sur sa poitrine. Tu as son front, ses lèvres et sa chevelure, souligna-t-elle d'un ton rêveur.

Dans son cœur, sa fierté de mère adoucissait son chagrin d'épouse.

– Je prendrai grand soin de ne pas les abîmer, promit le garçon en effleurant la belle étoffe du manteau.

Ces vêtements étaient les derniers vestiges d'une prospérité et d'un passé révolus. Elestre sourit, attendrie. Sans doute songeait-elle au nombre incalculable d'accrocs qu'elle avait rapiécés depuis l'enfance de son turbulent garçon. Elle retourna s'asseoir près de la fenêtre et reprit son ouvrage.

Bouleversé, Garomil referma la porte et dévala l'escalier. Il remarqua à peine le tapage coutumier de l'auberge, mélange sonore du choc des gobelets, des appels des gens ivres et du rire aigu des ribaudes. Au rez-de-chaussée, il croisa Mayla.

– Nous avons beaucoup de monde aujourd'hui, l'aborda la jeune chambrière. Tu devrais offrir ton aide au patron. Il accepterait sans doute un coup de main.

– Impossible, j'ai affaire ailleurs ! répondit Garomil sans ralentir son allure.

Dépitée, la demoiselle le vit déguerpir vers les communs. C'est alors que Luvak agrippa Mayla. Effrayée, la jeune femme tenta de se dégager.

– Lâchez-moi ! protesta-t-elle en vain.

L'aubergiste lui tâtait le ventre, lui meurtrissait les seins.

– Si tu tiens à ta place, il va falloir que tu te montres plus docile que ça, la menaça l'homme en la bousculant dans un coin.

La jeune fille avait beau se débattre, elle ne parvenait pas à échapper à l'odieux assaut. Luvak la bâillonna à l'aide de sa paume. Ses gros doigts lui comprimaient les lèvres et la mâchoire. L'homme détacha sa braguette et troussa les jupes de la chambrière.

– Cesse de gigoter comme ça, salope ! haleta-t-il.

Soudain, il poussa un cri, tomba à genoux et porta les mains à sa tête.

– File ! ordonna Sati à Mayla.

Le fils de l'aubergiste laissa tomber la canne à pommeau de chêne avec laquelle il avait frappé son père.

– Va-t-en ! souffla encore le garçon à la chambrière.

À ce moment, une porte s'ouvrit et une silhouette décharnée se découpa dans la lumière provenant des cuisines.

– Cette petite traînée n'ira nulle part, grinça Lavida d'une voix stridente.

Elle fit quelques pas, empoigna la servante par l'épaule et la poussa vers la salle où s'abreuvaient les clients.

– Mère, vous ne pouvez pas forcer Mayla à rester. Luvak a voulu la... Enfin, cette brute..., voulut intervenir Sati.

– Mêle-toi de ce qui te regarde, lui cracha la femme au visage. S'il plaît à ce porc d'enfiler ses chambrières, qu'il s'en donne à cœur joie. Pendant ce temps, il me fiche la paix !

Ensuite, elle retourna aux cuisines. Dégoûté, ignorant les injures que lui criait Luvak, Sati s'enfuit. Une fois dans la venelle, il se dirigea vers le quartier des artisans.

✧

Pendant ce temps, Garomil vagabondait dans les rues de Döv Marez. Inutile d'aller quêter du travail chez le menuisier ; le matin même, il avait tenté sa chance auprès du maître de l'atelier et il avait été éconduit. À la suite de cet échec, suivi de quelques autres, il avait volé les aiguilles dans un étal du marché.

« Maman devait achever sa besogne », se justifiait-il en passant devant les échoppes bruyantes.

Dans son désœuvrement involontaire, Garomil subissait comme une gifle l'animation laborieuse des artisans et de leurs esclaves. Saisi d'un frisson, il releva le col du manteau de son père. La chaude et riche étoffe dégageait un parfum de musc et de bois de cèdre. En d'autres temps, cette odeur aurait réconforté le fils d'Elestre.

– Garomil ! appela une voix derrière lui.

Ayant reconnu son ami, Sati courait pour le rejoindre. Sa tête rousse contrastait avec la grisaille environnante.

– Cornes de cocu, où as-tu pris ces beaux habits ? s'exclama le fils de Luvak dès qu'il eut repris son souffle.

Garomil lui raconta les événements du matin : sa vaine recherche d'une honnête besogne, le vol des aiguilles, ses mensonges à sa mère.

– Mais toi, que fais-tu loin de l'auberge à cette heure ? s'étonna-t-il à son tour.

Sati relata la terrible scène qui l'avait forcé à fuir le toit paternel.

– Je ne pourrai pas rentrer chez moi. À vrai dire, je ne le souhaite pas, conclut le rouquin.

Cette histoire ramena Garomil au dilemme qui l'avait poussé à commettre un vol.

– Nous avons besoin d'un travail.

Sati opina gravement.

– Mais, entre toi et moi, pourquoi les artisans nous engageraient-ils ? Ils ont des esclaves qui ne leur coûtent que leur pain, répliqua-t-il.

Cette évocation fit saliver Garomil.

– Je ne possède rien ! Je n'ai même pas ce qu'il faut pour apaiser ma faim et celle de ma mère, s'affligea-t-il.

– Ce n'est pas ta faute si ton père est à la guerre, tenta de le consoler Sati.

Constatant que le sort de son ami n'était désormais pas plus enviable que le sien, Garomil se sentit honteux de son apitoiement.

– Ni la tienne si ton géniteur est un salaud ! rétorqua-t-il.

Le rouquin soupira.

– Nous voilà dans le même bateau, fit-il observer après un moment.

Ils circulèrent dans les rues du quartier où l'agitation atteignait son comble. Hormis les deux garçons, tout le monde paraissait affairé : hommes et femmes, qu'ils soient humains ou de race elfique, maîtres ou forçats.

– Parfois, je me surprends à penser que le sort des esclaves est moins cruel que le mien. Au moins, ceux-ci sont-ils nourris, maugréa Garomil en croisant des galériens menés vers le port.

– Ce que tu dis est insensé. Rien n'est plus précieux que la liberté, soutint le fils de Luvak.

Son ami haussa les épaules. Il savait bien que Sati avait raison. Ils poursuivirent leur errance jusqu'à ce que Garomil s'écrie :

– Viens avec moi !

D'un bond, il changea de cap et s'élança dans une avenue.

– Où ? voulut savoir le rouquin.

– À l'atelier de messire Olivar.

– L'armurier ?

– Connais-tu un autre Olivar dans cette cité ?

– Ce maître artisan possède aussi son cheptel d'esclaves. Il ne te donnera pas de salaire, objecta Sati.

– Je n'en exigerai aucun. Je me contenterai de ce que reçoivent les esclaves : une paillasse, ma pitance et celle de ma mère, répliqua Garomil.

– Ça représente deux bouches, ça.

– Alors je travaillerai pour deux ! déclara le jeune homme en bombant le torse.

✧

Garomil se montra si convaincant que le fabricant d'armes céda. Il accepta de prendre les deux amis à l'essai pour une dizaine de jours.

– Je ne vous accorde pas plus longtemps pour faire vos preuves, les prévint-il. Je ne tolère pas les fainéants. À la moindre récrimination, vous vous retrouverez à la rue avec l'empreinte de ma botte sur le cul.

✧

Olivar n'eut pas à mettre cette menace à exécution. Bientôt, il se félicita même de sa décision. L'habileté et la vaillance de ses apprentis devinrent vite des atouts pour l'artisan et son atelier. Garomil avait le flair pour équilibrer les dagues et les épées. Quant à Sati, il déployait des trésors d'imagination pour fabriquer des boucliers d'une rare efficacité.

À l'automne suivant, les jeunes ouvriers étaient devenus si rentables que, craignant de perdre ses apprentis au profit d'un concurrent plus généreux, l'armurier leur accorda quelques piécettes par commande livrée. Garomil les accumulait pour les rapporter à sa mère lors de ses brèves visites.

Au fil du temps, le garçon s'enhardit même à rêver.

– Quand nous aurons assez d'or, nous achèterons un commerce et des esclaves elfiques...

À cet âge, il ne se souciait pas du sort des peuples asservis. Comme la plupart des humains, il ne jugeait intolérable que sa propre misère.

– Beaucoup d'esclaves ! renchérit-il.

Enfant de l'amour, fils de l'indigence, Garomil s'imaginait être déjà un homme. Au fond d'un atelier de Döv Marez, personnage anonyme parmi tant d'autres, il fabriquait des armes pour ceux qui allaient à la guerre. Rien ne laissait présager qu'un jour, il deviendrait le héros de la grande révolte des elfes.

– 41 –

Devant sa glace, Mauhna brossait la mèche rouge qui tranchait sur sa chevelure, stigmate du choc qu'elle avait subi. Il y avait maintenant seize ans que Jordan avait disparu. La magicienne ignorait toujours ce qui s'était réellement passé dans l'esprit de son fils le jour où Hodmar avait été assassiné, le jour où son univers avait basculé.

Tout accusait Jordan. Ressassant inlassablement ses souvenirs, Blanche cherchait un indice susceptible de disculper son enfant. À tout le moins, une raison qui puisse expliquer son geste.

« Est-il possible que mon amour m'ait leurrée à ce point sur la véritable nature de Jordan ? »

Mais ce qui transformait son affliction en véritable supplice, c'était la probable complicité de son fils avec L'Autre.

« Jordan haïssait-il la race humaine au point de choisir le parti de notre ennemi ? ».

Dès qu'Artos avait été identifié comme l'auteur de la dévastation de la forêt ancestrale, tous les mages s'étaient ligués pour riposter à ses attaques maléfiques. Une guerre féroce opposait désormais les clans adverses. La progression des dommages avait ralenti. Par contre, quelques années après la désertion de Jordan, Korza avait été réveillée, obligeant les elfes-sphinx à se battre sur deux fronts.

– Quelle impasse ! soupira Mauhna, l'âme oppressée.

À cet instant, Hµrtö surgit du néant. Ses vêtements étaient imprégnés de l'odeur de la forêt qu'il venait tout juste de quitter. Malgré son évidente lassitude, le Loxillion sourit à son épouse, s'approcha et l'embrassa dans le cou.

– Comme tu es belle, la complimenta-t-il en admirant son reflet dans le miroir.

Ensuite, laissant ses mains sur les épaules de Blanche, il annonça tristement :

– Un de nos boucliers érigés pour repousser les vapeurs malsaines de Korza a subi quelques dommages. J'ai colmaté les brèches, mais je ne me fais pas d'illusions. Avec le temps, L'Autre parviendra encore à déjouer nos enchantements.

Mauhna serra les poings.

– Pas étonnant, grinça-t-elle. Nous avons été formés par le même maître.... Il connaît nos armes et nos défenses, alors que nous...

– Nous ignorons tout des siennes ! pesta Hµrtö en songeant aux grimoires de sorcellerie que Jordan avait dérobés avant de prendre la fuite.

– Il lui en coûtera néanmoins de s'en être pris à nos protections occultes, déclara Blanche, un éclat malicieux dans l'œil. J'avais dissimulé un sortilège dans le bouclier.

– Lequel ? la pressa le Loxillion, intrigué par l'allure mystérieuse de son épouse.

– Une invention de mon cru. Jamais il ne pourra se débarrasser de ce tourment. À compter de maintenant, chaque fois qu'il s'emportera, il se souviendra que, nous aussi, nous sommes des grands mages. Il se souviendra...

Hµrtö lut dans ses pensées et sourit.

– Une tresse de ronces enchantée, lança-t-il, admiratif.

– Ça ne suffira toutefois pas à arrêter ce damné sorcier, soupira Mauhna. Il faudrait le mettre définitivement hors d'état de nuire.

– J'en rêve jour et nuit, assura Hµrtö. Toutefois, pour y arriver, nous devons trouver où il se cache. Tu sais comme moi où réside le problème. Percer les sortilèges qui le dissimulent n'est rien, mais...

– Il ne se laissera pas surprendre facilement. Dès que nous approcherons de son repaire, il s'esquivera, brandira de nouveaux paravents occultes, et tout sera à recommencer.

– Qu'importe L'Autre alors ! s'exclama le Loxillion. Nous avons presque complètement repris le contrôle de la forêt. Par contre, maintenant que j'ai détecté une faille dans un de nos boucliers, je considère que les effluves de Korza représentent notre pire menace.

– Nous devons donc rendormir la déesse du mal, conclut Mauhna.

– Ça fera un fléau de moins, approuva son époux.

Blanche se leva et vint étreindre son époux. Hµrtö refermait ses bras autour de sa taille quand une voix railleuse les fit sursauter :

– Quelle scène attendrissante !

Surpris, les époux pointèrent l'index et se déplacèrent pour affronter l'intrus. Rien ne bougeait dans la chambre, hormis des vapeurs qui voilaient leur reflet sur la surface argentée du miroir de Mauhna.

– *Gasat yuitana hyrbey !* lancèrent-ils pour combattre le maléfice.

Mais l'enchantement résista à leur attaque. Lentement, une silhouette se dessina dans le brouillard mouvant. Bientôt, le visage d'Artos émergea de cette brume surnaturelle.

– Que la peste t'emporte ! gronda Hµrtö.

Vindicatif, le Loxillion chercha à chasser l'image exécrée. En vain.

– Tu ne parviendras pas à contrer l'extraordinaire pouvoir d'Idris, le nargua Le Cobra.

Puis il dévisagea impudemment Mauhna.

– Quand je pense que c'est toi qui m'as donné cet onyx pensant... Ironique, tu ne trouves pas ! se moqua-t-il sans vergogne.

– C'était donc ça... Grâce à cette damnée pierre, tu nous épies !

– Depuis quand mets-tu ainsi ton nez dans nos affaires ? éructa Hµrtö.

Le sorcier fit mine de réfléchir à la question.

– Depuis assez longtemps pour connaître le moindre de vos secrets, répondit-il.

– Il y en a au moins un qui t'a échappé, répliqua Blanche en désignant du doigt des cicatrices qui guérissaient mal autour du cou d'Artos.

Le sourire du proscrit se dissipa brusquement.

– Tu me le paieras, et plus tôt que tu ne le crois ! Mais pour l'instant, je veux vous expliquer ce que j'attends de vous.

Hµrtö grimaça devant autant d'arrogance.

– Je n'ai que mépris pour les fourbes de ton espèce. Pourquoi ne viens-tu pas te mesurer à moi dans un franc duel ? Aurais-tu peur ?

Le Cobra salua cette hypothèse d'un éclat de rire sinistre.

– Je te rappelle que j'ai été banni et que les protections des Anciens m'empêchent de te rejoindre. Cependant, je t'accorde que l'heure de notre affrontement a sonné. En fait, il me tarde tant de vous terrasser que je vais vous guider vers ma tanière.

– Cesse de tourner autour du pot ou fiche le camp ! ordonna Hµrtö.

N'en faisant qu'à sa guise, Artos l'ignora et reprit :

– Résumons la situation : j'ai réveillé Korza et vous souhaitez la rendormir. Si vous vous rendez au volcan sans connaître les incantations nécessaires pour replonger la pierre du mal dans son sommeil, vous perdrez votre temps. Le secret de ces sortilèges n'existe qu'à un seul endroit : ici, dans la Cité des sphinx. Il vous faut donc venir chez moi !

– Quoi ! Tu as forcé les défenses de la ville sacrée ! se scandalisa Le Gris.

Bien qu'amusé de la stupéfaction de son ennemi, Le Cobra poursuivit comme s'il n'avait pas entendu.

– C'est donc dans mon arène que nous allons combattre. Il n'existe que deux possibilités : je gagne ou je perds. Si je l'emporte, je vous écrase et je libère Korza.

– Nous ne te laiss..., voulut protester Hµrtö.

– Dans le cas – très improbable – où vous réussiriez à me vaincre, l'interrompit Le Cobra, vous aurez le loisir d'étudier les innombrables fresques de la Cité des sphinx. Avec de la chance, vous découvrirez peut-être comment replonger la déesse de cristal dans son sommeil. Voilà ! Ne suis-je pas bon prince ? Je vous offre ce que vous réclamez : un affrontement *honorable.*

– ...

– Mais je serai le vainqueur ! prophétisa-t-il avec orgueil.

– Rien n'est moins sûr ! rétorqua le Loxillion.

Dégoûtée, pressée de mettre fin à cet entretien, Mauhna tenta une nouvelle attaque contre le miroir ensorcelé. Cette fois, l'image disparut quelques instants. Quand elle se reforma, la belle magicienne vit que L'Autre la lorgnait d'un air sarcastique.

– Jolie teinte ! plaisanta-t-il en désignant la mèche couleur de sang.

Blanche soutint son regard en silence, se gardant bien d'entrer dans le jeu de l'insolent.

– Tout cet émoi pour la mort d'un vieux radoteur... Franchement, Mauhna, admets qu'Hodmar avait assez vécu, tenta de la provoquer le sorcier.

– Tu ne réussiras pas à m'ébranler, riposta Mauhna en croisant les bras sur sa poitrine.

– Tu as tort. Il m'est très facile de te troubler. Il suffit que je te parle de Jordan...

Blanche tiqua.

– Qu'as-tu fait de mon fils ?

L'Autre ne répondit pas.

– Je vous attendrai dans la Cité des sphinx. Ces jours-ci, elle se trouve dans la Forêt des Fantômes, reprit-il sans cesser de dévisager la magicienne. Hµrtö, tu sais où est situé le château des miroirs. Tu peux donc t'y rendre par voyage-éclair. Le reste du chemin, tu devras le découvrir par toi-même.

Le Loxillion sentait faiblir l'impassibilité de Mauhna. De ses mains crispées, elle chiffonnait les manches de sa tunique. N'y tenant plus, elle s'approcha du miroir.

– Qu'as-tu fait de Jordan ? réclama-t-elle encore, d'une voix sourde.

– ...

– Est-il toujours vivant ? insista-t-elle, irritée par le mutisme du sorcier.

Celui-ci ricana méchamment.

– Pour le savoir, il te faudra venir à notre rendez-vous !

Le Loxillion saisit le bras de son épouse et l'attira à lui.

– Ne lui parle plus ! lui recommanda-t-il doucement.

Avant de commander à Idris de mettre fin à la projection, Le Cobra lâcha une dernière pique :

– Le désespoir te vieillit, Mauhna. Mais tu n'en restes pas moins désirable. N'oublie jamais que j'ai juré que tu serais mienne...

✧

En quelques heures, leur départ fut organisé. C'était une radieuse journée d'automne. Les Longs-Doigts se rassemblèrent dans le chaudron des lunes pour dire adieu aux porteurs des clés d'or et de platine. Aglaë supplia ses parents de la laisser venir avec eux, mais ceux-ci se montrèrent inébranlables.

– Tu dois rester et prêter main-forte aux autres mages, argumenta Hµrtö en séchant les larmes de sa fille.

– Continue de soigner la forêt avec eux, renchérit Mauhna en étreignant son aînée. C'est vital, si nous voulons avoir un avenir. Ainsi, quand L'Autre aura été terrassé, notre existence pourra reprendre son cours...

Le soleil était haut dans le ciel quand Hµrtö saisit la main de Mauhna. Il ferma les yeux pour se concentrer sur ses souvenirs de la Forêt des Fantômes. Il revit les arbres de la forêt, les murs du palais qui les reflétaient. Quand l'image lui parut suffisamment précise, il lança son incantation.

Le contraste fut brutal. Des nuages sombres et bas obstruaient le ciel de Syl op Gard. Privé des rayons du soleil, l'air automnal s'avérait frais et humide. Mauhna frissonna.

– Où se trouve le château ? s'enquit-elle en scrutant vainement les environs.

Le camouflage du palais était si efficace qu'Hµrtö craignit d'abord d'avoir raté la destination de son voyage-éclair.

– Là ! s'exclama-t-il quand il distingua la forme floue d'une arche.

Blanche détacha son médaillon de sa ceinture. Elle s'apprêtait à consulter la carte que recelait le bijou de platine quand un coup de tonnerre la fit sursauter. Ce premier grondement fut succédé de plusieurs autres, tout aussi violents. Les claquements retentissaient à un rythme effréné, accompagnés d'éclairs qui menaçaient les peupliers géants.

– C'est L'Autre ! hurla Le Gris pour expliquer la soudaineté de cet orage surnaturel.

Le vent cinglait et la forêt craquait. Par endroits, la lumière crue de la foudre soulignait la silhouette des arbres malmenés par les rafales.

– *Abritons-nous,* recommanda Blanche en s'adressant à l'esprit d'Hµrtö.

Avant qu'elle ait matérialisé un bouclier protecteur, une pluie torrentielle s'abattit sur eux. En l'espace de quelques secondes, les magiciens furent trempés.

– *Hertbis, dalimat apprtys !* lança Mauhna.

Il était temps, car le déluge s'accompagnait maintenant de grêlons acérés.

– *Damné sorcier !* pesta Hµrtö en constatant que les pointes de glace parvenaient à fendiller le couvert translucide de leur abri.

Dès qu'ils transperçaient le bouclier, les grêlons fondaient et se transformaient en asticots. La vermine tombait sur les magiciens, glissant sur leurs cheveux et leurs épaules pour s'agglutiner en masse grouillante autour de leurs chevilles. Bientôt, les Longs-Doigts se tinrent dans un essaim visqueux. Pendant que Mauhna tentait de détruire les larves, Le Gris cherchait un moyen de colmater les brèches du bouclier.

– *Aucun de mes sortilèges ne fonctionne,* avisa-t-il Blanche.

– *L'Autre sait très bien comment neutraliser nos incantations de défense.*

– *Selon moi, il a aussi...*

Hµrtö s'interrompit, décontenancé par la violence d'une subite agression sonore. Horrifiée, Mauhna plaqua ses mains sur ses oreilles. En vain. Modulés par la paroi de la sphère, les hurlements du vent résonnaient désormais comme des lamentations sinistres. Le Gris les identifia comme étant des vagissements.

– *Je t'en prie, Hµrtö... Arrête ça !* implora la magicienne.

Les plaintes se multipliaient, porteuses de sanglots désespérés.

– *Arrête ça !* répéta Mauhna, apparemment pétrifiée par la cruauté de l'attaque.

Pendant ce temps, les asticots s'entassaient autour des jambes des Loxillion. Débordé par autant d'assauts, Hµrtö avait oublié le fourmillement de la vermine. Il s'en préoccupa quand les corps blanchâtres des larves commencèrent à se rigidifier pour former un tas d'osselets fragiles et craquants.

« Que se passe-t-il encore ? » s'alarma-t-il en constatant que les fragments s'assemblaient les uns aux autres en respectant une lugubre symétrie.

Dans un simulacre de vie, les squelettes des fœtus s'agitaient, s'entrechoquaient. Bientôt, leurs minuscules phalanges agrippèrent les vêtements des mages. En les voyant grimper comme des petits singes le long de ses cuisses, Blanche recouvra ses esprits.

« L'Autre a toujours manqué de mesure. À vouloir trop en faire, il vient de gâcher son effet. Même l'horreur a ses limites », se tança-t-elle, honteuse de sa faiblesse.

D'une puissante incantation, elle détruisit le bouclier, chassant du même coup les illusions que le sorcier y avait fait naître.

La pluie froide, le vent déchaîné, la foudre elle-même lui parurent des périls négligeables en comparaison des artifices du Cobra. Dès lors, Hµrtö entreprit d'anéantir la tempête. Blanche le seconda avec la fougue de sa colère contre Artos. Peu après, l'orage fut maîtrisé et les Loxillion s'aperçurent que le jour cédait le pas au crépuscule. Le bleu du ciel se piquait d'étoiles.

Épuisés, les époux s'assirent sur les marches qui menaient à la porte du château des miroirs. Jamais ils n'auraient songé à demander asile à l'esprit du palais. Comme les autres habitants de la Forêt des Fantômes, cet être éthéré ne pouvait pas interférer dans l'existence des mortels. Le rôle du maître du château était de supporter les âmes assez fortes pour affronter la vérité de ses miroirs, pas d'accorder son aide à des magiciens en butte à la vengeance d'un sorcier. Telle était la volonté des dieux.

– L'Autre avait préparé son accueil avec soin, déclara Mauhna en appuyant ses coudes sur ses genoux et son menton dans ses mains.

La lueur des lunes irradia de ses paumes et éclaira son visage, soulignant sa beauté et la fièvre de ses yeux. Le combat avait coloré ses joues et avivé son regard.

– Certes, ce piège était barbare, mais pas mortel. Il ne désire pas nous tuer, répliqua Hµrtö après un moment de réflexion.

– Pas pour l'instant, convint Mauhna. Pour libérer Korza, il doit d'abord nous soutirer nos clés et les incantations qui leur donnent leur pouvoir. Pourquoi cette virulence ?

– Pour nous affaiblir avant l'affrontement.

La protectrice des lunes se releva et s'étira pour dénouer ses muscles contractés.

– L'Autre va frapper durement mais pas aussi souvent qu'il le souhaiterait, déclara-t-elle.

Intrigué, le Loxillion tendit son esprit vers celui de sa compagne.

– C'est juste, concéda-t-il après avoir capté sa pensée. Nous aurait-il guidé si près de son refuge s'il ne trépignait pas d'impatience ?

– Comme tu le sais, la patience n'a jamais été sa principale vertu ! répliqua Mauhna, un sourire malicieux sur les lèvres.

Cette moue était si adorable qu'Hµrtö ne résista pas au désir de l'embrasser.

✧

Artos commanda à Idris de lui épargner ce spectacle.

– Salope ! siffla-t-il. Tu découvriras quels trésors de patience je possède le jour où ton corps torturé tremblera sous le mien.

Soudain, il se souvint qu'il n'était pas seul dans le laboratoire ; Jordan étudiait dans un coin, imperturbable.

– Cesse de m'épier, se contenta de ronchonner le fils déchu.

Désormais privé de compassion, le protecteur des hérissons n'avait même pas sourcillé en entendant l'injure proférée contre sa mère. Depuis treize ans, depuis le sacrifice de son âme à Korza, il s'enorgueillissait de n'éprouver que mépris envers les êtres vivants. Artos lui-même n'échappait pas à sa réserve glaciale. En revanche, la constance de son envie et de sa haine l'oppressait, accroissant son caractère naturellement irascible. En exutoire à ses malaises, il dirigeait les foudres de sa hargne contre la race humaine.

– Tu devrais te méfier de tes émotions, recommanda-t-il dédaigneusement au Cobra.

– Qu'oses-tu prétendre ? gronda celui-ci, menaçant.

– Tu détestes mon père et tu désires sa femme. C'est une obsession ! Tu ne rêves que du moment où ils seront entre tes griffes pour torturer le premier et violer la seconde.

– Que t'importe ?

– Énormément ! Si, pour t'amuser à ces vétilles, tu négliges notre mission et retardes la libération de Korza, ça me concerne. Anéantissons d'abord les hommes. Tu assouviras tes pulsions ensuite.

Le sorcier toisa un moment son disciple.

– Tu parles comme si tu étais désincarné. N'as-tu jamais rêvé de violer une femme ?

Jordan soutint le regard de son maître.

– Tu me répugnes ! jeta-t-il d'un ton cinglant. Tu m'as volé mon âme. Par ta faute, je suis devenu un être immonde. Mais, contrairement à toi, je ne me vautre pas dans la perversion.

– Je pourrais t'y forcer, le provoqua L'Autre.

Le visage de Jordan s'empourpra.

– Tu ne manques jamais de me rappeler que tes pouvoirs surpassent de beaucoup ceux que tu as bien voulu me laisser conserver. Néanmoins, je te mets en garde : ta dépravation causera ta perte. Nous verrons bien alors lequel de nous deux dominera l'autre.

– Tu te prends pour un oracle, maintenant ? railla le seigneur des ténèbres en dardant un sortilège sur l'insoumis.

Jeté au sol, Jordan se tordit de douleur. Plutôt que de lutter contre l'inévitable supplice, il s'abandonna à la souffrance. Il hurla tant et si bien que son bourreau craignit de le tuer. Quand la torture prit fin, le protecteur des hérissons se releva aussi vite que le lui permettaient ses membres tremblants. Une fois debout, il brava son tortionnaire en lui rappelant :

– La mission d'abord !

Ensuite, il se dirigea à petits pas vers la bibliothèque. Il choisit un grimoire et retourna dans son coin. Au moment où Artos allait commander à Idris de lui montrer ce que fabriquaient Hµrtö et Mauhna, la voix éraillée mais ferme de Jordan s'éleva de nouveau.

– N'oublie pas que mes parents sont des âmes sœurs. Si tu veux garder ma mère vivante pour en faire l'objet de tes désirs, ne tue pas Hµrtö. Une fois mon père éliminé, rien n'empêchera cette femme de se donner la mort...

– Tais-toi ! rugit L'Autre.

Ignorant cet ordre, Jordan enchaîna :

– Et quand tes meilleurs ennemis auront disparu, il ne te restera plus que le néant à haïr. Comme moi, ce jour-là, tu auras tout perdu.

✧

Les maîtres de magie superposèrent les médaillons d'or et de platine et projetèrent les lueurs de leur sphinx à travers le réseau des filigranes. Cette lumière leur révéla une carte constellée de symboles. Après un examen attentif, ils déduisirent que la Cité des sphinx se trouvait en direction du sud-est.

Même si le soir assombrissait déjà la forêt, Hµrtö et Mauhna décidèrent de s'éloigner du château des miroirs et d'entreprendre leur périple.

Ils avançaient depuis un moment quand des lucioles surgirent, ponctuant la pénombre de minuscules étoiles. D'abord épars, les scintillements se regroupèrent pour former une nuée colorée. La bande éclatante se mouvait en vagues souples qui éclairaient les sous-bois, facilitant la progression des Longs-Doigts. Soudain, les points luminescents s'évanouirent, laissant Hµrtö et Mauhna dans le noir. Sans attendre, le Loxillion projeta sa lumière astrale. Devant lui, se dressait une falaise percée d'une ouverture semblable à une gueule.

– Éteins ! chuchota Mauhna en tournant le dos à la muraille de roc.

Alerté par la réaction de son épouse, Hµrtö masqua son aura. Étaient-ils tombés dans un piège ?

– Qu'y a-t-il ? demanda-t-il tout bas.

Blanche désigna d'étranges reflets qui luisaient entre les branches des arbres.

– Allons voir ! proposa-t-elle dans un souffle.

Prudemment, les maîtres de magie s'approchèrent des lueurs. Parfois, des rayons transperçaient la nuit comme des lances de braise. Les entrailles de Mauhna se nouèrent ; ce paysage nocturne lui rappelait d'affreux souvenirs.

Contournant un bosquet trop dense, les époux aboutirent à l'orée d'une clairière. Là, le sol était criblé de crevasses ; chacune vomissait une cheminée de vapeurs rouges.

– L'Autre a ouvert des portes sur les Dédales ! s'exclama Hµrtö.

Il balaya des yeux le décor et compta au moins dix bouches fumantes.

– L'infâme ! Il cherche à m'ébranler en évoquant la nuit où mes sœurs ont été enlevées par une guivre, fulmina Blanche.

Sans attendre, elle pointa du doigt l'une des failles.

– *Bare temptatis, hyste franctar !* lança-t-elle pour la refermer.

Hµrtö l'imita, pressé de bloquer le passage à d'éventuels prédateurs. Pourtant, il était perplexe. Cette épreuve lui paraissait trop simple, voire indigne du génie de persécution de son rival.

– *Bare temptatis, hyste franctar !* répéta-t-il à quelques reprises avant de constater ce qui n'allait pas.

Dès qu'il refermait une brèche, la magie d'Artos en éventrait deux. Sa riposte s'avérant inutile, il baissa le bras. Mauhna abandonna aussi.

– En essayant de conjurer le péril, nous l'avons aggravé, s'exaspéra-t-elle.

Impuissants, les Longs-Doigts se tenaient maintenant en plein cœur de la clairière, exposés à la chaleur suffocante et au danger. Le corps tendu, Blanche guettait les brèches. À ses côtés, Le Gris maugréait.

– Il doit bien exister une autre incantation capable de refermer ces damnés tunnels.

Soudain, des sifflements se firent entendre. La menace venait des profondeurs. Quand les sons devinrent plus stridents, les magiciens se placèrent dos à dos, prêts à combattre. Les créatures émergèrent toutes à la fois. En quelques instants, chaque crevasse livra le passage à un reptile gigantesque. Les monstres verdâtres luisaient dans la nuit, tranchant les ténèbres de leur corps dressé à la verticale. Les mouvements de leur chair les entraînaient hors du trou tandis que leur tête pivotait pour humer l'air.

– *Sisdranis filtopat garnitor !* clamèrent d'une même voix les époux.

Indemnes, les serpents tournèrent leur face sans yeux vers leurs attaquants. Comme les autres créatures des Dédales, les monstres reptiliens résistaient à la magie des Loxillion.

– Disparaissons ! conseilla Mauhna, prête à exécuter un voyage-éclair.

Hµrtö la retint.

– Nous ne pouvons pas laisser ces monstres hanter la Forêt des Fantômes ! argumenta-t-il en essayant un autre sortilège.

– Tu as raison, admit aussitôt Blanche, confuse de son réflexe de repli.

Dominant la fin de la phrase, des grognements sourds se firent soudain entendre derrière les magiciens. Profitant des brèches multipliées, huit dragons avaient franchi le seuil de leur univers. Alignés, ils formaient un rempart semblable à une montagne d'écailles.

– Voilà justement ce qu'il nous fallait ! s'exclama Le Gris.

– Ce n'est pas le temps de faire de l'ironie, répliqua Blanche, quelque peu irritée.

– Ce n'en est pas ! assura Hµrtö en saisissant le poignet de son épouse.

Maintenant, plusieurs serpents grouillaient sur le sol, livrant le passage à d'autres de leurs congénères.

Les reptiles se guidaient grâce à des dizaines d'organes tactiles fichés au bout de leur museau. Leur bouche sans lèvres s'ouvrait, avide d'engloutir de la chair et du sang.

– *Tiens-toi prête à bondir et à léviter,* commanda le Loxillion en s'immisçant dans l'esprit de sa bien-aimée. *Nous sauterons à mon signal.*

Ensuite, Le Gris utilisa une incantation pour lancer une pluie de cailloux sur la tête des dragons.

– *Que fais-tu ?* s'affola Mauhna.

Furieux, les dragons crachèrent de longues flammes.

– *Maintenant !* ordonna le Loxillion.

Les Longs-Doigts bondirent vers le ciel, échappant de justesse à la torche. Léchant les semelles de leurs bottes, le feu frappa les reptiles de plein fouet. Sous l'assaut, leur peau luisante grésilla. La contre-attaque ne se fit pas attendre. Les serpents épargnés par le bûcher vomirent un venin acide à la figure des dragons. L'atmosphère empesta bientôt la chair brûlée. La pestilence devint telle qu'elle masqua l'odeur des elfes-sphinx, détournant d'eux l'appétit des créatures des Dédales. Dès lors, une lutte à finir s'engagea entre les deux clans.

– Pendant que ces bêtes s'entretuent, empressons-nous de trouver une incantation capable de condamner ces portes, recommanda Le Gris.

– *Fora coremptatis, hyste franctar !* clama aussitôt Mauhna en ciblant une des crevasses.

Les parois de celle-ci s'ébranlèrent. Ses rebords se soudèrent et aucune autre faille ne s'ouvrit dans la clairière. Volant de-ci de-là au-dessus de l'hécatombe, Hμrtö répéta cette variante de la formule magique et condamna plusieurs brèches. Sous lui, les cadavres des serpents géants s'empilaient.

– Ne te pose surtout pas ! cria soudain Mauhna à son époux.

Elle désigna la lisière des bois.

– Tu as été drôlement bien inspiré de proposer la lévitation, ajouta-t-elle, incapable de réprimer un frisson d'horreur.

Ne supportant pas d'être souillée par le sang et les chairs calcinées des monstres des abîmes, la Forêt des Fantômes avait entrepris de se débarrasser de ces immondices. Surgissant hors de la terre, des milliers de racines agrippaient les corps éviscérés pour les emporter sous un linceul d'humus, là où ils nourriraient la prochaine génération d'arbrisseaux. Offensés, les seigneurs des bois projetaient les tentacules de leurs rhizomes vers les créatures qui s'affolaient. Même les dragons fuyaient devant la fureur des arbres. Presque aveugles, les monstres ailés cherchaient désespérément les derniers canaux ouverts sur leur monde. Dès qu'ils sentaient les effluves des Dédales, ils s'empressaient de s'engouffrer dans leur refuge.

Quand cette débandade prit fin, les arbres s'apaisèrent et la clairière redevint silencieuse.

– À toi l'honneur, dit galamment Hµrtö à sa compagne quand il ne resta plus qu'un seul gouffre à verrouiller.

Un peu à l'écart, celui-ci teintait de rouge un large bosquet de trembles. Mauhna vola dans cette direction et se posa sur le bord de l'ultime crevasse. En atterrissant dans la pénombre, elle ne remarqua pas la marque poudreuse qu'elle foula du pied.

– *Fora coremptatis, hyste franctar !* lança-t-elle d'une voix ferme, satisfaite d'avoir déjoué L'Autre.

Dès cet instant, une nuée de ténèbres se déploya derrière elle.

– *Colonitas dad trevat !* hurla Hµrtö pour contrer le péril des volutes enfumées.

Trop tard. Mauhna avait disparu, happée par un trou noir semblable à un œil titanesque.

– 42 –

Assaillie par une lumière éblouissante, Mauhna ferma les yeux.

« Que s'est-il passé ? » s'effraya-t-elle, le souffle suspendu.

L'instant précédent, elle se trouvait dans la Forêt des Fantômes et il faisait nuit. Anxieuse de voir ce qui l'entourait et la menaçait peut-être, elle entrouvrit les yeux. Une vive douleur lui brûla les pupilles et s'infiltra jusque sous son crâne. Déterminée à surmonter cet état de vulnérabilité, elle porta les mains à son visage. Atténuant ainsi l'intense clarté, elle écarta légèrement les doigts et put enfin observer le lieu où elle avait abouti.

– Où suis-je ? s'affola-t-elle en adoptant sa posture de combat.

Elle pivota sur elle-même et inspecta l'espace aveuglant qui l'environnait.

– Hµrtö ! appela-t-elle, sa voix mal assurée se perdant dans le lointain.

Elle ne voyait que le vide immaculé, le sol blanc et, dressées de-ci de-là, quelques monticules de même couleur. À l'infini. Sur cette toile monochrome se découpaient des ombres, uniquement des ombres. Par leur contraste, elles ressemblaient à des taches d'encre peintes sur un parchemin. Parmi ces formes, elle distingua plusieurs silhouettes d'arbres, de buissons et, nichés au creux de leurs branches, quelques corps frémissants : oisillons et petites bêtes endormies.

– C'est une... une forêt, reconnut la magicienne, angoissée, le souffle court.

Jamais elle ne s'était sentie aussi perdue.

– *Hµrtö !* appela-t-elle derechef.

Cette fois, elle avait lancé son appel par la pensée.

– *Mauhna, où es-tu ?* lui répondit-il, visiblement terrifié.

– *Si seulement je le savais,* se désola-t-elle.

Elle décrivit le paysage irréel qui l'entourait, surveillant le moindre mouvement, convaincue qu'un grand péril la guettait. Quand elle eut terminé, elle s'écria :

– *Par tous les esprits ! C'est incroyable ! J'ai été transportée...*

– *Dans une autre dimension !* compléta Le Gris, sidéré.

✧

Artos s'esclaffa. Grâce à Idris, il avait capté le moment précis où l'expression d'Hµrtö s'était transformée, passant de l'angoisse à l'effarement.

– Voyons maintenant comment mes adversaires vont se tirer de ce mauvais pas, ricana-t-il, les yeux rivés sur l'onyx.

Le sorcier avait souhaité tourmenter ses ennemis en les séparant. Il avait donc ancré la Cité des sphinx le temps de se rendre dans la clairière et d'ouvrir les gouffres des Dédales. L'un d'eux avait été placé à l'écart, sous le couvert du bouquet de trembles. Pour ensorceler ce site, Artos avait tracé des symboles occultes à l'aide d'un mélange de poudres soigneusement dosé. Ensuite, telle une araignée, il était retourné dans son antre et avait attendu que ses proies s'engluent dans sa toile.

– Ils devront gaspiller beaucoup d'énergie et de pouvoir pour surmonter cette épreuve, estima le sorcier, satisfait.

Pendant ce temps, Sotra rôdait autour du fauteuil de son maître.

– Je n'aime pas ça ! maugréa-t-il.

Parmi les nombreuses dimensions créées par les dieux, Artos avait choisi celle des ombres parce que son affidé pouvait s'y rendre à volonté. Là-bas, Sotra était chez lui.

– Puis-je y aller ? s'impatientait-il.

– Pas maintenant ! le rabroua Le Cobra.

Isolé dans son coin habituel, Jordan étudiait un grimoire traitant de la transmutation. Sans lever les yeux du texte qu'il déchiffrait, il s'adressa à Artos.

Tu joues avec le feu ! le prévint-il.

Sotra opina et revint à la charge.

– Je dois y aller. Si le seigneur de mon univers découvre cette profanation, s'il soupçonne que j'y ai pris part, je risque...

– Je t'ai ordonné d'attendre ! hurla le sorcier.

Ce rugissement aurait terrifié une armée de braves. Désormais, quand Le Cobra s'emportait, les voix de toutes ses victimes se superposaient à la sienne pour éclater dans une sinistre clameur. Tel était le sortilège que Mauhna avait dissimulé dans le bouclier qu'il avait tenté d'affaiblir. Comme un serpent en chasse, une tresse de ronces enchantée avait suivi l'onde de l'attaque pour débusquer le sorcier et s'enrouler autour de son cou. Artos avait eu beau se débattre, lancer des incantations, il n'avait pas réussi à se soustraire à l'étreinte des tiges épineuses. En perçant la chair du Cobra, chaque épine avait injecté son venin : un cri d'effroi, un gémissement, une supplique. Artos ne pouvait plus oublier ceux qu'il avait assassinés. À chaque sursaut de colère, il se souvenait. Le moindre éclat de fureur lui rappelait la puissance indéniable de ses ennemis.

Sotra tourna le dos à son maître et s'approcha de Jordan.

– Ta mère est en danger, souffla le séide au fils déchu.

Celui-ci haussa les épaules.

– Il ne la laissera pas mourir, déclara-t-il, le nez toujours plongé dans son bouquin.

– De qui parles-tu ? D'Hµrtö ou de mon maître ? Du mari ou de l'ennemi ?

Agacé, le Longs-Doigts grinça :

– Fiche-moi la paix ! Si Artos est assez bête pour s'empêtrer dans ses manigances, qu'il s'en sorte sans moi.

✧

Désemparée, Mauhna n'osait pas bouger. Elle craignait de s'égarer si elle se risquait à explorer l'univers des ombres.

– *Ici, tout se ressemble,* expliqua-t-elle à Hµrtö. *Je ne veux pas m'éloigner... Le seuil entre cette dimension et la nôtre est tout près. Je dois retrouver cette fissure pour revenir vers toi.*

Le Gris réfléchissait à cette énigme, cherchant à se rappeler ce qu'il avait lu à propos des mondes parallèles. Après un long silence, il dit à l'esprit de son épouse :

– *Commençons par vérifier si tu aperçois ma silhouette.*

– *Où te trouves-tu ?*

– *Je n'ai pas fait un pas depuis ta disparition. J'étais devant toi à ce moment.*

– *Toi, que vois-tu ?* demanda Mauhna.

– *La lumière des lunes dessine mon ombre sur le bourrelet du dernier gouffre que tu as refermé.*

Mauhna eut beau détailler les taches sombres qui se découpaient à ses pieds, elle ne vit rien de semblable à la silhouette de son mari. Soudain, elle fut saisie d'une intuition.

– *Si ton ombre est avec toi, dans ta dimension, elle ne peut pas m'apparaître dans celle-ci. Déplace-toi dans l'obscurité.*

Le Loxillion obéit. Il recula jusqu'à ce qu'un énorme peuplier se dresse entre lui et les lueurs lunaires. Aussitôt, Blanche vit surgir devant elle le contour de son corps.

– *C'est ça !* s'exclama la magicienne.

Hµrtö lui adressa un signe de la main. Ce geste, en apparence si simple, fit bondir le cœur de Mauhna. Elle se sentait à la fois rassurée et désespérément seule.

– *Ce monde est comme l'envers du nôtre*, reprit-elle en s'approchant de la forme familière, de manière à ce que son ombre effleure celle de son compagnon.

– *Savoir cela ne nous avance guère. Nous ignorons toujours comment te faire revenir*, se désola Hµrtö.

– *Réfléchissons... L'Autre a déverrouillé une porte pour me projeter dans cette dimension. Or, qui dit verrou...*

– *... dit clé,* termina Le Gris en suivant le raisonnement de Blanche.

– *Il nous faut donc trouver cette clé,* conclut-elle, d'un ton résolu.

Renonçant à la présence réconfortante de l'ombre de son bien-aimé, elle le pria de retourner auprès du dernier gouffre clos.

– *Inspecte bien les alentours,* recommanda-t-elle.

La silhouette disparut, laissant un grand vide immaculé aux pieds de Mauhna.

✧

– Maintenant ! ordonna Le Cobra.

Sotra ne se fit pas prier pour obtempérer.

✧

Quand l'affidé se matérialisa dans l'espace qu'avait occupé l'ombre d'Hµrtö, Mauhna sursauta. Elle reconnut immédiatement la stature d'Artos, son port de tête hautain, son profil gracieux. Sans attendre, Sotra se lova contre l'ombre de la magicienne.

– Non ! protesta Blanche avec dégoût.

Elle se déplaça, mais l'affidé suivit la silhouette de sa victime et recommença son manège concupiscent. Furieuse, Mauhna lança une incantation pour tenter de détruire la forme virile qui harcelait son double. Cette vaine tentative parut exciter Sotra. Ses yeux de lumière pétillèrent de convoitise. Enhardi par la résistance de la Long-Doigts, il tâtait sans pudeur les contours féminins de l'ombre de la belle, lui léchait le cou, lui troussait les jupes. Si le séide avait pu véritablement toucher la chair de Blanche, il aurait découvert que son corps était parcouru de frissons de répulsion. Irritée de son impuissance, Mauhna prononça une série d'imprécations contre l'envoyé d'Artos.

– Continue de dilapider tes pouvoirs. Tu n'en seras que plus facile à posséder ! la nargua Sotra.

Incapable de rester impassible tandis que le double du sorcier alternait caresses et coups à l'endroit de son ombre, Mauhna fit apparaître un énorme vase de vermeil dans lequel était planté un hibiscus en fleurs. Ayant semé ce repère, elle s'enfuit dans l'espace plat et vide, son œil ne percevant, tout autour, qu'une infinité de dessins noirs sur fond blanc.

« Dès qu'Hµrtö aura trouvé la clé, je pourrai revenir vers la porte », songeait-elle en s'éloignant à contrecœur de l'hibiscus.

Telle une sentinelle flamboyante, la plante fleurie marquait l'unique voie donnant sur son univers. À perdre haleine, entraînant son ombre hors des griffes de Sotra, Mauhna courait, seule créature vivante dans ce décor sans chaleur.

✧

Le séide quitta la dimension des ombres pour retourner auprès du Cobra.

– Devine ce qu'elle a osé faire ! se scandalisa Sotra. Elle a fiché un arbre... Oui, un arbre, près de la frontière entre les mondes. Depuis, elle cavale partout en piétinant mes frères.

– C'est bien, murmura distraitement le sorcier.

Concentré sur Idris, Artos ne l'écoutait pas. Il espionnait Hµrtö tandis qu'il fouillait les bois à la recherche de la clé occulte.

– Pas du tout ! s'emporta l'affidé. L'esprit qui gouverne mon univers ne tolère pas les intrusions. Je croyais qu'elle saurait se montrer discrète. Mais non ! Elle sème le désordre et multiplie les offenses. Fais quelque chose !

– ...

– Si tu ne débarrasses pas au plus vite la contrée des ombres de la présence de cette mortelle, le seigneur des lieux va ouvrir une autre porte. Qui sait alors dans quelle dimension la Longs-Doigts sera précipitée.

– Artos ! intervint Jordan. Nous ne pouvons pas nous permettre de la perdre.

L'interpellé grimaça avant de signifier à Sotra de retourner auprès de Mauhna.

– Le jeu a assez duré, admit-il enfin.

✧

Hµrtö remuait les branches, froissait les fougères, déplaçait des troncs effondrés. Pour faciliter sa quête, il projetait avec force son aura sur le sol couvert d'humus et sur l'écorce des arbres. Cette lumière inhabituelle dessinait des ombres nouvelles dans la forêt, les privant du repos qu'elles prenaient habituellement à cette heure dans leur dimension.

Le seigneur qui gouvernait l'existence de Sotra et de ses semblables détestait la propension des vivants à interférer dans l'ordre naturel des mondes et à troubler la paix des dimensions voisines par leur agitation débridée. Le maître des lieux observait avec dégoût l'hibiscus dressé dans son décor, les trous impudemment engendrés par la lumière astrale d'Hµrtö. Le seigneur immatériel commençait à prendre ombrage de toutes ces provocations.

Inconscient du désordre qu'il provoquait, Hµrtö s'acharnait dans sa quête. Il découvrit enfin les symboles de poudre qui marquaient le seuil des deux univers.

– *J'ai trouvé !* annonça-t-il à l'esprit de Mauhna. *Que dois-je faire maintenant ?*

✧

Blanche courait toujours. Comme des coups de tambour, ses pas précipités faisaient vibrer le silence de l'immensité bicolore. Dans sa fuite vers nulle part, la Longs-Doigts tournait autour de son repère, s'assurant de ne jamais perdre de vue le point rubis que dessinait l'hibiscus sur l'uniformité blanche de l'horizon.

– *Que dois-je faire maintenant ?* avait demandé Hµrtö.

Elle allait lui répondre qu'elle l'ignorait quand Sotra apparut sur le sol devant elle. Ne faisant aucun effort pour contourner l'ombre de son ennemi, elle lui passa sur le ventre et le visage, et continua sa route. Sans se démonter, l'émissaire d'Artos s'élança à sa poursuite.

– Retourne vers la porte, ordonna-t-il à la magicienne.

– Pour mieux me jeter dans un autre de tes pièges... Tu me prends vraiment pour une imbécile ! répliqua la Longs-Doigts avec humeur.

✧

Ainsi rembarré, Sotra retourna aviser son maître.

– Elle ne veut rien entendre ! annonça-t-il. Elle croit que tu veux la tromper.

Dans son coin, Jordan ricana :

– Qui peut l'en blâmer !

L'affidé savait qu'il restait peu de temps avant que le seigneur du monde des ombres se débarrasse de l'indésirable.

– Fais quelque chose avant qu'il ne soit trop tard ! bouscula-t-il Artos.

✧

– *Blanche, réponds-moi !* appela Hµrtö, inquiet de son silence.

– *J'étais aux prises avec l'ombre de L'Autre... De grâce, si tu as trouvé cette clé, tire-moi vite d'ici,* supplia la magicienne.

– *En fait, j'ai trouvé le verrou mais j'ignore comment l'activer pour inverser le passage du seuil. Aide-moi !*

Il décrivit le cercle de poudre et les symboles, espérant que Mauhna en éluciderait le mystère.

– *Misère !* l'entendit-il plutôt s'exclamer.

– *Que se passe-t-il ?*

Blanche avait interrompu sa course. Hors d'haleine, elle se tenait ployée vers l'avant, la main sur les lèvres, les yeux exorbités d'appréhension. Au loin, juste au-dessus de l'hibiscus, une masse ténébreuse et chargée d'éclairs crépitait. Ce nuage orageux n'augurait rien de bon.

– *Mauhna ?* insista vainement Hµrtö.

La magicienne ne l'entendait plus ; tout son esprit était concentré sur son dilemme. Devait-elle retourner vers l'arbre avant qu'il soit foudroyé ? Ou, au contraire, devait-elle éviter l'endroit ? Était-ce encore un artifice de L'Autre ?

✧

Artos ordonna à Idris de le rendre visible dans la Forêt des Fantômes. Surpris par cette apparition, à bout de nerfs, Hµrtö darda sur son ennemi un puissant sortilège. Quand il vit son rayon dévastateur traverser la silhouette vacillante et décapiter le tremble qui se trouvait derrière le sorcier, le Loxillion comprit qu'il n'avait devant lui qu'une image.

« Mes attaques sont peut-être inutiles mais pas mes défenses », raisonna-t-il en érigeant un bouclier autour de son corps.

Ensuite, il tenta d'ignorer la présence de L'Autre pour revenir à son unique préoccupation : ouvrir le passage entre les mondes.

– Tu dois balayer la poudre et tracer les mêmes symboles avec du sang... Il n'existe pas d'autre façon de ramener Mauhna dans la dimension des mortels, expliqua le sorcier.

Hµrtö releva la tête et le dévisagea. Les traits du mage noir n'exprimaient rien. Était-ce l'effet de la projection d'Idris ou le résultat d'une existence dépourvue d'émotions ? Sous son capuchon, le visage d'Artos paraissait trop clair, trop lisse, trop parfait.

– Tu as jeté ma femme dans cette impasse et tu voudrais que je me fie à toi ! rétorqua Le Gris.

– Écoute-moi ! Le seigneur de l'univers des ombres menace la vie de Mauhna. Si tu veux la sauver, suis mon conseil : redessine les symboles avec du sang ! soutint le sorcier.

Hµrtö détourna son regard. La figure figée et pourtant si familière d'Artos lui donnait la nausée. Hésitant, il examina encore les marques de poudre.

– N'oublie pas que j'ai besoin d'elle. Je ne veux pas la perdre... Je ne *dois* pas la perdre ! se résolut à confesser Artos.

Hμrtö opina. Néanmoins, il ne put s'empêcher de persifler :

– Tu parles de Mauhna ou de sa clé ?

Mais, pour l'heure, il importait peu que la convoitise de son ennemi justifie son geste. Seul le salut de Blanche comptait. Il saisit sa dague.

✧

Mauhna ne pouvait plus attendre. La nuée ténébreuse devenait de plus en plus imposante au-dessus de l'hibiscus. Se fiant à son instinct, elle bondit et courut à toute vitesse vers son repère.

– Hμrtö ! Vite ! Les forces des ombres se rassemblent. Je t'en supplie, ouvre cette porte !

✧

Le Loxillion s'entailla le majeur. Puis, levant une rafale de vent, il dispersa les poudres maléfiques. De son doigt ensanglanté, il traça promptement les symboles, priant pour que sa mémoire lui soit fidèle.

« Un triangle en haut, à gauche... Trois serpents au centre. Le pentacle un peu plus bas... »

– N'oublie pas les sept croix et l'œil à la pupille verticale, lui rappela Artos.

Quand il eut enfermé les marques occultes à l'intérieur d'un cercle poisseux, Le Gris sentit vibrer l'air. La pénombre se mit à ondoyer sous ses yeux. Bientôt, des rouleaux de brumes se déployèrent. Hµrtö surveillait leur mouvement, guettant l'instant où, telles des vagues furieuses, les ténèbres se rompraient, révélant une déchirure : la porte.

– *Maintenant !* lança-t-il soudain à l'esprit de Mauhna.

✧

La protectrice des lunes luttait contre des vents violents. Les nuages vengeurs du seigneur des ombres avaient engendré un cyclone qui tournoyait dans le vide, menaçant tout ce qui n'appartenait pas à son monde. L'esprit offensé tempêtait tandis que ses sujets gisaient, imperturbables, sur le sol immaculé. Aucune rafale ne pouvait les ébranler ; aucun éclair ne pouvait les pourfendre. Toute la fureur de leur souverain visait l'indésirable mortelle et son arbre en pot. La colère du seigneur s'abattit sur l'hibiscus et fracassa le vase de vermeil. Les pétales et les éclats rouges volèrent dans l'espace, telles des gouttes de sang projetées hors d'une plaie.

À cet instant, à la place du repère, défiant les bourrasques, un rideau de brume apparut. Sur cette toile grise, la nuée de débris écarlates se fendit et la magicienne aperçut une étroite bande de lumière.

– *Guide-toi sur les lueurs de mon aura,* lui recommanda son époux.

Bataillant contre les forces de la tornade, elle se précipita dans cette fente argentée. L'instant d'après, Hµrtö refermait sur elle l'étau protecteur de ses bras.

✧

Dans l'antre du Cobra, la voix de Jordan s'éleva, lourde de reproches.

– Par ta faute, nous avons failli perdre le seul moyen de libérer Korza... Sans la clé de platine, sans l'incantation qui l'active, les deux autres médaillons n'auraient servi à rien.

– Cesse de me faire la morale ! grogna Artos, conscient que le fils de ses ennemis avait raison.

– Quand comprendras-tu que tes émotions te nuisent ? enchaîna tout de même le protecteur des hérissons.

Artos ordonna à Idris de mettre fin à la vision de Mauhna et d'Hµrtö enlacés. Maussade, il se leva de son fauteuil et quitta la pièce. Sotra ne le suivit pas dans la bibliothèque ; il y faisait si noir que l'ombre aurait été aussitôt projetée dans la dimension de ses frères. Pour l'instant, l'affidé préférait éviter le courroux du seigneur de son univers. Profitant des flambeaux du laboratoire, il s'étala sur le sol dallé et s'endormit.

Ayant traversé la pièce remplie de grimoires, Artos gagna ses appartements. Là, devant une psyché, il se dévêtit. Ses sphinx témoignaient de son dépit. Le loup avait la queue basse. Le cobra se cachait la tête sous l'aisselle de son protecteur. Quant au trou noir, il semblait inerte, incapable de reprendre son mouvement giratoire.

Sous le sphinx parasite, le sexe d'Artos se dressait, gonflé d'un désir impossible à assouvir. Le Longs-Doigts toucha néanmoins le membre chaud, cette sensation lui rappelant qu'il était encore un être de chair et de sang.

En choisissant de boire la potion déshumanisante qui devait le débarrasser à jamais des faiblesses des mortels, Artos avait dû renoncer à la jouissance. Le sorcier soupira. Comme pris de démangeaisons, il leva brusquement la main et passa le bout de ses doigts sur son front, à la bordure de sa chevelure. D'un coup sec, arrachant le masque qui recouvrait son visage, il dévoila ses traits hideux.

Par suite de l'absorption de la potion, ses pupilles s'étaient rétrécies, et ses cils et ses sourcils étaient tombés. Son nez s'était affaissé et ses lèvres s'étaient amincies pour transformer sa bouche, autrefois si sensuelle, en une gueule garnie de crocs. La peau de ses joues se fissurait. Là où avait jadis poussé une barbe douce et blonde, des poils grossiers pointaient entre les écailles naissantes. Son enveloppe charnelle se métamorphosait pour ressembler à l'âme qu'elle abritait. De plus en plus, Artos ressemblait à Khabbat.

Le Cobra remit son masque, refusant pour l'heure de gaspiller ses pouvoirs à la reconstruction de son visage.

« Plus tard... Juste avant d'affronter mes ennemis », songea-t-il, soucieux de se montrer à eux dans toute sa splendeur.

Orgueilleux, il ne voulait aucun témoin de la déchéance de son apparence, surtout pas au moment de sa victoire. N'ayant pas même son ombre pour lui tenir compagnie, il s'affala sur une méridienne. Il se souvint des pièges qu'il avait tendus à Hµrtö et à Mauhna. Ce qui avait commencé comme un jeu pour le sorcier s'était terminé sur une note discordante.

« J'ai commis une erreur en précipitant Mauhna dans une autre dimension », reconnut-il après avoir ressassé les événements récents.

Ce manque de jugement l'avait obligé à prêter main-forte à son rival. Dans le secret de sa solitude, Artos devait admettre que Jordan avait vu juste.

– À partir de maintenant, je briderai mes émotions. La récréation est terminée... Il est temps de préparer mes armes.

Étendu sur sa couche, le seigneur des ténèbres avait du mal à chasser de son esprit le souvenir de son face-à-face forcé avec Hµrtö. Dans sa tête, résonnait la mise en garde de Jordan : « Quand tes meilleurs ennemis auront disparu, il ne te restera plus que le néant à haïr. Comme moi, ce jour-là, tu auras tout perdu. »

– 43 –

Garomil bondit de côté, para, feinta, se fendit et atteignit son adversaire.

– Bravo ! le félicita le duelliste en inclinant la tête.

Ce salut rituel signifiait que la leçon était terminée. Un rare sourire éclairait le visage généralement austère du réputé maître d'armes. Comme la plupart des hommes de sa profession, il possédait un corps filiforme qu'il mouvait avec la souplesse d'un félin. En tout temps, il jetait sur le monde le feu pénétrant de son regard et, même au repos, il portait haut le chef. Il s'appelait Tabulion, mais en raison de sa ressemblance avec certains grands fauves, d'aucuns écourtaient son patronyme et le surnommaient Le Lion.

– Tu fais d'incroyables progrès, continua-t-il de louanger son élève. Sais-tu que je peux compter sur les doigts de cette main ceux qui ont réussi à me piquer avec la pointe de leur épée ?

Il leva sa main gauche à laquelle manquait l'auriculaire, souvenir d'une bagarre de jeunesse. Le compliment fit briller de plaisir les yeux de Garomil. Quelques spectateurs avaient assisté à la leçon. Parmi eux se trouvait Sati. Avec enthousiasme, il applaudissait l'exploit de son ami. Avant de le laisser partir, Tabulion passa son long bras autour des épaules de son disciple et l'entraîna à l'écart.

– Tu dois encore travailler ta garde, recommanda gravement le maître. Ton assurance pourrait te coûter la vie si tu devais affronter un adversaire supérieur à la moyenne.

Garomil opina, transporté de joie et de fierté. Il bénissait le jour où Tabulion avait poussé la porte de l'atelier d'Olivar pour lui commander une épée et une dague. L'artisan s'était incliné bien bas devant son noble client, lui promettant des armes incomparables.

– J'ai un nouvel apprenti qui réalise des prodiges... Il est capable de façonner une épée comme personne.

Curieux, Le Lion avait exigé de rencontrer le jeune homme. D'abord intimidé par le regard perçant du fameux maître d'armes, Garomil avait recouvré son aisance habituelle dès qu'il avait commencé à parler de son art. Une connivence avait immédiatement éclos entre ces deux êtres passionnés.

D'un mouvement leste, Tabulion avait retiré son épée de son fourreau et l'avait tendue à l'apprenti.

– Que penses-tu de celle-ci ? avait-il demandé, une lueur de défi dans la prunelle.

– Elle est bien, mais un maître tel que vous mérite beaucoup mieux, avait déclaré Garomil en rougissant de l'audace que lui imposait sa franchise. Il vous faut quelque chose de plus souple, de plus fin !

L'apprenti s'était incliné et avait voulu rendre son épée à Tabulion.

– Tu as du courage, jeune homme ! avait lancé le maître d'armes sans reprendre son bien.

Il était resté un moment en silence avant d'ajouter :

– Voyons maintenant si tu as de l'adresse... T'es-tu déjà battu à l'épée ? avait-il questionné le garçon.

– Je m'y entraîne le soir avec mon ami Sati.

– Très bien ! Voyons comment tu te débrouilles... Utilise mon épée et choisis pour moi celle que tu me recommanderais, avait exigé le gentilhomme en retirant son manteau et son pourpoint.

Garomil avait sélectionné une arme destinée au général de Gohtes.

– Pour vous, je la ferais encore plus maniable, avait-il tenu à préciser en se plaçant en position.

Garomil s'était défendu honorablement et Tabulion avait été séduit par l'épée fabriquée par l'apprenti. Au terme du combat inégal, le maître avait aisément désarmé le garçon.

– Olivar, ce jeune homme fait preuve d'un rare talent. Je veux qu'il s'occupe de ma commande.

– Maître, il n'est encore qu'un novice ! avait protesté l'armurier. Je serais honoré de forger moi-même vos armes.

– J'ai dit, avait sèchement répliqué Tabulion.

– Mais...

– N'aie crainte, marchand, tu ne perdras rien, avait promis le client.

Aussitôt, il avait détaché sa bourse et compté plusieurs pièces d'or.

– Voici pour la dague et l'épée... Payées d'avance.

Il avait ensuite jeté plusieurs autres pièces dans l'escarcelle de l'artisan.

– Et ça, c'est pour le temps du garçon. J'exige qu'il vienne au palais tous les matins, dès l'aurore. Je vais lui enseigner à se battre.

C'est ainsi que le plus grand maître d'armes du pays de Gohtes, celui-là même qui entraînait le roi Noxad au combat, avait pris pour élève le fils d'Elestre.

Ces souvenirs, Garomil les chérissait comme de précieux trésors. Avec le temps, Tabulion était devenu bien plus qu'un professeur pour lui.

– As-tu entendu mon conseil ? vérifia le maître en étreignant l'épaule de son élève.

– Je dois travailler ma garde, répéta Garomil.

– C'est important. Je ne voudrais pas que tu te fasses tuer par excès de confiance, renchérit Tabulion.

– Oh ! Il n'y a aucun risque qu'on me provoque en duel. Qui s'attaquerait à un gueux ne possédant ni bourse ni épée ?

– Tu es encore bien jeune. Tu ignores que...

– Non, je sais ! l'interrompit Garomil, la mine malicieuse. Les hommes ne croisent le fer que pour deux raisons : l'or et l'honneur.

– Et l'amour, Garomil, qu'en fais-tu... Qu'en sais-tu ? Et l'envie ?

– Mais... je ne..., bredouilla le jeune homme.

Tabulion le gratifia d'une accolade virile.

– Aujourd'hui, tu as prouvé ta valeur en me touchant à la poitrine. Ta renommée va s'étendre dans la capitale. Considérant cela, ce serait manquer à mes devoirs que de ne pas te fournir le moyen de te défendre contre tes inévitables rivaux.

Il désigna l'arme qu'il avait prêtée à Garomil pour la durée de la leçon.

– Accepte cette épée en gage de mon amitié... Elle te sera utile pour affronter les vaniteux qui voudront édifier leur réputation en détruisant la tienne.

Garomil ne pouvait pas parler tant il était ému. Le regard de son maître d'armes exprimait un curieux mélange de fierté et de mélancolie.

– Bienvenue, mon garçon ! Bienvenue dans le périlleux monde des hommes !

✧

Tandis qu'il se dirigeait vers l'auberge de Luvak pour rendre visite à sa mère, Garomil repensait à son succès. Sans les voir, il déambulait dans les ruelles sombres et sales d'un quartier mal famé de Döv Marez. De temps à autre, comme on touche un talisman, il portait la main au pommeau de l'épée qui battait contre sa cuisse. Peine perdue. La joie que lui avait procurée le présent de Tabulion se dissipait peu à peu. Il leva les yeux vers le ciel gris et maugréa :

– Damnés nuages !

Leur présence avait un effet dévastateur sur l'humeur des hommes.

Absorbé par ses sombres pensées, Garomil aboutit enfin à l'auberge. Préférant éviter de croiser Luvak, il se précipita dans la cage d'escalier qui, même si tôt le matin, empestait le chou. Tout en gravissant deux par deux les marches grinçantes, il se demandait :

« Tabulion me pardonnerait-il si je vendais l'épée pour offrir un logis plus décent à ma mère ? »

Quand, rendu sur le palier, il poussa la porte de la mansarde, il se figea, interdit. Plusieurs bougies éclairaient la pièce, révélant les murs lézardés, la piètre qualité du mobilier, la propreté scrupuleuse du réduit. Dans le coin, comble de luxe, un brasero répandait la chaleur d'une bonne flambée.

Dans cette lumière inhabituelle, Garomil dévisagea sa mère comme s'il ne l'avait pas vue depuis des lustres. Caressée par les lueurs qui lui rosissaient le teint, elle paraissait rayonnante.

– Maman, que se passe-t-il ? questionna le garçon en observant le logis transformé au point de paraître presque confortable.

– C'est que...

Par la porte restée béante, Garomil entendit soudain les marches craquer. Quelqu'un montait. Craignant une intrusion mal intentionnée de Luvak, il fit volte-face, prêt à l'affronter. D'un bond, Elestre s'approcha de son fils et posa une main apaisante sur son bras.

– Non... C'est... Ton père est revenu, balbutia-t-elle.

À cet instant, l'homme franchit le seuil. Garomil eut l'impression de se mirer dans une glace qui aurait, par enchantement, vieilli les traits de son visage. Dans la figure usée du soldat, le garçon reconnaissait son front, ses lèvres, la vivacité de son regard. Bien qu'ils soient de la même taille, Romhan en imposa à son fils par sa carrure, car il possédait la musculature pleine de sa maturité et la stature noueuse que façonnait l'âpreté des combats. Le père adressa un triste sourire à l'enfant qu'il n'avait pas vu grandir.

– Les officiers ont jugé que je ne leur étais plus d'une grande utilité, tenta-t-il de plaisanter.

Le guerrier n'avait plus de bras : le droit avait été sectionné à l'épaule et le gauche à la hauteur du coude. L'émotion éraillait la voix de l'homme. Il se racla la gorge et reprit :

– Mon fils, j'ai tant rêvé de t'étreindre... Et maintenant, je n'ai plus de bras pour le faire.

Le fils d'Elestre regarda sa mère, puis ses yeux revinrent croiser ceux de Romhan. Combien de fois, depuis son enfance, avait-il imaginé cette scène ? Dans les rêveries du garçon, les phrases coulaient sans entraves, déversant sur Romhan le flot de son affection filiale. Garomil s'approcha de l'homme brisé.

– Mais moi, j'ai les miens, dit-il en serrant son père contre son cœur.

✧

Romhan avait rapporté de la guerre une bourse remplie de ses gages accumulés. Quelques instants avant la venue de Garomil, il était descendu dans les cuisines de l'auberge pour commander à Lavida du pain, des fruits et une jarre de lait frais. La cousine d'Elestre avait promis qu'une chambrière monterait le tout dans quelques instants.

– Reste à manger avec nous, proposa le père à son fils.

Garomil mourait de faim. Il refusa néanmoins l'offre de Romhan, prétextant qu'il devait vite retourner à l'atelier d'Olivar.

– Mon maître m'attend et il n'est pas commode, renchérit-il, sur le pas de la porte.

Il lui tardait de sortir et de prendre du recul. Il voulait discuter avec Sati de cet événement qui promettait de bouleverser son existence. En dépit de leur ressemblance, Romhan n'était encore qu'un étranger pour Garomil.

– Tu n'auras plus à travailler, argumenta le père en désignant l'escarcelle pansue ouverte sur la table.

– Cette somme ne durera pas toujours, assena le garçon avec la brusque franchise de sa jeunesse.

Le guerrier baissa la tête. Défait, il s'assit lourdement sur une chaise.

– Tu as raison, Garomil. J'oubliais que je suis devenu un invalide. Inutile de me conter des histoires... Soldat manchot ou orfèvre manchot, c'est du pareil au même ! Je ne pourrai pas reprendre mon ancien métier.

Dépité, il murmura :

– Un infirme n'est jamais qu'une bouche de trop à nourrir !

Elestre s'approcha de son mari et l'embrassa sur le front. Maintenant qu'un miracle lui avait rendu l'homme qu'elle aimait, maintenant qu'elle avait retrouvé son compagnon de vie, sa foi en l'avenir paraissait inébranlable.

– J'ai ma couture. Ma clientèle est riche et régulière, l'assura-t-elle avec conviction.

Pour ne pas ajouter à la honte de son père, Garomil prit aussitôt congé, promettant de revenir le lendemain. De retour dans les ruelles crasseuses de Döv Marez, il se souvint des dernières paroles de Tabulion. En songeant à la dégradation de Romhan, il murmura pour lui-même :

– Bienvenue, Garomil ! Bienvenue dans le monde impitoyable des hommes !

– 44 –

Les maîtres de magie s'éloignèrent du portail qu'Artos avait ensorcelé pour happer Mauhna dans le monde des ombres.

– Ne restons pas dans cette damnée clairière, ronchonna Hµrtö en entraînant son épouse à peine remise de ses émois.

Ils laissaient derrière eux les vestiges de leur combat contre les monstres des Dédales : amas de terre grasse remués par les serpents luminescents, trembles ravagés et bosquets brûlés par les dragons. Dans les lueurs matinales, ils marchèrent vers le sud-est. Au bout d'un moment, Mauhna confia à Hµrtö qu'elle n'en pouvait plus.

– Moi aussi, je suis à bout ! admit-il à son tour.

Immédiatement, il érigea un bouclier qui les rendait invisibles et qui les protégeait contre les maléfices. Ensuite, il matérialisa une paillasse sur laquelle Mauhna s'étendit en soupirant.

– Que tes songes soient doux, murmura Hµrtö en baisant tendrement les lèvres de son épouse.

Celle-ci ne répondit pas. Épuisée par les dernières épreuves, elle s'était endormie.

✧

Quand ils s'éveillèrent, le soleil était déjà haut dans le ciel. Mauhna s'étira. Puis, s'appuyant sur un coude, elle caressa le front de son compagnon.

– Quelle étrange sensation ! lança-t-elle, les sourcils froncés par un effort de réflexion. Les événements de la journée d'hier me paraissent très lointains... Comme si je les avais vécus plusieurs années auparavant. Je pourrais presque croire que je les ai rêvés, conclut-elle, quelque peu désemparée.

Le Gris comprenait son désarroi.

– Souviens-toi que la Forêt des Fantômes ensorcelle ceux qui s'aventurent sur ses territoires.

– Tu ressens donc le même égarement que moi, voulut vérifier Blanche.

– Pas à ce point. La magie de ces bois trouble chacun de nous de façon différente, précisa Hµrtö.

Toujours à l'abri de leur bouclier, les Longs-Doigts joignirent leurs clés et consultèrent la carte lumineuse qu'elles recelaient. S'étant assurés qu'ils se trouvaient sur la bonne voie, ils firent disparaître les traces de leur campement et reprirent leur route.

Au bout d'un moment, ils parvinrent dans une jolie clairière. Hµrtö remarqua presque aussitôt que les rayons filtrés par le couvert des arbres scintillaient de façon insolite.

À cet endroit, la lumière semblait prendre une consistance sirupeuse. Fasciné, Le Gris tendit la main pour effleurer ces lueurs qui paraissaient couler du ciel comme le miel d'une ruche.

– Le nectar des dieux, chuchota-t-il quand Mauhna s'approcha de lui.

Elle était revenue sur ses pas pour voir ce qui retenait ainsi l'attention de son mari.

– Prudence ! C'est peut-être une ruse, l'avisa-t-elle.

– Mais non... C'est une offrande divine. Nous devons l'accepter et rendre grâce, s'obstina le Loxillion, les doigts nimbés de cette substance dorée.

Sous les yeux ébahis des magiciens, les filaments de lumière s'entrecroisaient, tissant des dentelles éblouissantes. Quand de minuscules araignées apparurent sur ces ouvrages d'orfèvrerie, Blanche fut saisie d'un malaise.

– Partons ! tenta-t-elle de convaincre Hµrtö.

Celui-ci ne parut pas l'entendre. La beauté des toiles tendues entre les arbres l'hypnotisait. Pendant ce temps, des légions d'araignées surgissaient de partout. Elles se mouvaient avec célérité sur leurs pattes fines et pointues comme des aiguilles d'or. Laborieuses ouvrières, elles maniaient les rayons de lumière pour tisser d'innombrables toiles gluantes.

– Nous avons assez traîné par ici. Viens ! insista Mauhna.

– Non ! protesta le Loxillion, obnubilé par le spectacle rutilant.

Soudain, elle fut là. Sans un bruit, se déplaçant avec une agilité surprenante pour sa taille, une mygale géante avait bondi hors de son abri souterrain pour se jeter sur sa proie.

– Hµrtö ! cria Mauhna.

En l'espace d'un battement de cœur, le corps monstrueux de la mygale avait couvert de son ombre le décor doré et en avait chassé la féerie. Sans attendre, elle pointa son abdomen vers le Loxillion, le ligota à l'aide d'un fil de soie et s'interposa entre son butin et la magicienne.

L'attaque de l'araignée géante avait agi comme un signal sur la nuée de ses sœurs naines. Par centaines, elles se ruaient vers Mauhna, leurs pattes métalliques émettant d'inquiétants cliquetis.

– Arrière ! gronda la Longs-Doigts en leur présentant ses paumes.

Les lueurs laiteuses irradièrent du creux de ses mains. Agressées par la lumière blanche, les bestioles s'enfuirent. Toutefois, il en fallait davantage pour intimider la mygale. Ses yeux globuleux guettaient sa rivale.

– Sale bestiole ! rugit Blanche en s'approchant de l'araignée pour mieux l'atteindre.

Elle darda sur la créature plusieurs éclairs argentés, la forçant à s'écarter quelque peu. Profitant de cette mince ouverture, Mauhna pointa l'index vers Hµrtö et le fit léviter jusqu'à elle. Abandonnant la mygale et son décor drapé d'or, Blanche s'envola aux côtés de son époux. En plein vol, elle lui dégagea le visage.

– Respire ! le supplia-t-elle.

Dans sa fuite, Mauhna priait pour ne pas tomber dans un autre piège. Décidément, cette forêt détestait les intrus.

✧

Quand elle eut mis une distance suffisante entre elle et l'antre de la mygale, elle profita de la grève d'une rivière pour atterrir et ranimer Hµrtö. Ensuite, elle le libéra de sa gaine collante et lui raconta sa lutte contre l'araignée monstrueuse. Dépité, le Loxillion remua la tête en s'admonestant.

– J'ai été imprudent... Je ne me suis pas assez méfié et la Forêt m'a envoûté.

– Heureusement que nous sommes là pour veiller l'un sur l'autre, répliqua Blanche en se souvenant que, sans Hµrtö, elle aurait péri dans l'univers des ombres.

Les âmes sœurs échangèrent un regard complice. Dans l'adversité, les époux appréciaient plus que jamais les liens qui les unissaient. Après quelques instants, le visage de Blanche se rembrunit.

– Je crains que cette fuite ne nous ait fait dévier de notre route, déclara-t-elle d'un air navré.

Les époux superposèrent de nouveau leurs médaillons, firent apparaître la carte magique et restèrent un moment à observer les symboles. Conscient que L'Autre devait les épier, Hµrtö s'introduisit dans la pensée de Mauhna.

– *Je crois deviner où se trouve la Cité des sphinx,* lui annonça-t-il.

– *Comment est-ce possible ? Les tracés de la carte sont incomplets ; ils n'indiquent que nos choix pour le prochain segment de notre trajet... Pas la destination finale.*

– *Je sais, mais d'après leur orientation, je suis presque certain qu'ils mènent tous au lac des glaces.*

– *Que suggères-tu ?*

– *Je suis déjà allé à cet endroit. Je peux donc nous y conduire par voyage-éclair*, expliqua-t-il en faisant mine de poursuivre son examen de la carte.

– *Oui mais, maintenant que nous sommes hors des territoires protégés de notre peuple, l'aura du transport occulte va devenir perceptible pour notre ennemi. Nous serons alors très vulnérables ; s'il nous capture pendant que nos pouvoirs sont concentrés sur le transfert, il tirera avantage de notre faiblesse.*

– *Ça ne durera que quelques secondes*, argumenta Hμrtö.

– *Néanmoins, s'il parvient à nous voler nos clés et nos incantations, tout sera perdu. Le risque est énorme*, objecta Blanche.

– *Je te l'accorde.*

– *Par contre, ce subterfuge nous permettrait d'éviter plusieurs pièges de la forêt*, fit valoir Mauhna.

Pendant un moment, les Loxillion demeurèrent silencieux, pesant le pour et le contre de la proposition d'Hμrtö. À ses côtés, Mauhna glissa son index sur un symbole de la carte et le scruta comme si elle cherchait à l'interpréter.

– *Ça peut fonctionner si nous parvenons à surprendre L'Autre. Il faudra donc agir de manière à ce qu'il ne soupçonne pas notre intention et qu'il n'ait pas le temps d'intervenir*, ajouta-t-elle, signifiant ainsi qu'elle acceptait le risque. *Toutefois*, tint-elle à préciser, *nous ne pourrons pas leurrer Artos une seconde fois... Il se méfiera.*

– *Cette fois doit être la bonne. Espérons que mon intuition ne me trompe pas et que la ville sacrée se trouve quelque part aux environs du lac des glaces,* souhaita Hµrtö en feignant de s'intéresser aux caractères abscons désignés par son épouse.

C'était au tour des mages blancs de mystifier leur adversaire.

– J'ai résolu l'énigme, annonça soudain Blanche à voix haute.

Sur la carte, son ongle bleu foncé suivit un tracé tortueux.

– Pourquoi cette route ? Elle est bien plus longue..., protesta Le Gris en entrant dans le jeu.

– La signification de ce symbole devient évidente quand on l'associe à l'icône représentant les trembles. Le message est clair : il ne faut pas suivre le sentier bordé par les arbres frissonnants, car ceux-ci ne s'émeuvent pas sans raison.

– Je ne comprends pas.

– Dans cette section de la forêt, des esprits s'amusent à effrayer les étrangers... Ils les tourmentent jusqu'à les rendre semblables aux trembles : plaintifs et agités.

– Tu es merveilleuse ! s'exclama Hµrtö, impressionné par la vivacité d'esprit de sa bien-aimée. Grâce à ton discernement, nous venons d'échapper à un péril.

– Peut-être, mais nous n'épargnerons pas notre énergie, déplora la magicienne en priant pour que L'Autre soit dupe de cette diversion.

Ils rangèrent leurs médaillons et empruntèrent sans attendre un sentier qui montait à flanc de colline.

– Il faut suivre les sycomores, soutint Mauhna en posant sa main sur le bras de son mari comme pour s'y appuyer dans l'ascension.

Elle était prête.

– Cette forêt est vraiment fascinante... Des sycomores, lança Hµrtö juste avant de prononcer l'incantation de son voyage-éclair.

Ils réapparurent sans encombre en bordure d'une étendue glacée qui miroitait dans les rayons du soleil. Ils avaient réussi.

✧

Artos pesta en les voyant disparaître.

– Les scélérats !

Dès qu'il capta l'aura dégagée par le voyage-éclair de ses ennemis, il tenta de les intercepter. Trop tard. Le halo s'était déjà dissipé.

– J'aurais pu les tenir, là, sans même me battre ! grinça-t-il de dépit.

Il ordonna à Idris de repérer les Loxillion. Quand il vit où ils avaient abouti, le sorcier laissa échapper une bordée de jurons. En se montrant aussi avisés, Hµrtö et Mauhna ménageaient judicieusement leurs pouvoirs.

« Je devrais peut-être les forcer à lutter contre une autre tempête », tergiversait-il, les yeux rivés sur la surface de l'agate.

Témoin des pensées de son maître, Sotra étala sa silhouette sur la table du sorcier.

– Inutile de gaspiller tes forces à les harceler. La forêt n'en a pas encore terminé avec eux, assura-t-il.

– Il est vrai que les esprits qui hantent Syl op Gard sont vindicatifs, convint le sorcier en soupirant.

– Surtout autour du lac. Crois-en ma parole, tes ennemis ne sont pas encore au bout de leurs peines. Ils ne seront pas de sitôt dans l'enceinte de la Cité des sphinx.

Le Cobra opina mais il n'en ordonna pas moins à Idris de surveiller ce qui se passait sur les berges du lac des glaces. Il n'avait pas l'intention de laisser les mages blancs se moquer de lui une autre fois.

✧

Fascinée par l'étrangeté du phénomène, Blanche voulut s'approcher de la surface mystérieusement gelée.

– Non ! chuchota Hµrtö en la retenant. Il ne faut pas qu'elles nous voient.

– Mais... De qui parles-tu ? s'irrita quelque peu Mauhna.

Le Loxillion l'entraîna dans un petit boisé et lui raconta les périls qui les menaçaient à cet endroit : la chute ensorceleuse, les sirènes et leurs soldats batraciens.

– Des crapauds géants... Des sirènes ! s'étonna la magicienne.

– Et, contrairement à ce que prétendent les légendes, je te jure qu'elles ne sont pas très amènes. Pire, les souveraines du lac des glaces sont prêtes à tout pour capturer un mâle. Puisqu'elles n'engendrent que des filles, elles ont désespérément besoin de renouveler leur cheptel de géniteurs.

À ce mot, Le Gris frissonna.

– Crois-tu que la Cité des sphinx pourrait se trouver engloutie dans leur royaume ?

– C'est possible.

– Comment ferons-nous pour le savoir ? Comment se rendre sous la glace sans ameuter les sentinelles et leurs maîtresses ? s'enquit Mauhna.

– Je l'ignore. Une chose est certaine cependant : nous ne nous hasarderons dans les eaux de ce lac qu'en tout dernier recours. Fouillons d'abord les alentours.

✧

Après plusieurs jours à ratisser en vain les bois qui entouraient la surface gelée, après avoir inspecté les falaises, les grottes et le moindre recoin de la région, les époux durent se rendre à l'évidence : il leur fallait explorer le domaine des sirènes.

Ils mirent au point un plan pour s'introduire dans cet univers hostile puis, soucieux d'être dispos pour affronter cette nouvelle épreuve, ils s'accordèrent un peu de repos. Dans un abri magique, ils s'entourèrent d'un cocon de lumière et s'employèrent à récupérer les pouvoirs qu'ils avaient dilapidés depuis le début de leur périple.

Avant l'aube, ils quittèrent leur refuge et longèrent discrètement les berges du lac. Bientôt, le tumulte de la grande cataracte domina les bruits nocturnes des bois. Le Gris tenait Mauhna par la main. Il sentait une moiteur inhabituelle au creux de la sienne ; le décor lui rappelait d'affreux souvenirs. Il inspira avant de chuchoter à l'oreille de son épouse :

– Ne regarde pas le flot de la chute, sinon sa magie te séduira en insinuant des rêves de gloire dans ton âme. Ces visions sont si puissantes qu'elles t'entraîneraient sous la trombe... Tu y serais broyée comme un œuf entre un marteau et une enclume.

Blanche acquiesça gravement. Le péril était grand de succomber au magnétisme de la cataracte. Mais les magiciens n'avaient guère d'autre choix ; ils misaient sur le torrent et son tumulte pour masquer leur intrusion dans le royaume des sirènes.

En approchant de la chute, Mauhna éprouva un désir intense de se tourner vers l'eau qui vrombissait. Du coin de l'œil, elle vit le flot s'unifier pour devenir compact et luisant comme un miroir. Quand elle aperçut le reflet de sa silhouette magnifiée, sa volonté fléchit sous l'assaut combiné de la curiosité et de la fierté. Jamais elle ne s'était vue aussi belle, aussi auréolée de puissance.

« Illusions », se dit-elle en fermant résolument les yeux.

Néanmoins, l'image tentatrice restait gravée dans son esprit.

« Quelques instants encore... », songea-t-elle, prête à céder.

À ce moment, la main d'Hµrtö se resserra sur la sienne.

– *Tiens bon, ma chérie !* l'encouragea-t-il par la pensée.

Des larmes jaillirent sous les paupières closes de Mauhna.

– *Si tu voyais toute cette splendeur... Tu ne peux pas comprendre.*

– *Détrompe-toi. Je comprends.*

– *Que dois-je faire ?* gémit Blanche en s'accrochant aux doigts de son époux.

Celui-ci ne répondit pas immédiatement. Il aurait voulu s'interposer entre le danger et le désir de sa bien-aimée. Pourtant, il savait qu'il ne devait pas s'ingérer dans les décisions de Mauhna. Le cœur battant, il lâcha sa main et dit :

– *Si tu le souhaites, affronte le miroir. Il est possible de vaincre son enchantement. J'ai réussi déjà.*

– *As-tu confiance en moi ?*

– *J'ai confiance en ta force. N'oublie pas que tu es la seule maîtresse de ta vie.*

Après un moment de réflexion, Blanche ouvrit les yeux. La chute lui présentait un spectacle d'une majesté sans pareille. Dans un décor grandiose, la magicienne se voyait telle une déesse baignée dans la lumière des lunes.

– *Hurtö ?* appela-t-elle sans détourner la tête de cette splendeur.

– *Oui, ma chérie.*

– *Donne-moi ta main,* réclama-t-elle.

Le Gris obéit.

– *Viens !* exigea la magicienne en faisant un pas vers la trombe menaçante comme si elle voulait entraîner son amant dans son sacrifice.

Sentant la résistance d'Hµrtö, elle insista.

– *Tu as juré que tu avais confiance en moi, non ?*

Le Loxillion déglutit. Avec bravoure et tendresse, il répéta :

– *J'ai confiance en ta force.*

Les doigts enlacés, ils avancèrent encore. Puis, se détournant résolument de l'image trompeuse, Mauhna plongea son regard dans celui de son époux.

– Rien ne saurait être plus enchanteur que ce que je vois, en ce moment, dans le miroir de tes yeux. Même quand je serai décatie par les siècles, je trouverai dans ce reflet la seule véritable beauté, celle de ton amour immortel pour moi. Je n'aspire à aucune autre gloire, à aucune autre grâce.

Vaincue, la magie de la chute chassa ses illusions tentatrices dans un flot d'embruns. Blanche se jeta dans les bras d'Hµrtö et ils s'étreignirent un long moment.

– Le soleil va bientôt se lever, murmura Mauhna en se dégageant à regret.

En effet, dans le ciel, les étoiles perdaient leur éclat. Le Gris s'accroupit et attendit. Quand les premières lueurs filtrèrent entre les arbres et vinrent frapper la surface du lac, il projeta le faisceau des astres de ses paumes pour liquéfier la croûte gelée. Lui et Mauhna ajoutèrent à cette première agression une série d'incantations qui perça un trou dans la glace épaisse.

Une étincelle bleutée apparut alors sur la poitrine des Longs-Doigts. L'instant d'après, un couple de carassins se glissait furtivement dans l'eau et cherchait refuge parmi les algues. Ainsi dissimulés, les faux poissons guettèrent anxieusement les alentours. Des soldats batraciens allaient-ils surgir et découvrir la brèche avant qu'elle soit ressoudée ? Aucune sentinelle ne vint et le trou se referma. Tout semblait paisible dans le royaume des sirènes.

– *Ai-je bien réussi ma transmutation ?* s'informa Hµrtö en courbant le flanc pour examiner l'éventail de sa queue.

La discipline des transformations n'avait jamais figuré parmi celles qu'il maîtrisait le mieux.

– *Tu es très élégant avec tes écailles dorées,* le rassura Blanche, mi-moqueuse, mi-attendrie.

Son compagnon folâtra autour d'elle pour s'habituer à son nouveau corps.

– *Notre arrivée semble être passée inaperçue,* se réjouit Le Gris en examinant l'eau autour de lui.

Les ténèbres se dissipaient lentement tandis que l'astre du jour se hissait au-dessus de l'horizon.

– *Soyons attentifs, car la ville peut être enchâssée dans la boue ou dans la rive,* rappela Mauhna.

Frétillants, les deux carassins entreprirent leur exploration aquatique. Peu de temps après, ils aperçurent une première sirène. Bientôt, elles furent plus nombreuses, s'affairant à leurs tâches matinales. Certaines cueillaient des algues dans les sections moins profondes. D'autres ramassaient des coquillages qu'elles enfermaient dans des nasses de joncs tressés.

La situation devint dangereuse pour les intrus quand, tout en vaquant à leurs occupations, les sirènes entonnèrent un chant ensorceleur. Les harmonies accompagnaient leurs gestes fluides, donnant à la scène des allures paisibles qui détonnaient avec les souvenirs d'Hµrtö ; dans sa mémoire, les créatures du lac n'étaient rien de moins que des furies. Malgré tout, sans même s'en rendre compte, il arrêta de nager et se laissa bercer par la féerie sonore.

– *Ne reste pas là !* le houspilla Blanche quand elle nota que son compagnon semblait subjugué.

Les mélodies ravissaient aussi l'oreille de la magicienne, mais elles ne l'envoûtaient pas autant qu'Hµrtö.

– *Viens !* ordonna-t-elle avec force.

L'effroi la saisit quand elle découvrit, dans l'esprit de son époux, des désirs impérieux. En réponse aux appels langoureux des sirènes, le magicien songeait à reprendre sa forme elfique. Sous le charme, il rêvait des caresses des belles créatures.

– *Prends garde. Ne tombe pas dans le filet de ces ensorceleuses,* voulut le raisonner Blanche.

Ses avertissements demeurant sans effet, Mauhna se résigna à lancer une incantation pour rendre sourd son compagnon carassin. Après quelques longues minutes, le poisson recommença à agiter ses nageoires.

– *Que m'est-il arrivé ?* demanda-t-il en revenant vers Blanche.

Par la pensée, la protectrice des lunes lui décrivit comment il était tombé en transe. Elle conclut en expliquant pourquoi il valait mieux qu'il reste privé d'ouïe. Confus que

Mauhna ait été témoin de sa faiblesse et de sa singulière concupiscence, il proposa de poursuivre leur quête en plongeant vers les profondeurs du lac.

C'est ainsi qu'ils aboutirent en vue d'une construction tout en rondeurs. Les tours, les portes, les murailles ne présentaient que des lignes courbes.

– *L'Autre m'avait décrit cet édifice. Il s'agit du palais des sirènes*, identifia Hμrtö.

Au sommet des tourelles se trouvaient des sphères translucides. Ces grandes bulles contenaient de l'air destiné à maintenir en vie les prisonniers reproducteurs.

– *Le palais et ses donjons*, précisa Mauhna.

De part et d'autre des arches et dans les guérites des remparts, des crapauds gros comme des lynx surveillaient les allées et venues autour du domaine des souveraines du lac.

– *Éloignons-nous*, conseilla Le Gris en s'agitant nerveusement.

Son instinct lui dictait qu'il valait mieux ne pas s'attarder si près du château. Partageant son inquiétude, Blanche fit volte-face. Elle allait s'élancer quand, désemparée, elle aperçut une tache rectiligne et claire qui se découpait dans la grisaille des eaux glauques.

– *Oh non !* se récria Hμrtö en écho à la consternation de sa bien-aimée.

Jouxtant le palais des sirènes, se dressait un angle formé de deux parois de marbre blanc. La Cité des sphinx s'était incrustée dans les assises de la montagne qui surplombait le lac. Le sort avait voulu que la ville sacrée se matérialise dans la zone la plus dangereuse de toutes, juste sous le nez des sirènes et de leurs soldats batraciens.

Les segments de murs immaculés n'étaient pas très larges, mais Le Gris pouvait distinguer trois entailles sur l'un d'eux. Ces marques, gravées dans la pierre, étaient des serrures et elles indiquaient l'emplacement d'une porte occulte.

Concentré sur son inspection, Hµrtö ne vit pas venir le danger.

– *Attention !* hurla Mauhna dans l'esprit de son mari.

Il évita de justesse la langue qu'un crapaud avait déroulée dans sa direction, ce qui confirma aux elfes-sphinx que, contrairement aux souveraines du lac, leurs esclaves batraciens ne boudaient pas la chair des poissons.

Les deux carassins s'enfuirent, mais le crapaud n'entendait pas renoncer à sa pitance. Quittant son poste de guet, il se lança aux trousses de ses proies. Malheureusement, cette désertion éveilla l'attention des autres sentinelles et des sirènes qui s'activaient aux abords du château.

– *Trop tard pour la discrétion !* pesta Mauhna sans ralentir sa fuite.

– *Que faisons-nous ?* demanda Le Gris en filant à ses côtés.

– *Fonçons droit sur le portail, insérons nos clés dans les entailles et pénétrons dans la Cité des sphinx... Après tout, nous sommes venus ici pour ça !*

L'un et l'autre savaient que ceci impliquait de devoir reprendre leur apparence elfique.

– *Il faudra agir vite,* spécifia Hµrtö.

– *Oui ! Préparons-nous à retenir notre souffle.*

Rendus tout près de la muraille de marbre, les magiciens prononcèrent leur incantation de transmutation. Voyant les carassins se métamorphoser en créatures trop grandes pour leur gueule, les crapauds ravalèrent leur langue et brandirent leurs doigts griffus, prêts à débiter leur prise. Mais il y avait plus à craindre que les soldats batraciens. Alertées par les sentinelles, les sirènes affluaient.

Dans l'eau glaciale, les Longs-Doigts se hâtaient. Ils détachèrent vivement les clés d'or et de platine et les insérèrent dans les serrures. Blanche trépignait. Elle sut que la magie du portail s'activait quand des traits lumineux dessinèrent le contour d'une arche.

« Plus vite », s'impatientait-elle.

Elle rempochait son médaillon quand elle s'aperçut qu'Hµrtö s'éloignait d'elle. En reprenant son corps elfique, Le Gris avait retrouvé l'usage de son ouïe. La magicienne assourdit aussitôt son époux. En vain. Le mal était fait. Cette fois, le chant des sirènes l'avait complètement envoûté, excitant ses sens, réveillant dans son corps des désirs de volupté. Sous le charme, il avait même laissé tomber sa clé dans la vase. Mauhna la récupéra vivement et la rangea dans son corsage.

– *Non, Hµrtö ! Résiste,* le conjura-t-elle en pensée.

Mais la transe de son compagnon semblait trop profonde pour être rompue par une simple injonction.

Maintenant, les souveraines du lac resserraient leurs rangs autour des intrus. Dans la grâce même de leur danse, Mauhna sentait l'imminence de l'attaque. En voyant tous les soldats batraciens se précipiter sur elle, Blanche comprit que les sirènes avaient donné des ordres pour qu'ils la dévorent. Les femmes-poissons ne convoitaient qu'Hµrtö ; stratégiquement, elles s'étaient réservé la proie mâle.

Blanche ne pouvait plus attendre. Le souffle lui manquait. Si elle n'agissait pas immédiatement, elle allait se noyer. Un crapaud lacéra la tunique de la magicienne, manquant de peu la chair de sa cuisse. Un autre soldat tenta de lui mordre la main. Pendant ce temps, les sirènes se ruaient sur Le Gris, pressées de l'entraîner dans un des donjons remplis d'air.

– *Non !* s'affola Mauhna.

Une lueur bleutée scintilla sur sa poitrine. Au moment où le portail magique se descellait enfin, un poulpe géant se matérialisa au milieu de la horde batracienne. Effrayés, les crapauds se dispersèrent et la pieuvre colossale put se jeter dans la mêlée des reines aquatiques. Celles-ci eurent beau batailler pour conserver Hµrtö, Mauhna les repoussa avec rage et s'empara enfin de son époux évanoui.

« Tiens bon, mon amour ! » songeait-elle en défiant les furies.

Dans un geste empreint de tendresse, elle referma tous ses bras sur le corps inerte de son bien-aimé et recula vers les murs de la Cité des sphinx. Dès que les mages eurent franchi le seuil de la ville sacrée, l'arche disparut et les sirènes battirent de leurs poings impuissants la surface uniforme et blanche de la muraille de marbre.

– 45 –

En apprenant le retour de Romhan, Sati se réjouit pour Garomil et Elestre.

– Maintenant que ton père est là, l'avenir va être plus doux pour vous trois, prophétisa le rouquin tandis que son ami affûtait une lame qu'il avait soigneusement forgée.

Malgré l'heureuse nouvelle, Garomil paraissait morose.

– Devrais-je vendre l'épée que Tabulion m'a donnée ? demanda-t-il soudain.

– Pourquoi donc ?

– Grâce à ce qu'elle rapporterait, mes parents pourraient se trouver un logis un peu plus grand.

Pendant un moment, Sati poursuivit en silence l'assemblage du bouclier que son maître avait promis à un duc pour le lendemain matin. Au terme de ses réflexions, il répondit à la question de Garomil.

– Ne vends pas l'épée de Tabulion.

– Tu en es sûr ? s'étonna Garomil.

– En toute franchise, te crois-tu capable de demeurer artisan ? lança le garçon à la chevelure de feu.

Son ami se frotta la tempe pensivement avant de déclarer :

– Je ne sais pas. Je présume que...

– Combien as-tu forgé et assemblé d'armes depuis que nous sommes au service d'Olivar ? l'interrompit son ami.

– Vingt, vingt-cinq... Peut-être plus.

– Quand tu en auras fabriqué dix fois plus, aimeras-tu encore ce métier ? Quand tu auras cessé d'apprendre, seras-tu encore heureux de ta condition ?

– Ai-je le choix ? Mais, par tous les esprits, où veux-tu en venir ? jeta un peu sèchement Garomil.

Les réflexions de son ami le confrontaient à une réalité dérangeante. Il savait déjà qu'il se lasserait très bientôt de besogner pour un maître moins talentueux que lui. Il poursuivit son travail, inconscient que, dans sa frustration, ses gestes étaient devenus saccadés.

– De toute manière, j'aurai bientôt dix-sept ans... Maintenant que la guerre a tout pris à mon père, elle va lui réclamer son fils, grogna-t-il entre ses dents.

– Voilà pourquoi tu dois garder l'épée. Tu sais te battre comme personne. Quitte cet endroit et fais-toi engager comme écuyer auprès d'un gentilhomme. Au moins iras-tu à la guerre sous une bannière honorable, entouré de compagnons d'armes qui te serviront de famille. Tu ne deviendras pas, comme moi, un vulgaire fantassin qu'on sacrifiera dans les affrontements sans issue.

– Écuyer, moi ? répéta Garomil, abasourdi. Quel gentilhomme me...

– Tabulion t'aidera. Je t'en conjure, mon ami, ne reste pas ici. Ton destin t'appelle ailleurs.

À cet instant, Olivar surgit dans la pièce, les poings appuyés de part et d'autre de sa large taille.

– Garomil, que fais-tu avec cette pauvre lame ? As-tu donc perdu l'esprit ? De grâce, concentre-toi sur cette commande. Le duc Fenegam ne souffrira aucun retard. Il doit repartir à la guerre au prochain cycle des lunes. Ce n'est pas avec une épée ébréchée qu'il va pourfendre les gueux de Bortka et vaincre Balabar, leur détestable souverain.

Garomil regarda l'épée et vit que son maître avait raison. Un peu plus et, dans son irritation, il gâchait l'arme qu'il affûtait.

– Et toi, Sati, tu es si lent. Presse-toi un peu plutôt que de jacasser, poursuivit Olivar, son visage rubicond marqué par la contrariété.

Honteux, le rouquin baissa les yeux et reprit son travail sans répliquer. À ses côtés cependant, le fils d'Elestre paraissait pétrifié.

– Qu'attends-tu pour imiter ton compagnon ? le houspilla Olivar.

Garomil déposa délicatement l'arme sur l'établi et se leva. Les arguments de Sati résonnaient encore dans sa tête. D'abord confus, les propos de son ami lui paraissaient soudain d'une lumineuse sagesse. Même les nuages maléfiques ne parvenaient pas à assombrir l'espoir qui naissait subitement dans le cœur de Garomil.

– Viens ! ordonna-t-il à Sati.

Olivar s'interposa.

– Tu n'iras nulle part, jeune homme... Et lui non plus ! gronda-t-il en postillonnant au visage de Garomil.

Celui-ci contourna l'artisan pour s'approcher de Sati.

– Lâche ce bouclier et viens, répéta Garomil à son ami.

– Je ne peux pas, lui rétorqua tristement le rouquin.

– Oui, tu peux. Je vais t'enseigner ce que m'a transmis Tabulion. Toi aussi, tu deviendras écuyer. Ensemble, nous serons invincibles... Nous veillerons l'un sur l'autre, soutint le fils d'Elestre.

Le gros armurier tremblait, courroucé d'indignation.

– Ingrats ! Je vous préviens... Si vous sortez de cet atelier, dites adieu à votre place. Quand vos rêves de grandeur se seront écroulés, ne revenez pas me quémander du travail.

Ignorant les menaces du maître, Sati plongea son regard dans celui de Garomil.

– Tu crois que je pourrais apprendre à me battre aussi bien que toi ?

– Bien sûr. Et, contrairement à moi, tu sauras tenir ta garde. J'ai besoin de ta prudence.

Le rouquin sourit.

– Tu as raison. Sans moi, tu serais capable d'aller te faire tuer à la guerre, plaisanta-t-il en se levant à son tour.

– Ce n'est pas vrai ! s'emporta Olivar tandis que son teint virait au pourpre. Vous ne pouvez pas me laisser comme ça !

– Nous sommes des hommes libres, pas des esclaves ! lui rappela Garomil.

Changeant alors de tactique, l'artisan implora les jeunes hommes :

– Je vous donnerai plus de gages...

– ...

Devant le mutisme de ses apprentis, Olivar soupira. Puis, contre toute attente, il sourit. Avec le temps, il s'était pris d'affection pour les deux garçons. Il comprenait soudain que leur présence allait lui manquer bien davantage que leur labeur.

– Puisque c'est ainsi ! fit le maître armurier en haussant les épaules.

Il saisit l'épée que Garomil avait malmenée et la tendit à Sati.

– Prends-la. De toute manière, il faudra que j'en fabrique une autre pour le duc Fenegam... Celle-ci est gâchée.

– Je peux encore la réparer, proposa le fils d'Elestre, penaud.

– Je sais, sinon je ne l'offrirais pas à ton ami, reconnut le gros homme.

– Mais alors ? s'étonna Sati tandis qu'Olivar lui cédait l'arme.

– Ça peut sembler difficile à imaginer, mais j'ai été agile et fougueux au temps de ma jeunesse. Je caressais des rêves de gloire mais, conformément aux traditions de ma famille, j'avais l'obligation de succéder à mon père. La fierté de ma lignée réside dans la vocation qu'elle s'est donnée : forger des armes pour les gentilshommes qui défendent notre nation. Je ne rougis pas de mon métier. Pourtant, parfois, je me souviens que j'ai déjà souhaité devenir un héros. C'est fou, non ?

– Pas du tout ! répondit Garomil en lui serrant la main avec reconnaissance.

– Allez, mes enfants ! Oubliez mon emportement de vieux grincheux... Vous serez toujours les bienvenus chez moi. Mais là, ça suffit ; vous m'avez assez retardé.

Reprenant son allure bougonne, il bouscula les jeunes gens en leur désignant la porte.

– Ouste ! J'ai du travail.

✧

Dehors, une clameur insolite accueillit les garçons. Malgré la bise mordante, de nombreux citoyens se pressaient dans les rues. Garomil entendait le bruit des sabots qui martelaient le pavé.

– Que se passe-t-il ? demanda Sati à un paysan.

Le fardier du vieil homme avançait à peine, coincé par la foule qui enflait comme un ruisseau en crue. La réponse du cocher se perdit dans le tumulte de plusieurs appels de cors. Assourdi, le rouquin lut sur les lèvres du paysan les mots qu'il n'entendait pas.

– Le roi... Notre roi arrive !

Depuis quelques jours, les gens du palais préparaient le retour de Noxad.

– La guerre est-elle finie ? s'informa Garomil à un lieutenant, quand lui et Sati eurent fendu la multitude pour s'approcher de l'avenue principale de la cité.

Vraisemblablement, le souverain et sa garde allaient emprunter cette voie qui menait directement au château.

– Pis d'truie, non ! Le gros de nos forces se bat encore contre l'Ogre de Bortka et ses truands, éructa le militaire.

– Alors pourquoi Noxad vient-il dans la capitale ?

– Pour recruter, jeune homme ! Nous avons eu beaucoup de morts... Les nobles doivent rapatrier tous les garçons valides dans leur seigneurie respective. Quant au roi, il entend écumer les villes, à commencer par Döv Marez. Tu seras certainement de la prochaine récolte, conclut le lieutenant en examinant son interlocuteur, mi-figue, mi-raisin.

L'avenue débouchait sur une place où s'attroupaient les habitants de la capitale.

– Rendons-nous là-bas, suggéra Garomil à Sati. Si le roi choisit de s'arrêter pour saluer ses sujets, il le fera sans doute à cet endroit.

Ils entreprirent de se faufiler dans la foule qui devenait de plus en plus dense. En raison de cette affluence, les garçons ne remarquèrent pas qu'un large secteur de l'esplanade était occupé par les chariots d'une caravane peinturlurée. Des personnages aux costumes extravagants se tenaient près d'un chapiteau, observant l'agitation des citadins.

Sati suivit Garomil jusqu'à ce qu'ils se retrouvent au premier rang, jouant des coudes pour conserver cette place de choix. Les cors retentissaient à chaque carrefour et, d'après le tapage, Garomil devinait que le cortège arriverait bientôt en vue, sur sa gauche.

Tout à coup, comme en réponse à l'appel des trompes, la population surexcitée entendit résonner des harmonies légères. Sur la droite, en provenance du palais royal, une autre procession s'avançait. Manifestement, elle venait à la rencontre de Noxad. La musique des violes et des tambourins paraissait grêle et joyeuse en comparaison des lamentations des cors de guerre.

Sati tournait son regard d'un côté puis de l'autre, tentant de ne rien rater.

– Là ! cria-t-il en pointant son index sur la droite.

Plusieurs cavaliers présentant des armoiries diverses arrivaient enfin sur la place. Bien qu'arborant chacun le blason de sa dynastie, ils portaient fièrement les couleurs de leur roi. Même le harnachement de leurs destriers était indigo.

– Les seigneurs de Gohtes ! s'exclama une femme, visiblement impressionnée par l'allure altière de ces hommes de haut rang.

Les nobles chevaliers se déployèrent pour laisser passer un carrosse découvert et son unique passagère. À cet instant, le soleil qui déclinait quitta la masse sombre des nuages. Dans l'étroite bande dégagée au-dessus de l'horizon, l'astre couchant lança ses rayons ardents, enflammant l'esplanade de lueurs orangées. La voiture d'apparat était suivie d'une seconde horde de cavaliers vêtus de bleu. Ensuite, venaient des dames élégantes, de dignes vieillards et quelques prêtres. Ces gens de la cour étaient escortés par une troupe d'archers.

– Les sentinelles du château, identifia Sati.

Obnubilé par le spectacle, le rouquin jeta un œil dans la direction opposée et vit surgir sur la place les gardes de Noxad. Cette suite était constituée des plus vaillants guerriers du pays. Pour servir le roi borgne, chacun d'eux aurait donné sa vie.

– Lequel est Noxad ? demanda Sati à Garomil.

Les militaires étaient encore armés et vêtus pour le combat. Couverts de poussière, engoncés dans leur cuirasse, le heaume sur la tête, ils se ressemblaient tous.

– Dis, lequel est le roi ? insista le rouquin, surpris du soudain mutisme de son ami.

Contrairement au reste de l'assemblée, le fils d'Elestre n'avait pas tourné la tête pour apercevoir le monarque et sa compagnie. Non, ses yeux restaient rivés vers l'opposé, sur l'équipage et le carrosse rutilant. Pas un instant il n'avait détaché son regard de la passagère solitaire.

– Qui est-ce ? souffla Garomil.

Sa question et celle de Sati reçurent leur réponse sans que personne n'ait prononcé un mot. Un des guerriers du cortège de gauche retira sa coiffe et sauta à bas de sa monture. Il se précipita vers l'attelage. Descendue en hâte de la voiture, la belle inconnue courut vers lui.

– Papa ! s'écria la demoiselle en se jetant dans les bras du roi borgne.

– Lea, ma chérie ! s'exclama Noxad en étreignant son unique héritière.

À cet instant seulement, Garomil sortit de l'état de stupeur dans lequel l'avait plongé le spectacle des retrouvailles du souverain de Gohtes et de sa fille.

– Elle pourrait être ta sœur, déclara-t-il en comparant le feu de la chevelure de son ami avec les boucles gracieusement nouées de la princesse.

En effet, Lea de Gohtes avait la même tête rousse que Sati. De plus, son teint était pailleté de taches de son et ses yeux scintillaient comme des saphirs.

– Allons donc ! Elle ne me ressemble pas du tout. La fille de Noxad est belle comme le jour, tandis que moi..., protesta Sati.

– Elle... Tu..., bredouilla Garomil dans son trouble.

– Mon pauvre ami ! s'exclama le rouquin. Allons *emprunter* quelques carafes dans la réserve de mon père... Tu sembles avoir besoin d'un sérieux remontant. Et puis, ce que nous chipons à Luvak, il ne peut pas le boire.

La fin de sa phrase se perdit dans l'appel des cors et les acclamations de la foule. Les citoyens applaudissaient leur roi. Avec son crâne rasé et le bandeau qui masquait l'orbite vide de son œil droit, le souverain de Gohtes avait l'allure redoutable des vrais hommes de guerre. Pourtant, quand il regardait sa princesse, la tendresse semblait le transfigurer.

Les sujets saluaient en Noxad le père et le soldat. Grâce à lui, l'Ogre de Bortka n'avait pas réussi à franchir les frontières de Gohtes. En militaire compétent, le roi tenait son ennemi Balabar en échec.

– Vive le roi ! crièrent ses sujets.

En souverain prévoyant, Noxad veillait jalousement sur le sort de son héritière. Trop, jugeaient certains, car Lea n'était que très rarement autorisée à sortir des murs du palais. Le peuple le déplorait.

– Vive la princesse ! enchaîna la foule, exaltée d'apercevoir enfin celle dont la beauté et la bonté alimentaient tant de rumeurs.

Les cavaliers firent caracoler leurs montures, prêts à reprendre le chemin du château. Noxad laissa à son écuyer le soin de ramener son cheval et prit place dans le carrosse, aux côtés de sa fille. Les deux cortèges se fondirent en un seul, la troupe du roi l'escortant et les autres dignitaires leur emboîtant le pas, chacun s'installant dans la procession en fonction de son rang et de ses privilèges. La noblesse de Gohtes était rigoureuse, disciplinée et s'enorgueillissait de sa grande civilité, qu'elle opposait à la barbarie de ses ennemis de Bortka.

La foule s'ébranla à son tour. Plusieurs curieux désiraient suivre le cortège jusqu'au palais pour avoir encore l'occasion d'admirer la princesse. Garomil prit le bras de Sati et fit un pas sur le pavé pour les imiter.

– Que dirais-tu d'aller voir les saltimbanques sous le chapiteau du cirque ? proposa le rouquin en le retenant.

– Non ! Allons plutôt boire aux frais de ton père comme tu me l'as proposé avant, décida Garomil. Je veux que nous célébrions ce jour car il est le premier de notre nouvelle existence... Celle que tu m'as révélée tantôt.

– Nous deviendrons donc écuyers ? s'égaya le rouquin.

– Certainement, soutint le fils d'Elestre en levant les yeux vers le palais de Noxad.

En contrebas, tel un sac de grains éventré, l'esplanade se vidait lentement. Quelques femmes isolées restaient plantées sur place comme si elles avaient pris racine dans le pavé. Garomil désigna la colline et le château qui brillait de mille feux.

– Écuyer n'est qu'une première marche dans mon ascension. Je les gravirai toutes... Je monterai aussi haut qu'il le faudra pour m'approcher de la princesse.

Sati resta pantois.

– Tu n'es pas sérieux ! finit-il par jeter avec inquiétude.

– On ne peut plus sérieux, le détrompa Garomil.

– Tu n'es qu'un fils d'artisan. Comment peux-tu espérer fréquenter la cour, sans parler de l'héritière du royaume ? raisonna Sati.

– C'est simple : en gagnant les faveurs du roi.

– Et comment réussiras-tu ce tour de force ?

Garomil souleva l'épée que lui avait donnée Tabulion. Sati secoua la tête, incrédule.

– Allons boire ! J'en ai besoin.

Au moment de s'en aller, le rouquin remarqua les femmes figées sur l'étendue silencieuse de l'esplanade. À l'autre bout de la place, un colosse et une dame bossue se tenaient devant le chapiteau du cirque. La mine grave, les deux étrangers vêtus de couleurs éclatantes guettaient aussi le comportement des femmes statufiées.

– Elles semblent si tristes ! fit remarquer Sati.

Garomil se rembrunit.

– Pourquoi se réjouiraient-elles ? Comme ma mère, elles s'inquiètent probablement pour leurs fils qui seront appelés à la guerre, expliqua-t-il à son ami. Elles s'étonnent de constater que leurs petits sont déjà devenus des hommes.

– Le sommes-nous vraiment ?

– Je présume que lorsqu'on a le droit de prendre la vie d'un ennemi en lui ouvrant le ventre à coups de lame, on peut prétendre être devenu un homme, répliqua le fils d'Elestre.

– Tabulion soutient que c'est au combat qu'on reconnaît les braves.

– Sans doute, convint Garomil. Pourtant, demande à ces femmes ce qu'elles pensent de ce destin insensé. Dans le fond de leur âme, ne s'affligent-elles pas de l'abjection infligée à ceux qu'elles ont engendrés ?

Tout à coup, Sati sut que Garomil avait raison. En ce jour des lunes de vent, leur jeunesse s'était envolée, et avec elle, les derniers vestiges de leur innocence.

- 46 -

– Ils sont entrés ! s'exclama Sotra, incrédule.

Idris montrait les images d'un poulpe géant affaissé sur le corps inanimé d'Hμrtö. La bête et le magicien dégoulinaient. Lentement, l'eau s'étendait autour d'eux, sur le pavé de la Cité des sphinx, dessinant la forme imprécise d'un œuf.

– À t'entendre, ils n'allaient pas être de sitôt dans mon antre. Tu devrais éviter de jouer aux oracles. Ça ne te réussit guère ! maugréa Artos contre son ombre.

Abandonnant son habituelle morosité, Jordan s'était précipité pour regarder par-dessus l'épaule du Cobra.

– Affrontons-les immédiatement tandis qu'ils sont sonnés ! suggéra-t-il en pointant la scène que présentait l'onyx.

Il lui tardait de s'emparer des clés et de voir Artos libérer Korza. Une fois que les effluves de la déesse auraient perverti le cœur des hommes, il deviendrait facile de les anéantir. Enfin, l'ère de la suprématie des elfes pourrait commencer.

– Abattons-les et libérons la déesse de cristal, insista-t-il pour presser Artos.

Celui-ci secoua la tête avec vigueur.

– Non ! Il faut encore les forcer à épuiser leur pouvoir, trancha-t-il, agacé par l'impatience de son disciple.

– Pleutre ! cracha avec mépris le fils déchu.

Le seigneur des ténèbres se retint de le foudroyer. Il devait affaiblir ses ennemis, pas son seul allié.

– As-tu jamais combattu un grand maître de magie ? demanda-t-il à l'insolent. Sais-tu seulement quels puissants mages sont tes géniteurs ? Je te jure que tu n'as pas intérêt à les combattre quand ils sont en pleine possession de leurs pouvoirs... Tu n'y survivrais pas.

Jordan lui sourit, plus arrogant que jamais.

– Tu oublies un détail, contre-attaqua-t-il. Jamais mes parents ne me tueront. Je suis leur fils, leur enfant, la chair de leur chair...

D'un sortilège, Artos lui scella les lèvres.

– Cesse de me casser les oreilles !

Heureux de voir Jordan remis à sa place, Sotra s'égaya.

– Nos deux visiteurs ne sont pas au bout de leurs peines, osa-t-il encore présager.

Le regard assassin que lui lança son maître l'incita à imiter Jordan. Il se tut.

✧

Mauhna quitta promptement sa forme tentaculaire et s'agenouilla auprès de son époux qui gisait, évanoui, sur le pavé mouillé. La magicienne plaça ses longs index sur les tempes du Loxillion et projeta sur sa chair livide la lumière des lunes incrustées dans ses paumes.

– Hµrtö... Mon chéri, reviens ! implora-t-elle.

Le magicien ouvrit enfin les yeux. Il se souvint alors des sirènes, de leur chant ensorceleur qui l'avait subjugué. Son teint rougit subitement.

– Je ne suis pas fier de moi. Je n'ai pas su résister à l'envoûtement de leur chant, confessa-t-il à son épouse.

– Tu as failli te noyer, lui rappela Blanche en l'aidant à se relever.

Elle lui raconta le combat et la victoire du poulpe géant contre les souveraines du lac de glace.

– Me pardonneras-tu ? Par ma faute, tu as couru un grand danger, s'affligea le Loxillion.

– Nous sommes saufs, voilà ce qui importe, répliqua Mauhna en lui effleurant tendrement la joue.

Inquiets de se trouver à découvert si près du repaire de L'Autre, ils avancèrent prudemment dans l'avenue. Leurs pas retentissaient dans le silence absolu, exacerbant leur anxiété. Soudain, une voix familière s'éleva.

– Maman !

Mauhna sursauta, pivota sur elle-même et aperçut Jordan. Il se tenait à l'intersection d'une rue, la tête légèrement inclinée, le regard triste.

– Le Gris ! grinça une autre voix.

Dans la direction opposée, Artos narguait son frère de sang. Pour affronter cette menace, Hµrtö fut forcé de tourner le dos à Mauhna. Sans attendre, il lança une incantation contre le sorcier. Sa foudre pulvérisa l'apparition.

– Maman ! supplia Jordan, les mains tendues, mais sans broncher.

Blanche hésitait.

– Je ne peux pas. Je ne peux pas ! répétait la magicienne comme une litanie, l'index pointé, incapable de fixer son choix sur un quelconque sortilège.

Hµrtö était en alerte.

– Attaque ! recommanda-t-il à Blanche.

Il allait faire volte-face pour prêter main-forte à sa bien-aimée quand une nouvelle silhouette du Cobra surgit. Une deuxième se matérialisa, puis une autre, et encore une. Bientôt, Hµrtö eut devant lui une troupe entière composée de sosies de L'Autre. Il se couvrit d'un bouclier magique et se prépara à une longue lutte.

Les oreilles de Mauhna bourdonnaient. Elle avait cessé de compter les jumeaux de son fils. Des centaines de Jordan geignaient, immobiles, comme prisonniers d'entraves occultes.

– Maman, aide-moi !

Blanche constata soudain qu'un rempart invisible l'entourait. Tout en combattant L'Autre, Hµrtö avait dilapidé une partie de ses pouvoirs pour la protéger. Le dépit submergea la magicienne. Elle ne pouvait pas ignorer que son indécision les exposait l'un et l'autre au danger. Au même instant, l'esprit de son époux s'immisça dans le sien.

– *Mon énergie décline trop vite. Je ne me suis pas encore remis de l'épreuve du lac. Fuyons !*

Il saisit le poignet de Mauhna et l'entraîna avec lui.

– *Où m'emmènes-tu ?* s'enquit Blanche.

– *Dans un endroit où notre ennemi ne nous suivra pas. Dans un lieu qu'il n'aura pas osé visiter... Pas même pour le truffer de pièges.*

Tout en courant, Le Gris décimait les silhouettes d'Artos dressées pour ralentir sa retraite. Soudain, Jordan s'interposa entre les fugitifs et le parvis d'un temple de pierre rouge.

– Non ! hurla Mauhna en tentant de retenir le geste de son mari.

Celui-ci résista et pointa l'index sur leur opposant.

– Ce ne sont que des illusions... Tu le sais bien, non ? tenta-t-il de raisonner sa compagne.

Le sosie de Jordan s'étant évanoui, Hµrtö empoigna fermement la main de Blanche pour la conduire à l'intérieur du bâtiment couleur rubis. Une fois dans le grand hall du lieu saint, Blanche explosa.

– Tu n'avais pas le droit de prendre un risque pareil, s'insurgea-t-elle avec colère.

Son cri résonna dans l'enceinte vide.

– Comment pouvais-tu être certain de ne pas abattre Jordan... Le vrai, celui de chair et de sang ? poursuivit Mauhna, emportée par sa fureur.

Hµrtö essaya d'attirer sa bien-aimée contre lui pour l'apaiser. Blanche se débattit entre ses bras.

– De ma chair et de mon sang, insista-t-elle d'une voix accusatrice. Tu aurais pu tuer mon fils ! assena-t-elle dans un sanglot horrifié.

– *Notre* chair, *notre* sang... *Notre* fils, lui rappela Hµrtö d'une voix douce et lasse.

Alors Mauhna s'effondra. À genoux sur le sol de marbre, elle cacha son visage dans ses paumes et pleura. Le Gris s'accroupit auprès d'elle. Sans dire un mot, il l'enlaça et attendit.

– Je me doutais que ce serait difficile, mais pas à ce point ! finit par avouer Blanche.

– Tu as été très courageuse, l'assura Hµrtö. Il t'a fallu beaucoup de maîtrise pour ne pas céder aux supplications des sosies de Jordan.

Mauhna soupira en secouant la tête.

– Je suis maître de magie, porteuse de la clé de platine. Je possède de rares pouvoirs... J'ai même réussi à te soustraire à la convoitise de la mygale, des sirènes... Pourtant, en ce moment, je me sens désemparée.

Compatissant, Hµrtö la serra un peu plus fort.

– Tu sais... Quand Jordan a disparu après le meurtre d'Hodmar, quelque chose s'est brisé en moi, poursuivit Blanche, pitoyable.

– Oui, je sais... Ma propre blessure est encore vive, lui confia Hµrtö en retour.

Blanche se dégagea doucement et plongea son regard dans celui de son époux.

– La magicienne en moi est peut-être restée forte, mais la mère est devenue terriblement vulnérable, conclut-elle.

Le Loxillion se releva et aida Mauhna à se remettre debout.

– L'Autre n'est pas fou : il joue avec tes sentiments pour t'épuiser. En fait, il craint de se frotter à la féroce sorcière que tu es, affirma-t-il en souriant.

Vaincue, Mauhna s'essuya les yeux.

– Si tu continues, tu vas me persuader que la fourberie de notre ennemi est un hommage à mes talents, lança-t-elle d'un ton plus léger.

Avec curiosité, elle entreprit d'examiner les fresques qui ornaient les murs du hall.

– Quel est ce temple ? Tu as dit qu'Artos ne nous harcèlerait pas ici.

– Nous sommes dans le temple de l'amour.

Le lieu saint se divisait en plusieurs pièces. Chacune était dédiée à une forme spécifique d'affection : passion amoureuse, amitié, amour universel, amour fraternel, altruisme, compassion et tant d'autres. Avant de franchir le seuil de la loge réservée à l'amour parental et filial, Mauhna inspira profondément. Là, comme ailleurs, les fresques déployaient leurs teintes lumineuses. Dans cette section du temple, les œuvres picturales célébraient les grands moments des relations entre les parents et leurs enfants : naissance, apprentissage, accompagnement vers la vie adulte, séparation, conflits et deuil.

Hµrtö se lova contre le dos de Mauhna et referma sur elle l'anneau réconfortant de ses bras. Ensemble, dans un silence ému, ils observèrent plusieurs de ces scènes mouvantes. Devant celle de la naissance, Le Gris rappela à son épouse l'ancienne litanie qu'Hodmar avait prononcée lors de la cérémonie de leur mariage.

– *La foi sacrée des amants mythiques sera léguée aux fils et aux filles qu'ils engendreront.*

– *Ainsi, le temps de l'innocence de leurs enfants sera béni,* enchaîna Blanche.

Ils se déplacèrent pour admirer les images consacrées à l'apprentissage. On y voyait une mère et son fils penchés sur un livre. Un père enseignait à sa fille comment différencier les espèces d'oiseaux par leur plumage et leur chant. Venaient ensuite des conseils à propos du respect de soi et de celui des autres. Une phrase brillait au-dessus de ces scènes.

Honorablement, nous guiderons les pas de nos héritiers.

– En quoi avons-nous failli avec Jordan ? demanda Mauhna, de nouveau tourmentée par sa douleur.

Le mur enchanté répondit en faisant apparaître une autre phrase.

La route des âmes sœurs est souvent semée d'embûches.

– Peut-être n'avons-nous qu'une influence limitée dans les choix que font les êtres auxquels nous donnons la vie, suggéra Hџrtö avec humilité.

Des larmes coulaient de nouveau sur les joues de Mauhna. Elle comprenait enfin que son refus d'accepter sa peine l'avait maintenue prisonnière de sa défaite. L'amertume la quittait maintenant. La magie de la fresque fit écho à ses sentiments.

La félicité étant le privilège des dieux, elle se montre capricieuse et volage en ce monde. Ainsi donc, à l'instar des autres amants, les esprits jumeaux devront cultiver l'art du pardon.

Les époux eurent alors le courage de regarder les scènes traitant des conflits et du deuil.

– Je ne cesserai jamais d'aimer Jordan. Cet enfant est le mien, mais son destin lui appartient, souffla Blanche.

– S'il menace nos existences, nous devrons tout de même le neutraliser. Peux-tu accepter que notre devoir l'exige ? demanda Hџrtö, conscient que leur survie et celle des peuples d'Anastavar dépendaient peut-être de cet engagement.

Mauhna acquiesça.

– Aussi déchirant qu'un tel choix me paraisse, je sais que notre lutte contre les forces du mal doit prévaloir sur l'affection que nous éprouvons pour notre fils, déclara-t-elle gravement.

Au bout d'un moment, Hџrtö détacha son regard d'un tableau où un père recouvrait d'un linceul le corps de son enfant.

– Viens avec moi, dit-il en prenant la main de Mauhna.

Il la conduisit dans la section consacrée à l'amour suprême : celui des âmes sœurs. Au centre de la pièce se trouvait une plaque de verre éclairée par un large rayon de lumière. Quand les Loxillion s'approchèrent du plateau suspendu dans le vide, le faisceau éclatant se scinda en plusieurs bandes de couleur. L'arc-en-ciel se mit à balayer la surface qui perdit aussitôt sa transparence. Les teintes se mélangèrent jusqu'à ce que le décor miniature d'une prairie prenne forme. L'herbe de ce pré était argentée. Bientôt, des petits personnages se matérialisèrent sous les yeux des magiciens. Étonnée, Mauhna pointa du doigt la silhouette élégante d'un personnage féminin.

– C'est moi...

La robe rouge de son double formait une tache vibrante au centre de la maquette lumineuse.

– Et toi, annonça-t-elle en déplaçant son index.

– Nous sommes devant Hodmar, entourés de la communauté des elfes-sphinx, fit remarquer Hµrtö quand le tableau fut achevé.

– Le jour de notre union, murmura Blanche, attendrie par ce souvenir.

Les figurines animées répétaient les vœux que les âmes sœurs avaient prononcés quelques siècles auparavant.

– *Tout au long de notre vie, je marcherai à tes côtés,* jurait Mauhna.

– *Jusque dans la mort, je te soutiendrai,* promettait Hµrtö.

Quand la scène prit fin, les pinceaux de lumière colorée aspirèrent le décor et se ressoudèrent dans un seul faisceau blanc. Les époux se regardèrent, puis Mauhna se décida à rompre leur silence recueilli.

– Maintenant que nous sommes dans l'antre de L'Autre, maintenant qu'approche l'heure de l'affrontement, ces promesses prennent tout leur sens, déclara-t-elle.

– Ensemble, nous ne faillirons pas. Tant que nous nous supporterons l'un et l'autre, nous vaincrons, l'assura Hµrtö.

Ils restèrent jusqu'au lendemain à l'intérieur du temple de l'amour. À tour de rôle, ils s'enveloppèrent d'un cocon scintillant qui régénéra leur énergie. Tel que l'avait prédit Hµrtö, Le Cobra n'avait dissimulé aucun piège dans le lieu sacré. Il ne vint pas non plus les débusquer dans le sanctuaire. Comme il le faisait depuis plus de deux siècles, le proscrit se contenta d'épier ses ennemis, utilisant le spectacle exécré de leur amour pour nourrir le ferment de sa haine.

Quand l'aube surnaturelle éclaira l'esplanade de ses rayons obliques, Hµrtö et Mauhna ouvrirent le portail du temple de pierre rouge. Mille silhouettes hostiles les attendaient, transformant chaque rue de la Cité des sphinx en arène de combat.

Baignant dans les lueurs du soleil factice, les ombres des époux s'allongeaient derrière eux. Filiformes, elles s'étalaient jusqu'aux confins du hall comme si elles souhaitaient savourer un ultime instant de paix avant l'affrontement.

– Allons-y ! souffla Blanche.

– Nous sommes prêts ! confirma son compagnon.

Leurs yeux glissèrent sur les visages multipliés d'Artos et de Jordan.

– Au cours du combat, tentons d'oublier le tendre lien qui nous a jadis unis à notre fils, recommanda Hµrtö.

Mauhna, la mère, se couvrit d'un bouclier enchanté. Mauhna, la magicienne, s'auréola d'un halo de pouvoirs. Ensuite, en parfait synchronisme, elle et Hµrtö franchirent le seuil du temple de l'amour.

– 47 –

Pendant ce temps, les rues de Döv Marez étaient le théâtre d'une lugubre procession. Le long du parcours, de chaque côté des voies pavées, les femmes se tenaient coites tandis que leurs enfants se blottissaient frileusement dans leur giron. Les yeux rougis, les épouses et les mères guettaient ceux qui allaient bientôt les quitter pour les champs de bataille. Combien d'entre eux reviendraient indemnes de la guerre ?

Monté sur son meilleur destrier, Noxad menait le convoi. Son cœur cognait alors qu'il approchait de la grande place. À cet endroit, un dais abritait les gens de la cour. Debout, entourée de ses dames de compagnie, Lea attendait le passage de son père. Un peu plus tôt, elle avait eu un bref entretien privé avec lui. Leurs adieux les avaient bouleversés l'un et l'autre. Maintenant, la jeune princesse partageait le chagrin impuissant des femmes muettes.

Le souverain passa devant sa fille sans s'arrêter. Comme l'exigeait le protocole, il se contenta de la saluer dignement d'un mouvement de tête, concentrant toute son affection dans l'éclat de son œil unique. Avec la même réserve, Lea s'inclina devant le maître du royaume, puis ce dernier instant fut terminé. Déjà, Noxad s'éloignait.

Ensuite, les troupes défilèrent sans discontinuer devant la princesse. En dépit du voile humide qui troublait sa vue, la jeune femme tentait de reconnaître les visages des nobles qu'elle fréquentait depuis l'enfance. Elle offrait ses hommages silencieux aux militaires de métier, valeureux combattants sur lesquels reposait la force des armées de Gohtes.

Dans le secret de son âme, Lea bénissait les maris, les frères, les pères qui, depuis ce matin, tenaient des armes plutôt que les instruments propres à leur métier. Leurs mains n'étaient pas faites pour tuer mais pour boulanger le pain, ferrer les chevaux, fabriquer des berceaux, entretenir les potagers, cajoler leurs enfants, caresser leur bien-aimée.

Les plus touchants étaient les cadets de seize ans. Nouvellement recrutés, ils bombaient leur torse encore juvénile, fanfaronnant pour mieux dissimuler la peur qui leur nouait les entrailles. Lea aurait souhaité retenir dans ses souvenirs chacun de ces visages, honorant pareillement les braves et ceux qui l'étaient moins.

Non loin du dais, la fille de Noxad remarqua une dame qui triturait nerveusement son mouchoir. La vétusté de ses vêtements détonnait avec l'élégance naturelle de la femme. De toute évidence, elle luttait contre ses larmes. À ses côtés, se tenait un homme portant l'uniforme indigo des soldats. Les manches de la tunique élimée du combattant étaient vides.

« Quelle tristesse ! » s'affligea Lea.

Le couple s'agita quand le duc Fenegam déboucha sur l'esplanade, suivi de sa troupe. Ce noble était aussi le grand maréchal de Gohtes. Parmi les aristocrates qui l'accompagnaient se trouvait le maître d'armes Tabulion. Celui-ci retenait d'une poigne énergique une jument alezane au tempérament fougueux. La belle bête piaffait, impatientée par la lenteur du trot, irritée de ne pas pouvoir remonter à la tête de la horde.

N'ayant plus rien à enseigner à Noxad dans l'art du maniement de l'épée, Tabulion n'en était pas moins resté son ami fidèle. Le temps était venu pour le maître d'armes d'accompagner son souverain au combat. Quand il fut devant le dais, il s'inclina pour saluer la princesse.

– Je veillerai sur votre père ! articula-t-il pour que Lea lise ses paroles sur ses lèvres.

Celle-ci appuya sa main sur son cœur, signifiant qu'elle avait reçu sa promesse et qu'elle l'en remerciait. Loin derrière Tabulion, à la queue du convoi, Garomil et Sati avançaient côte à côte, montés sur des petits hongres.

« Ai-je bien fait de les recommander au maréchal ? » se tourmentait le maître d'armes en se retournant fréquemment pour jeter un œil sur les nouveaux écuyers.

Il avait fallu toute son éloquence et ses assurances concernant les qualités d'escrimeurs de ses protégés pour convaincre le duc de les accueillir dans sa suite.

– Des enfants du peuple... des fils de boutiquiers ! avait maugréé le noble avec son habituel mépris pour ceux qui n'appartenaient pas à l'aristocratie de Gohtes.

– Pour abreuver la terre de notre pays, le sang de ces garçons vaut bien celui qui coule dans les veines de vos héritiers, avait rétorqué Tabulion d'un ton ferme.

Le maître observa encore ses recrues. Garomil affichait une mine grave. Pendant quelques instants, le garçon ralentit l'allure de sa monture pour tendre la main à sa mère. Elestre serra un moment la paume de son fils, puis, à contrecœur, elle dut la lâcher.

– Sois prudent ! réussit-elle à recommander à travers ses larmes.

Romhan restait là, figé. S'habituerait-il jamais à son infirmité ? Quelle torture de ne pas pouvoir toucher ceux qu'il aimait, d'être incapable de réconforter son épouse en l'étreignant. Cette scène fugitive n'avait pas échappé à la princesse.

Tandis que Garomil s'approchait de celle qui l'avait tant troublé, ses pupilles brillaient d'une lueur attristée. Des émotions contradictoires luttaient dans son âme : il se sentait déchiré entre le chagrin d'abandonner Elestre et le bonheur d'apercevoir la princesse. Il n'en parut que plus séduisant aux yeux de la fille de Noxad.

« Ce visage-là, je ne l'oublierai pas », sut immédiatement Lea.

L'espace d'un très court instant, Garomil osa plonger son regard dans celui de la demoiselle. N'attendant pas de réponse, il la salua d'un humble hochement de tête. À son grand étonnement, la voix de Lea s'éleva, claire et forte pour dominer les martèlements des sabots.

– Que les dieux protègent les défenseurs de notre patrie ! proclama-t-elle, remuée jusqu'au fond de l'âme.

Avec respect, elle inclina la tête en direction de Garomil tandis que les gens de la cour répétaient son vœu. Puis la foule assemblée réitéra cette prière.

– Que les dieux protègent les défenseurs de notre patrie !

Un même frisson parcourut le corps de cette communauté qu'on amputait d'une partie de sa force vive. Ébranlé, Garomil poursuivit son chemin. Pour aller se battre contre les ennemis de son pays, il laissait derrière lui sa mère en larmes, son père à peine retrouvé et celle qui éveillait les premiers sentiments tendres dans son cœur encore si pur.

Pourtant, il avait volontairement choisi la voie des armes. Par sa vaillance au combat, il espérait sortir sa mère de l'indigence, mériter la fierté de son père, obtenir les faveurs du roi Noxad et gagner l'affection de sa fille. Il fallait toute l'arrogance et la fougue de sa jeunesse pour caresser autant de rêves.

« Quel étrange lien unit l'amour et la guerre ? » se demandait-il tandis qu'il chevauchait sur sa médiocre monture, vêtu de hardes, le paquetage presque vide, relégué à la queue d'un convoi de riches seigneurs, derrière les pages, les cuisiniers et les valets.

Pourtant, la princesse l'avait salué. Tout à coup, Garomil eut une pensée pour Sati. Personne n'était venu lui dire adieu. Personne ne semblait se soucier de son destin.

– Je suis là ! Je suis avec toi ! l'assura Garomil, la gorge serrée.

Le rouquin acquiesça.

– Nous veillerons l'un sur l'autre, dit-il, conscient que leur amitié était sa seule richesse.

Les appels des cors qui ponctuaient la marche de l'armée de Gohtes rendaient impossible une conversation suivie. Les garçons durent donc se résoudre à chevaucher en silence.

En raison de leur piètre position sociale, Garomil et Sati fermaient le convoi des hommes libres. Derrière eux, avançaient les légions d'esclaves. Entre les éclats des trompes de guerre, les écuyers entendaient le cliquetis des chaînes. Rompant parfois le bruissement monotone, des gardes hurlaient des ordres, les fouets cinglaient, des plaintes naissaient et mouraient.

Garomil préférait ne pas regarder les elfes asservis. Ces êtres bafoués allaient se retrouver aux premières lignes lors des combats. Très peu d'entre eux survivraient. Le fils d'Elestre avait vécu parmi les esclaves dans l'atelier d'Olivar. Il avait appris à les connaître, avait tissé des liens d'amitié avec certains, découvert que rien ne justifiait qu'on les prive de leur liberté.

Pourtant, sans sagesse ni expérience, Garomil ne parvenait pas à imaginer l'avenir d'une nation sans esclaves. Il lui paraissait impossible de faire prospérer un commerce sans leur labeur.

« C'est le lot des elfes d'être soumis aux humains, comme c'est le mien de devenir un guerrier », songeait-il sans que cet argument parvienne à apaiser complètement son sentiment de culpabilité.

Dans sa grande naïveté, Garomil repoussait son malaise en se jurant de devenir un bon maître.

« Je serai ferme mais juste. »

Ainsi raisonnait Garomil, appuyé dans ses convictions par des siècles d'esclavage, incapable de concevoir autrement les relations entre les hommes et les elfes. Comment, à l'aube de sa vie adulte, pouvait-il se douter que la guerre allait déchirer le voile qui lui couvrait les yeux et anéantir l'échafaudage précaire de ses croyances ?

Garomil tentait d'oublier le tumulte des chaînes quand son regard croisa celui d'un grand gaillard. À cet endroit de l'esplanade se dressait le chapiteau d'un cirque ambulant. Le colosse au visage poupin était vêtu d'une cape pourpre et, sous l'étoffe somptueuse, il croisait deux paires de bras.

La stupéfaction coupa le souffle de Garomil. Le forain le dévisageait comme s'il cherchait à percer le secret des pensées du jeune écuyer. Voyant cela, celui-ci voulut braver l'étrange personnage en soutenant son regard. Malgré toute sa détermination, Garomil fut incapable de relever le défi. Ses yeux verts se détournèrent bientôt pour échapper à l'expression sévère de l'homme aux quatre mains.

Sans savoir pourquoi, dès cet instant, le fils d'Elestre ne parvint plus à ignorer le sifflement des fouets, les injures des gardes et les pas lourds des elfes qu'on menait à la mort. Alors qu'il quittait l'esplanade principale de Döv Marez, Garomil ressentit la première blessure de la honte.

✧

Derrière Quatre-Mains, grimpés sur l'un des chariots bariolés de la caravane, se tenaient Khar et Dhar, Shinon, Nabi, Oliana et Kamel, le chef des hermaphrodites insoumis. Depuis leur position surélevée, ces témoins étrangers dominaient la place où défilaient leurs frères opprimés. Par-delà la mer houleuse des têtes des esclaves enchaînés, les artisans de la future révolte des elfes guettaient une même silhouette : celle de la fille du roi.

Lea avait refusé de quitter le dais après le passage des hommes.

– Ce n'est pas un spectacle convenable pour une jeune et noble dame. Princesse, ne restez pas là, avait recommandé le chancelier en lui désignant le carrosse qui devait la ramener dans le confort et la sécurité du palais de Döv Marez.

– Pas un spectacle pour moi ! Qu'est-ce qu'un spectacle convenable pour moi ? Des amusements futiles comme des numéros d'adresse ou des pitreries de bouffons ? s'était rebellée la princesse.

– Votre altesse, je crois..., avait tenté d'insister le dignitaire.

Lea l'avait vertement rabroué.

– Regardez les gens de ce cirque. Voyez leur mine attristée... Même ces amuseurs comprennent ce qu'il y a de déshonorant dans ce *spectacle* !

Depuis cette altercation, Lea n'avait pas bronché. Et, puisque la princesse restait sous le dais à observer le défilé des légions d'esclaves, les membres de sa suite étaient bien obligés de l'imiter. Habitués au faste de la cour et à ses frivolités, ces gens de haut rang se sentaient de plus en plus troublés par l'étalage des misères qu'ils auraient préféré ignorer.

Pour Lea, les émotions n'avaient pas cessé de s'accumuler depuis l'aurore. Depuis qu'elle avait fait ses adieux à son père, la princesse voyait se dissiper les illusions de son enfance. L'heure n'était plus à l'innocence.

Soudain, elle quitta le dais, fendit le défilé et se hissa sur la pointe des pieds pour retenir le bras musculeux d'un gardien qui maniait le fouet avec trop de zèle. L'autorité du geste de la princesse produisit sur le gaillard plus d'effet que ne l'aurait fait la force. Il rangea l'arme dans sa ceinture, s'inclina maladroitement devant l'héritière du roi et s'empressa de fuir son regard accusateur.

Ensuite, Lea dévisagea la femme bossue et les autres forains qui l'observaient depuis leur chariot de vaudeville.

À l'instar de Garomil, la fille de Noxad éprouva alors la brûlure de la honte. Elle baissa un moment la tête puis, saisie d'une inspiration soudaine, elle posa la main sur son cœur.

– Que les dieux protègent les défenseurs de notre patrie ! répéta-t-elle pour les légions elfiques.

– 48 –

Tel un frère siamois, un autre bâtiment de pierre rouge était accolé, à l'arrière, au temple de l'amour. Comme son jumeau, il comportait plusieurs alcôves. En son centre, se trouvait une grande salle déserte. Quand survint l'aurore, cette pièce fut inondée d'une lumière couleur de braise. Tout autour de l'enceinte, des portes s'ouvrirent avec fracas pour livrer le passage à des statues de cire colossales. Leurs yeux dorés étaient clos. Dans leurs mains, les géants tenaient des armes. Là, au cœur du temple de la guerre, chaque jour se levait sur une joute macabre.

Des coulées sanglantes surgirent des veines du marbre immaculé, dessinant sur le sol des contours pourpres. Si un observateur avait pu léviter sous la voûte, il aurait reconnu la forme du continent d'Anastavar et les tracés qui délimitaient les frontières de ses six pays : Yzsar, Môjar, Lombre, Laphädeys, Bortka et Gohtes.

Semblables à des pions sur un échiquier, les socles des statues glissèrent sans bruit pour prendre leur position. Chaque personnage représentait le souverain d'une nation.

Il y avait Balabar de Bortka, parricide usurpateur. En raison de son corps velu et de son appétit démesuré pour le pouvoir, ses ennemis l'appelaient l'Ogre de Bortka. Son arme était une hallebarde.

Son voisin avait un bandeau sur l'œil droit. Il s'agissait de Noxad de Gohtes, le roi borgne. Avec l'élégance d'un puissant escrimeur, il maniait une épée à la lame mince et tranchante.

Une femme défigurée gouvernait le peuple des amazones de Lombre. Elle s'appelait Urzul et portait à sa ceinture une collection de poignards et de dagues.

Yana, du pays de Laphädeys, faisait claquer plusieurs fouets. La silhouette difforme de cette reine cannibale, son nez camus et sa bouche pleine de crocs lui valaient divers sobriquets. Étant réputée pour empoisonner ses ennemis ou leur jeter des sorts, elle méritait aussi le titre de sorcière.

Gröhn Le Terrible descendait de la lignée des géants. Plus grand que tous ses rivaux, celui qui régnait sur les terres d'Yzsar faisait des moulinets avec un énorme fléau d'armes.

Beau au point de rivaliser avec l'éclat du soleil, Sol'Yrïon, le roi du Môjar, resplendissait. Né du mariage forcé d'Oliana avec le défunt souverain Bÿron, cet elfe-sphinx métissé avait hérité de la grâce de sa mère et de la cupidité de son père. Surnommé Le Magnifique, il aimait se battre avec un sabre.

Un gong retentit dans le silence du temple de la guerre. Dès lors, nimbées de lumière rouge, les statues de cire brandirent leurs armes. Bien que rigides, leurs bras remuèrent. Balabar attaqua Noxad. Yana évita un poignard lancé par Urzul. Gröhn abattit son fléau sur la tête de Sol'Yrïon. Celle-ci repoussa sans attendre et Le Magnifique répliqua en coupant la main du géant.

Tout le jour, cette lutte démente allait se poursuivre. Les combattants foulaient les marques des frontières, déformant les tracés jusqu'à ce qu'ils ne soient plus que des bornes imprécises. Bientôt, le sol de marbre laissait de nouveau jaillir des flots de sang et les territoires des pays baignaient dans une mare poisseuse.

Le tout se déroulait dans les halètements des combattants. Cependant, les effigies des souverains n'échangeaient pas un mot. Dominant parfois le tumulte de leurs combats, s'élevaient des pièces voisines les gémissements des peuples sacrifiés, les sanglots des femmes violées et les prières des esclaves opprimés.

Mais les rois de cire ne les entendaient pas. Qu'ils aient hérité de leur trône ou qu'ils l'aient usurpé, ces êtres de pouvoir se ressemblaient sur deux points : la guerre les rendait sourds et, dans leur soif de domination, ils se battaient les yeux fermés.

✧

Depuis la fin du Traité des Six, cette pantomime recommençait à l'aube de tous les jours. Les esprits de la Cité des sphinx observaient les combats, cherchant à comprendre la fureur insensée qui animait les maîtres des nations humaines. En s'imposant ce spectacle, ils espéraient percer les secrets de l'avidité des êtres mortels. Dans leur amour infini pour la vie, ils attendaient une révélation.

– Il doit bien exister un remède à leurs instincts destructeurs, se répétaient les âmes divines.

Quand les esprits n'en pouvaient plus de cette haine et de cette violence, ils interrompaient la lutte des rois en recourant à un subterfuge : ils ouvraient le mur qui séparait les deux temples jumeaux. Dès lors, les armes tombaient. Laissant dans leur sillage des traînées sanglantes, les statues des souverains quittaient aussitôt l'enceinte des combats. Mû par une attraction irrésistible, chacun se dirigeait vers une alcôve du temple de l'amour. Alors leurs paupières se descellaient et leurs oreilles leur laissaient entendre leurs propres sanglots.

Invariablement, le double de Noxad se réfugiait dans la salle consacrée à l'amour parental. Là, dans un miroir magique, il épiait les tendres moments que partageaient le vrai roi borgne et sa fille.

– Lea, je t'aime ! soupirait-il tandis que son corps de cire fondait.

Gröhn Le Terrible s'évadait en contemplant les ébats du souverain du pays d'Yzsar avec Alfi, sa voluptueuse maîtresse. Le géant aurait tout sacrifié à sa passion pour son esclave elfique. Il ne connaissait de l'amour que le désir qu'elle lui inspirait.

– Alfi, je t'aime ! haletait-il tandis que son corps de cire fondait.

Urzul, la reine amazone, se plantait au centre de la section dédiée à l'amour des arts. Elle s'apaisait dans l'ambiance lénifiante de l'endroit, émerveillée par les harmonies de la musique, les couleurs des fresques, les lignes pures des sculptures. Aucun miroir ne se trouvait dans cette pièce pour lui retourner l'horreur de son visage mutilé.

– Beauté, je t'aime ! s'exaltait-elle tandis que son corps de cire fondait.

Yana de Laphädeys se précipitait vers un endroit où, par la magie du temple, les parois de granit s'effaçaient. La sorcière cannibale s'enfonçait dans des sous-bois marécageux. Ils étaient tous là, ses amis venimeux : ciguë, belladone, crotales, vipères, tarentules et tant d'autres.

– Nature, je t'aime ! sifflait-elle tandis que son corps de cire fondait.

Le double de Sol'Yrïon se rendait dans la salle de l'amour maternel. Là, Le Magnifique se torturait devant les scènes de mères cajolant leurs enfants. Privé du seul amour qu'il ait désiré, il se demandait sans cesse pourquoi Oliana l'avait abandonné.

– Maman, je t'aime ! s'affligeait-il tandis que son corps de cire fondait.

Pendant ce temps, la statue de l'Ogre de Bortka choisissait une alcôve remplie de miroirs qui l'embellissaient, l'ennoblissaient, flattant son orgueil démesuré et ses rêves de grandeur.

– Balabar, je t'aime ! se complaisait-il tandis que son corps de cire fondait.

Tel était le pouvoir de ce temple : chacun y trouvait un écho à ses sentiments. La conscience de leur propre affection réconfortait les pèlerins, soutenant, dans leur cœur, l'espoir d'être aimés en retour.

Les esprits qui gouvernaient ce lieu sacré honoraient toutes les facettes de l'amour, ses raisons comme ses déraisons.

✧

Imitant les esprits de la Cité des sphinx, Jordan s'intéressait aussi aux combats des rois d'Anastavar. Un jour qu'il avait faussé compagnie à Artos pour se rendre dans le temple de la guerre, il avait assisté à l'écroulement des murs entre les édifices jumeaux. Étonné de voir les statues de cire rendre les armes, il les avait suivies dans les différentes alcôves du sanctuaire de l'amour.

Quand, vaincus par les forces du lieu saint, les guerriers s'étaient retrouvés en flaque cireuse, l'enchanteur maléfique avait recueilli un peu de leur substance. À l'aide de ce cérat, il s'était façonné une cuirasse. Moulant sa poitrine, cette armure occulte réveillait en lui les haines combinées des six souverains.

« Je suis prêt pour l'affrontement, avait songé le fils déchu en refermant sa tunique sur ce singulier talisman. Qu'importe ce que tenteront mes parents, je resterai à l'abri de leur tendresse. »

✧

Maintenant, dans les fausses lueurs du matin, Jordan se dissimulait parmi la foule de ses sosies. Froidement, il regardait ceux qu'il avait tant aimés. Hµrtö et Mauhna se tenaient sur le seuil du temple de l'amour. Baignés par les rayons obliques, ils paraissaient majestueux. Ils avancèrent sur le parvis, leurs ombres s'allongeant derrière eux.

Tandis que les rois de cire renaissaient pour se livrer à leur lutte insensée, les porteurs des clés d'or et de platine faisaient face à deux ennemis multipliés. Le silence régnait sur l'esplanade.

Artos jubilait, convaincu de remporter la victoire.

Hμrtö songeait à l'avenir sinistre qui guettait les êtres vivants s'il échouait.

Jordan comptait sur la ruse pour compenser la faiblesse de ses pouvoirs.

Mauhna demandait humblement la protection des esprits.

Dominant l'arène, tels des juges austères, se dressaient les tours aveugles des temples de la Cité des sphinx. Les magiciens prirent leur position de combat. L'affrontement des mages blancs et des mages noirs allait commencer.

Épilogue

Pendant ce temps, sous le couvert d'un cirque ambulant, Nabi et Oliana appelaient les elfes à la révolte. Kamel leur fournissait des armes ; Quatre-Mains, Shinon et leurs fils siamois leur enseignaient à les manier.

Au nom de ce qu'ils chérissaient, les rois d'Anastavar rêvaient de domination, les soldats éprouvaient leur bravoure, les femmes attendaient leur retour. Les mères nourrissaient la prochaine génération de combattants, les pères la berçaient des illusions de la gloire.

Dans la cité de Döv Marez, Lea caressait le souvenir d'un bel écuyer aux yeux verts, Romhan apprenait à vivre sans bras, Elestre priait pour le salut de son fils.

Quand il n'était pas occupé à pourfendre ceux qu'on désignait comme ses ennemis, Garomil pensait à la fille du roi. Héros anonyme dans l'immensité des champs de bataille, il n'hésitait pas à secourir ses frères d'armes, qu'ils soient esclaves ou nobles seigneurs.

Parfois, dans ses rêves, apparaissaient un magnifique étalon noir ainsi qu'un oiseau mythique au plumage pourpre et doré. Au réveil, Garomil oubliait ses songes. Avant d'assumer son destin, le sauveur des elfes opprimés devait devenir un homme.

Partout dans l'univers, en dépit de la tourmente, les amants continuaient de s'espérer, de se trouver, de se battre et de se quitter. Dans le feu de cette passion immémoriale, la vie succédait à la mort. Sans relâche, les êtres de chair et de sang luttaient. Mais pourquoi ? Le savaient-ils seulement ? C'était là tout le mystère des mondes jumeaux de l'amour et de la guerre.

✧

Seule dans son volcan, attisant ce chaos, Korza pulsait au rythme du choc des épées. Prisonnière de son gouffre, elle écoutait avec délices les lamentations de ceux qui tombaient au combat. Dans ses rêves éveillés, la pureté n'apparaissait que pour être souillée : la putréfaction couvrait les prés, les sources vomissaient des eaux croupies, le vent charriait la puanteur des tombeaux.

Sous la couche de suie qui maculait ses flancs de cristal, s'animaient les acteurs de toutes les tragédies humaines. La déesse couvait le spectacle de la détresse des êtres mortels comme un terrifiant fœtus. Une fois expulsé de son sein, ce fruit pourri allait répandre un mal pire que la peste.

Caressée par les lueurs de la lave, Korza chantait :

Le jour venu de mon règne
J'engendrerai des enfants loups qui videront leur mère de leur sang
La lèpre rongera le visage des filles, les bras des beaux fiancés

Les frères et les sœurs s'arracheront les yeux, les ongles et les dents

La concupiscence tuera le désir

Les bébés ne seront plus que fils de violeurs, filles de violées

Cruels comme des hyènes, les anciens dévoreront leurs descendants

Plus rien ne subsistera de l'amour

La haine s'érigera en vertu.

Oui, il se lèvera ce jour

Et là, j'aurai vaincu les dieux.

Telle était la fureur qu'espérait libérer Jordan, porteur du sphinx des sphinx, enfant pleuré des âmes sœurs, malheureux fils déchu.

DÉJÀ PARUS

Le pacte des elfes-sphinx

Tomes 1, 2 et 3